UNE QUESTION D'HONNEUR

Donna Leon est née en 1942 dans le New Jersey et vit à Venise depuis plus de vingt ans. Elle enseigne la littérature dans une base de l'armée américaine située près de la Cité des Doges. Son premier roman, *Mort à la Fenice*, a été couronné par le prestigieux prix japonais Suntory, qui récompense les meilleurs suspenses.

Donna Leon

UNE QUESTION D'HONNEUR

ROMAN

Traduit de l'anglais (États-Unis)
par William Olivier Desmond

Calmann-Lévy

TEXTE INTÉGRAL

TITRE ORIGINAL
Wilful Behaviour

ÉDITEUR ORIGINAL
William Heinemann, UK, 2002

© Donna Leon et Diogenes Verlag AG, Zurich, 2001

ISBN 978-2-02-059344-1
(ISBN 2-7021-3579-X, 1ʳ publication)

© Calmann-Lévy, 2005, pour la traduction française

À Daniel Hungerbühler.

I dubbi, i sospetti
Gelare mi fan.

Doutes et soupçons
Me glacent.

MOZART, *Les Noces de Figaro*

1

L'explosion eut lieu au petit déjeuner. Même si, en tant que commissaire de police, Guido Brunetti était plus exposé qu'un citoyen ordinaire à ce genre d'événements, le cadre n'en était pas moins étrange. Car celle-là était liée non pas à sa profession de policier, mais à sa situation personnelle en tant qu'époux d'une femme ayant des vues et des opinions politiques incandescentes, bien que pas toujours très cohérentes.

« Pourquoi sommes-nous assez bêtes pour lire ce torchon écœurant ? » tonna soudain Paola en faisant claquer sur la table un exemplaire replié du *Gazzettino,* si brutalement que le sucrier se renversa.

Brunetti se pencha sur la table, repoussa le journal d'un doigt et redressa le sucrier. Puis il prit une seconde brioche et mordit dedans, ne doutant pas un instant qu'une explication de texte allait suivre.

« Écoute-moi ça, reprit Paola, dépliant à nouveau le journal pour lire la manchette du grand article de première page. FULVIA PRATO RACONTE SON TERRIBLE CALVAIRE. »

Comme toute l'Italie, Brunetti savait qui était Fulvia Prato : la femme d'un riche industriel de Florence, kidnappée treize mois auparavant ; ses ravisseurs l'avaient laissée enfermée pendant tout ce temps dans une cave.

11

Libérée par les carabiniers deux semaines auparavant, elle avait tenu une conférence de presse la veille.

Brunetti n'avait aucune idée de ce qui scandalisait Paola dans cette manchette.

« Et ça ! reprit-elle en se rendant au bas de la page cinq. UNE COMMISSAIRE EUROPÉENNE AVOUE AVOIR ÉTÉ VICTIME DE HARCÈLEMENT SEXUEL SUR SON ANCIEN LIEU DE TRAVAIL. »

Le policier était également au courant de ce cas : la commissaire en question, qui occupait effectivement un poste (Brunetti ne savait plus exactement lequel : sans doute un de ces strapontins comme on en donne en général aux femmes) à la Commission de Bruxelles, avait déclaré la veille, au cours d'une conférence de presse, avoir été victime d'une agression sexuelle vingt ans plus tôt, à l'époque où elle travaillait dans une entreprise de travaux publics.

Ayant appris l'art de la patience au bout de plus de vingt ans de mariage, Brunetti attendit donc, imperturbable, les explications de Paola.

« Est-ce que tu te rends compte du terme qu'ils ont utilisé ? La signora Prato n'a pas eu à *avouer* qu'elle avait été victime d'un enlèvement, mais cette malheureuse, elle, *avoue* avoir été victime d'une forme ou d'une autre d'agression sexuelle. C'est typique de ces troglodytes, ajouta-t-elle avec un revers de main méprisant pour le journal, de ne même pas dire ce qui s'est passé – juste que c'était sexuel. Bon Dieu, je me demande pourquoi on prend la peine de lire ce torchon.

– C'est difficile à croire, hein ? » approuva Brunetti, lui-même sincèrement choqué par l'emploi de ce verbe, mais peut-être davantage encore de ne pas avoir remarqué cette dissonance avant que Paola ne la lui fasse remarquer.

Bien des années auparavant, il avait commencé à la taquiner gentiment sur ce qu'il appelait ses « sermons du petit déj », autrement dit les fulminations que provoquait chez elle la lecture des journaux du matin ; mais, avec les années, il avait dû finir par reconnaître qu'il y avait beaucoup de logique dans ces crises de rage passagères.

« Au fait, est-ce qu'il t'est arrivé d'avoir affaire à ce genre de choses ? demanda-t-elle. Tu ne m'en as jamais parlé. » Elle tendait vers lui l'article de la page cinq, pour bien montrer qu'elle ne faisait pas allusion à l'enlèvement.

« Oui, une fois, il y a des années.

– Où ça ?

– À Naples. Quand j'y étais en poste.

– Qu'est-ce qui s'est passé ?

– Une femme est venue déposer une plainte pour viol. Elle tenait absolument à dénoncer son violeur (il se tut un instant). C'était son mari. »

Paola ne réagit pas tout de suite.

« Et alors ?

– L'interrogatoire a été conduit par le commissaire sous les ordres duquel j'étais à l'époque.

– Et ?

– Il lui a conseillé de bien réfléchir à ce qu'elle faisait, parce que la plainte allait entraîner beaucoup d'ennuis pour son mari. »

Cette fois-ci, le silence de Paola l'incita à poursuivre.

« Après l'avoir écouté, elle a répondu qu'elle avait besoin de temps pour y penser, et elle est partie. » Il se souvenait encore des épaules affaissées de la femme, au moment où elle avait quitté le commissariat. « Elle n'est jamais revenue. »

Paola poussa un soupir.

« Les choses ont-elles beaucoup changé, depuis ?

– Un peu.

– En mieux ?

– Oh, à peine. Nous essayons au moins que le premier interrogatoire soit conduit par une femme de nos effectifs.

– Vous essayez ?

– S'il y a une policière en service quand la femme se présente.

– Et s'il n'y en a pas ?

– On passe quelques coups de fil pour essayer d'en rappeler une.

– Et si personne n'est disponible ? »

Il se demanda fugitivement comment, d'un petit déjeuner tranquille, on était passé à cette procédure d'inquisition en règle.

« S'il n'y en pas, elle est interrogée par le premier qui est disponible.

– Ce qui signifie, j'imagine, que l'interrogatoire peut très bien être conduit par des personnages comme Alvise ou le lieutenant Scarpa. » Elle ne fit rien pour dissimuler son écœurement en mentionnant ces noms.

« Ce n'est pas véritablement un interrogatoire, Paola, pas comme quand on cuisine un suspect. »

Elle tapota d'un index nerveux la manchette de l'article de la page cinq.

« Dans une ville où une telle chose est possible, je préfère ne pas penser à quoi doit ressembler ce genre d'interrogatoire. »

Il était sur le point de rétorquer quelque chose, lorsque, sentant peut-être l'arrivée de l'orage, Paola changea complètement de ton pour demander :

« Et comment s'annonce ta journée ? Tu reviens pour déjeuner ? »

Soulagé, conscient de tenter le diable mais incapable de s'en empêcher, il répondit :

« C'est possible. Les criminels de Venise semblent avoir pris des vacances.

« – Seigneur, si seulement mes étudiants avaient pu en faire autant ! marmonna-t-elle avec résignation.

– Voyons, Paola, ça ne fait que six jours que les cours ont repris », ne put-il s'empêcher de lui faire remarquer. Il se demanda comment elle avait réussi à monopoliser le droit de se plaindre de son travail. Après tout, c'était lui qui avait affaire, sinon quotidiennement, du moins avec une fréquence quelque peu déstabilisante, à des meurtres, à des viols et à des gens battus, alors que la pire des choses pouvant arriver dans l'une des classes de Paola était qu'un de ses élèves soit incapable de citer le premier vers de la tirade de Hamlet. Il était sur le point d'ironiser sur ce thème, lorsqu'il surprit une expression inhabituelle dans les yeux de sa femme.

« Qu'est-ce qu'il y a ?

– Hein ? »

Il n'eut aucun mal à voir qu'elle n'avait pas envie de répondre.

« Je t'ai demandé ce qui se passait.

– Oh, des étudiants difficiles. La routine. »

Décidément, il y avait quelque chose dont elle n'avait pas envie de parler. Il repoussa sa chaise, se leva, fit le tour de la table et, posant une main sur l'épaule de sa femme, se pencha sur elle pour l'embrasser sur le sommet du crâne.

« Alors à tout à l'heure, pour le déjeuner.

– Je ne vais vivre que dans cette attente », répondit-elle avec un geste pour ramasser le sucre en poudre.

Encore attablée, Paola dut décider si elle préférait achever la lecture du journal ou faire la vaisselle : la perspective de la vaisselle lui parut plus séduisante. La corvée terminée, elle consulta sa montre, constata que le seul cours qu'elle avait à donner de la journée allait commencer dans moins d'une heure, et se rendit dans la chambre pour finir de s'habiller, tout absorbée, comme c'était souvent le cas, par les écrits de Henry James ; aujourd'hui, c'était seulement dans le cadre du cours qu'elle devait donner sur Edith Wharton : dans quelle mesure James l'avait-il influencée ?

Dans ses cours, elle avait récemment parlé du thème de l'honneur et de celui du comportement honorable, expliquant comment ce dernier constituait un élément central dans les trois grands romans de Wharton ; elle se demandait cependant avec inquiétude si ce mot avait le même sens pour elle et pour ses étudiants – et même s'il en avait un pour eux. Elle aurait aimé en parler à Guido, ce matin, car elle respectait son opinion sur ce genre de sujet, mais sa réaction aux manchettes du *Gazzettino* l'avait entraînée ailleurs.

Au bout de tant d'années, elle ne pouvait plus faire semblant d'ignorer ce qui était devenu la stratégie habituelle de Guido devant ses sermons du petit déj : quitter au plus vite la table. Elle sourit en pensant à cette expression qu'il avait inventée et qu'il employait affectueusement. Elle n'ignorait pas qu'elle réagissait trop promptement et de manière disproportionnée à la moindre des provocations. Un jour qu'elle l'avait mis en colère, Brunetti avait même énuméré, avec la rigueur d'un juge d'instruction, la longue liste des sujets qui avaient le don de lui faire perdre son sang-froid. Mais elle préférait oublier ce catalogue, la seule idée de sa précision suffisant à la faire frissonner.

Les premiers frimas de l'automne avaient enveloppé la lagune, la veille, si bien qu'elle enfila un manteau en lainage léger avant de prendre son porte-documents et de quitter l'appartement. Et tandis qu'elle marchait dans les rues de Venise pour rejoindre sa classe, c'étaient celles de New York qui hantaient ses pensées, New York, la ville où s'était déroulée la vie des héroïnes de Wharton, un siècle auparavant. Dans leurs efforts pour naviguer entre les multiples écueils des usages et coutumes, des fortunes anciennes et nouvelles, du pouvoir établi des hommes, et de ceux, parfois encore plus grands, de leur beauté et de leur charme, les trois femmes s'étaient trouvées constamment prisonnières des règles de l'honneur. Mais aujourd'hui, se dit Paola, plus personne ne s'accordait sur la définition d'un comportement honorable.

Ce n'étaient certes pas les romans de Wharton qui suggéraient que l'honneur triomphait : dans le premier cas, il coûtait sa vie à l'héroïne ; dans le deuxième, il lui faisait perdre tout espoir de bonheur ; dans le troisième, l'héroïne ne triomphait que parce qu'elle était incapable d'en saisir la valeur. Comment, dans ces conditions, faire comprendre son importance, en particulier à des jeunes gens qui ne s'identifieraient – s'ils étaient capables de s'identifier avec d'autres personnages que ceux des films – qu'avec la troisième héroïne ?

Le cours se déroula comme elle s'y était attendue et, lorsqu'il arriva à son terme, elle fut prise de l'envie de leur citer le passage de la Bible (livre pour lequel elle n'éprouvait aucune sympathie particulière) dans lequel il est reproché aux hommes d'avoir des yeux et de ne pas voir, des oreilles et de ne pas entendre. Mais elle préféra s'en abstenir, songeant que ses étudiants seraient aussi imperméables aux paroles de l'Évangile qu'ils l'avaient été aux états d'âme des héroïnes de Wharton.

Tout ce petit monde quitta la salle à la queue leu leu et Paola commença à ranger livres et notes dans son porte-documents. Ce qu'elle considérait comme un échec professionnel ne la déprimait plus autant que lorsqu'elle avait pris conscience, quelques années plus tôt, à quel point ce qu'elle disait (et probablement aussi ce qu'elle croyait) était incompréhensible pour ses étudiants. Alors qu'elle enseignait déjà depuis sept ans, elle avait fait une allusion à l'*Iliade* et, devant l'expression perplexe de son auditoire, elle avait découvert qu'un seul des étudiants de la classe se souvenait vaguement d'en avoir lu des fragments ; mais même lui s'était montré incapable de comprendre la notion de comportement héroïque. Les Troyens avaient perdu, non ? Quelle importance avait, dans ce cas, la manière dont Hector s'était comporté ?

« Tout fout le camp », marmonna-t-elle en anglais, avant de sursauter quand elle se rendit compte qu'une des jeunes étudiantes était restée et se tenait près d'elle – sans doute convaincue, à présent, que sa prof était cinglée.

« Oui, Claudia ? » demanda-t-elle, à peu près certaine que c'était bien le prénom de la jeune fille. Petite, l'œil et le cheveu noirs, elle avait un teint laiteux, à croire qu'elle ne s'exposait jamais au soleil. Elle avait suivi un cours de Paola l'année précédente. Elle demandait rarement la parole, prenait beaucoup de notes et avait d'excellents résultats dans ses travaux écrits ; elle laissait à Paola l'impression générale d'une jeune femme brillante, mais handicapée par sa timidité.

« Je me demandais si je pouvais vous parler, madame. »

Se souvenant qu'elle ne pouvait se permettre de répliques acerbes que vis-à-vis de ses propres enfants, Paola ne lui fit pas remarquer que c'était précisément ce qu'elle faisait. Au lieu de cela, elle pressa les fermoirs de son porte-documents avant de répondre.

« Mais bien entendu. De quoi s'agit-il ? De Wharton ?

– En un sens, oui, mais pas vraiment, madame. »

Une fois de plus, Paola dut réfréner son envie d'observer qu'il y avait contradiction flagrante dans les termes de la réponse.

« C'est à propos de quoi, alors ? »

Elle sourit cependant en posant sa question, par crainte d'intimider cette jeune fille déjà si réservée en temps normal. Et pour éviter de la laisser penser qu'elle était impatiente de quitter la classe, Paola laissa le porte-documents sur le bureau, contre lequel elle s'appuya, adressant un nouveau sourire à la jeune fille.

« À propos de ma grand-mère », répondit celle-ci avec un regard inquisiteur, comme pour vérifier si Paola savait ce qu'était une grand-mère.

Elle jeta un coup d'œil vers la porte, revint vers Paola, puis regarda de nouveau la porte.

« Il y a quelque chose qui la tracasse, et j'aimerais avoir un avis là-dessus. »

Sur quoi elle se tut.

Comme il semblait que Claudia n'allait rien ajouter, Paola reprit son porte-documents et se dirigea vers la porte, marchant à pas lents. La jeune fille se faufila devant elle pour ouvrir le battant, mais recula d'un pas pour laisser passer son professeur. À la fois satisfaite par cette manifestation de respect et contrariée de l'être, Paola lui demanda alors – consciente que la réponse n'avait pas beaucoup d'importance, mais que cela donnerait à Claudia l'occasion de lui fournir davantage de précisions – s'il s'agissait de sa grand-mère maternelle ou paternelle.

« En fait, ni l'une ni l'autre, madame. »

Se promettant une solide gratification pour avoir ravalé autant de répliques bien senties au cours de cette conversation – si c'était bien une conversation qu'elles avaient –, Paola demanda alors :

« Une grand-mère honoraire, en quelque sorte ? »

Claudia sourit, réaction qui se manifestait avant tout dans ses yeux et qui n'en était que plus touchante.

« Oui, c'est ça. Elle n'est pas vraiment ma grand-mère, mais c'est toujours ainsi que je l'ai appelée. *Nonna Hedi,* parce qu'elle était autrichienne, vous voyez. »

Non, Paola ne voyait pas le rapport.

« Elle est de la famille de vos parents, une grand-tante, quelque chose comme ça ? »

La question mit de toute évidence la jeune fille mal à l'aise.

« Non, pas du tout. »

Elle réfléchit quelques instants avant de lâcher :

« C'était l'amie de mon grand-père, vous comprenez.

– Ah ! » Voilà qui devenait beaucoup plus compliqué que ce que Paola avait supposé.

« Et que voulez-vous me demander à son propos ?

– En fait, cela concerne votre mari, madame. »

Paola fut tellement surprise qu'elle ne put que répéter bêtement :

« Mon mari ?

– Oui. Il est dans la police, non ?

– En effet.

– Eh bien, je me demandais si vous ne pourriez pas lui demander quelque chose de ma part, je veux dire de la part de ma grand-mère.

– Rien de plus facile. Et que dois-je lui demander ?

– Eh bien, s'il connaît quelque chose à la question de la grâce.

– De la grâce ?

– Oui, dans le cas d'un crime.

– Tu veux parler d'une amnistie ?

– Non, ça, c'est ce que fait le gouvernement quand les prisons sont trop pleines et que ça revient trop cher de garder les gens enfermés : on les laisse sortir en disant que c'est parce que c'est la fête nationale ou un truc comme ça. Ce n'est pas ce que je veux dire. Je parle d'un acte officiel, une déclaration formelle de la part de l'État comme quoi telle personne n'était pas coupable d'un crime. »

Tout en discutant, elles avaient lentement descendu l'escalier depuis le quatrième étage. Paola s'arrêta.

« Je ne suis pas sûre de bien comprendre où tu veux en venir, Claudia.

– Ça ne fait rien, madame. J'ai été voir un avocat,

mais il voulait deux mille cinq cents euros pour me donner une réponse. Je me suis alors rappelé que votre mari était dans la police, et j'ai pensé qu'il pourrait peut-être me renseigner. »

D'un signe de tête bref, Paola indiqua qu'elle avait compris, cette fois.

« Pourrais-tu me dire plus précisément ce que tu veux que je lui demande, Claudia ?

– Oui. Je veux savoir s'il existe une procédure légale qui permet de gracier quelqu'un après sa mort, pour quelque chose dont il a été accusé.

– Seulement accusé ?

– Oui. »

Paola commençait à perdre patience, et cela se voyait.

« Qui n'a pas été condamné, ni envoyé en prison ?

– Pas vraiment. C'est-à-dire… qui a été condamné mais pas envoyé en prison. »

Paola sourit et posa une main sur l'épaule de la jeune fille.

« Je ne suis pas sûre de bien saisir. Condamné, mais pas emprisonné ? Comment est-ce possible ? »

La jeune fille eut un coup d'œil par-dessus la rampe, vers la porte ouverte du bâtiment, comme si la question de Paola lui avait donné envie de prendre la fuite. Puis elle se tourna de nouveau vers son professeur :

« Parce que la cour l'a déclaré fou. »

Paola, prenant bien soin de ne pas demander de qui il s'agissait, réfléchit quelques instants avant de répondre.

« Et où l'a-t-on envoyé ?

– À San Servolo. Il y est mort. »

Comme tous les Vénitiens, Paola savait que l'île de San Servolo avait autrefois abrité un asile d'aliénés jusqu'à ce que la loi Basaglia fasse fermer ce genre d'institutions, rendant les patients à la liberté ou les plaçant dans des centres de soins moins épouvantables.

Se doutant que la jeune fille n'allait pas lui répondre, Paola lui demanda tout de même :

« Peux-tu me dire de quel crime il était accusé ?

– Non, je ne crois pas. » Sur quoi elle s'éloigna et, arrivée à la dernière marche, se retourna.

« Vous lui demanderez ?

– Bien sûr », répondit Paola, autant parce que sa curiosité était piquée, à présent, que parce qu'elle avait envie de faire plaisir à son étudiante.

« Merci, madame. On se verra en cours la semaine prochaine, alors. » La jeune fille fit alors quelques pas en direction de la porte et s'immobilisa de nouveau.

« J'ai vraiment aimé ces romans, madame, lança-t-elle en direction de l'escalier. Ça m'a fendu le cœur de voir que Lily mourait de cette façon. Mais c'était une mort honorable, non ? »

Paola répondit d'un signe de tête affirmatif, heureuse qu'au moins une personne, parmi ses étudiants, ait compris ce qu'elle avait tenté de leur expliquer.

2

De son côté, Brunetti n'eut guère le temps de réfléchir à la question de l'honneur, ce matin-là, trop occupé qu'il était par la corvée consistant à remplir les dossiers des crimes et délits mineurs qui se commettaient à Venise. Il avait parfois l'impression que c'était l'essentiel du travail de la police : remplir des formulaires, dresser des listes, tripoter les chiffres et aboutir à des statistiques criminelles rassurantes. Réflexions qui lui arrachèrent un grognement, mais lorsqu'il se rendit compte que des chiffres vraiment précis exigeraient de manipuler encore plus de paperasse, il tendit la main vers le dossier suivant.

Un peu avant midi, alors qu'il commençait déjà à saliver à l'idée du déjeuner qui l'attendait chez lui, on frappa à sa porte. Après avoir lancé un *«Avanti!»* sonore, il leva les yeux et vit entrer Alvise.

« Quelqu'un voudrait vous voir, monsieur.

– Qui ?

– Ah, il fallait lui demander son nom ? s'étonna le policier, manifestement surpris qu'on puisse attendre une telle initiative de sa part.

– Non, fais-le entrer, c'est tout », répondit Brunetti d'un ton neutre.

Alvise recula d'un pas et eut un geste d'invitation du

23

bras imitant celui des policiers en gants blancs chargés de la circulation dans les films italiens.

Du fait de l'ampleur emphatique du mouvement, Brunetti s'attendait presque à voir entrer le président de la République en personne ; il repoussa donc son fauteuil et commença à se lever, ne serait-ce que pour rester à la hauteur du niveau élevé de courtoisie établi par le geste d'Alvise. Quand il vit entrer Marco Erizzo, cependant, Brunetti fit le tour de son bureau pour aller serrer la main de son vieil ami, l'embrasser et lui tapoter l'épaule.

Puis il recula d'un pas et regarda le visage familier.

« C'est merveilleux de te voir, Marco. Seigneur, ça fait un sacré moment ! Où étais-tu passé ? »

Il y avait au moins un an, peut-être deux, qu'ils ne s'étaient pas parlé, mais Marco n'avait pas changé. Il arborait toujours la même chevelure luxuriante châtain, une tignasse tellement épaisse que son coiffeur redoutait de s'y attaquer, et les rides de joie rayonnaient toujours au coin de ses yeux.

« Et où crois-tu donc que j'étais, Guido ? demanda Marco en vénitien, avec ce fort accent de la Giudecca dont ses camarades de classe se moquaient quarante ans auparavant, à l'époque où les deux hommes étaient à la petite école ensemble. Chez moi, pardi, au travail !

– Vous allez bien ? » voulut alors savoir Brunetti, utilisant le pluriel pour inclure l'ex-épouse de Marco et leurs deux enfants dans sa question – ainsi que, tant qu'à faire, la femme qui partageait maintenant sa vie et la fille qu'ils avaient eue ensemble.

« Tout le monde va bien, tout le monde est heureux », dit Marco, une réponse qui était devenue rituelle chez lui. Dans ce cas, qu'est-ce qui l'amenait à la questure par cette belle matinée d'octobre, alors qu'il avait certainement des choses plus urgentes à faire, avec toutes les boutiques qu'il possédait et les affaires qu'il gérait ?

Marco consulta sa montre. « Tu as le temps de prendre *un'ombra* ? »

Pour la plupart des Vénitiens, après onze heures du matin, c'est toujours l'heure de prendre un verre, et Brunetti accepta sans hésiter.

Tout en se rendant jusqu'au bar du Ponte dei Greci, ils parlèrent à bâtons rompus de leurs familles, de leurs vieux amis, de la stupidité qu'il y avait à se croiser dans la rue pour se dire seulement bonjour et courir tout de suite aux affaires qui dévoraient leur temps et les accaparaient.

Une fois arrivé, Brunetti voulut aller s'installer au bar, mais Marco le prit par le coude et l'attira jusqu'à un box situé près de la fenêtre, où les deux hommes s'assirent face à face, le policier se doutant qu'il allait apprendre maintenant pour quelle raison son ami était passé le voir à la questure. Aucun des deux n'avait pris la peine de commander quoi que ce soit, mais le barman, qui connaissait Brunetti depuis longtemps, leur apporta deux petits verres de vin blanc.

« Tchin-tchin », dirent-ils en chœur en avalant deux petites gorgées.

Marco eut un mouvement de tête appréciatif.

« Il est meilleur que ce qu'on trouve dans la plupart des bars. » Après une autre gorgée, il reposa son verre.

Brunetti ne dit rien, sachant que c'était la meilleure technique pour faire parler un témoin un peu récalcitrant.

« Je ne vais pas te faire perdre ton temps, Guido », commença Marco d'un ton différent, plus sérieux.

Il saisit le verre par la courte tige le reliant à son pied et se mit à lui faire décrire de petits cercles sur la table – geste habituel que Brunetti reconnut aussitôt. Depuis toujours, les mains de Marco trahissaient sa nervosité, que ce soit lorsqu'il cassait la mine de ses crayons pendant les examens ou lorsqu'il tirait sur le premier bouton de sa chemise, quand il devait adresser la parole à une fille qui lui plaisait.

« Vous êtes pas des types comme les prêtres ? demanda Marco, levant un instant les yeux sur son vis-à-vis avant de les reporter sur son verre.

– Des types ? Quels types ? demanda Brunetti, que la question laissait sincèrement perplexe.

– Vous, les flics. Même si tu es commissaire. Je veux dire, si je te raconte quelque chose, tu ne répéteras rien, comme le prêtre auquel on allait se confesser quand on était gosses ? »

Brunetti prit une gorgée de vin pour dissimuler son sourire.

« Je ne suis pas sûr que ce soit pareil, Marco. Les prêtres ne sont pas autorisés à répéter ce qu'on leur dit, même les choses les plus terribles. Si tu me parles d'un crime, cependant, je vais probablement être obligé de faire quelque chose.

– Quel genre de crime ? »

Comme Brunetti ne répondait pas, Marco se fit plus précis :

« Ce que je veux dire, c'est à quel point un crime doit-il être important pour que tu sois obligé d'en parler ? »

À la tension qu'il y avait dans sa voix, il était clair que Marco ne jouait pas aux devinettes, si bien que Brunetti réfléchit à la question avant de répondre.

« C'est impossible à dire. Je ne peux pas te faire la liste des choses que je suis obligé de signaler. Toute affaire sérieuse, toute affaire où il y a de la violence, sans doute.

– Et si rien ne s'est encore passé ? »

Voilà une question qui, venant de la part de son ami, surprit Brunetti. Marco était un homme qui ne vivait que dans la réalité, le concret, et il était étrange de l'entendre faire une supposition. Le policier se demanda même s'il l'avait jamais entendu employer une structure grammaticale un peu complexe, tant il était habitué à ses formulations directes.

« Pourquoi ne pas tout simplement me faire confiance, Marco, et me laisser réfléchir à la manière dont je dois traiter la chose ?

– Ce n'est pas que je n'ai pas confiance en toi, Guido, bien au contraire. C'est d'ailleurs pour ça que je suis venu te voir. C'est simplement que je n'ai pas envie de te mettre dans une situation embarrassante, en te racontant quelque chose dont tu aurais peut-être préféré ne pas entendre parler. » Le commerçant regarda en direction du bar, et Brunetti pensa qu'il allait commander une deuxième tournée, puis il comprit que Marco vérifiait simplement qu'on ne risquait pas de les entendre. Les consommateurs accoudés au comptoir paraissaient plongés dans leur propre conversation.

« Très bien, je vais tout te dire. Après, tu décideras de ce qu'il faut faire. »

Brunetti fut frappé par la similitude du comportement de Marco – jusqu'au rythme de ses paroles – avec celui des nombreux suspects qu'il avait interrogés au cours de toutes ces années. Il arrivait toujours un moment où ils renonçaient, où ils cessaient de résister à leur désir de s'expliquer, pour qu'on comprenne bien le pourquoi et le comment de ce qu'ils avaient fait, ou de ce qui les avait poussés à le faire. Il attendit.

« Tu sais – non, tu ne le sais sans doute pas, mais j'ai acheté une nouvelle boutique, près de Santa Fosca, commença Marco, qui s'arrêta pour attendre la réaction de Brunetti.

– En effet, je l'ignorais. » Il se garda bien d'ajouter autre chose. Ne jamais rien demander, ne jamais solliciter d'explication. Les laisser parler jusqu'à ce qu'ils aient vidé leur sac et n'aient plus rien à dire ; c'est à ce moment-là, et seulement à ce moment-là, qu'on pouvait leur poser des questions.

« Tu sais, la fromagerie… celle qui appartenait à ce chauve avec un chapeau toujours vissé sur le crâne… un type sympathique, d'ailleurs. Ma mère se servait chez son père quand on habitait dans le coin. Bref, ils ont triplé son loyer l'an dernier et il a décidé de prendre sa retraite. Je lui ai payé son pas de porte et j'ai repris le bail. » Il jeta un coup d'œil à Brunetti pour voir si son ami suivait bien. « Mais étant donné que je vends des masques et des souvenirs, il me faut des vitrines pour que les gens puissent voir toute la marchandise. Lui n'en avait qu'une à droite de la porte, où il mettait son provolone et sa mozzarella, mais il en existe une autre à gauche, une vitrine que son père a fait murer il y a environ quarante ans. Elle figure sur les plans, j'ai donc le droit de la faire rouvrir. Et j'en ai besoin. Il me faut deux vitrines, pour que les gens puissent voir tout mon bazar et ramener un masque à Düsseldorf ou à Lyon. »

Ni lui ni Brunetti n'éprouvèrent le besoin de commenter ce genre de folie, pas plus que le fait que l'essentiel de ce qui était vendu dans les boutiques de Marco Erizzo sous l'étiquette « artisanat vénitien original » était fabriqué dans des pays du tiers-monde par des ouvriers qui, en matière de canal, n'avaient jamais rien vu d'autre que la rigole puante servant d'égout à ciel ouvert, derrière leur bidonville.

« Bref, j'ai repris le bail et mon architecte a dessiné les plans. Il les a même dessinés il y a un bon moment, dès que le type a accepté de me céder le bail, mais il ne pouvait pas les présenter au service d'urbanisme de la ville tant que je n'étais pas titulaire du bail. »

Il regarda de nouveau Brunetti.

« C'était en mars. »

Brandissant la main droite, pouce levé, Marco répéta « en mars ! » et compta les mois.

« Sept mois, Guido. Sept mois que ces salopards me font poireauter. Je paie le loyer, mon architecte va dans

leur bureau toutes les semaines pour leur demander où
en est le permis, et chaque fois, on lui répond que les
papiers ne sont pas prêts, ou qu'il faut la signature de
quelqu'un – bref, qu'ils ne peuvent pas les donner. »

Marco rouvrit son poing, posa la main à plat sur la
table, mit la main gauche à côté, doigts écartés.

« Tu as compris ce qui se passe, n'est-ce pas ?

– Oui.

– Donc la semaine dernière, j'ai demandé à mon
architecte combien ils voulaient. » Il leva les yeux,
apparemment curieux de voir si Brunetti, face à ce
qu'il lui racontait, allait manifester de la surprise, voire
de l'indignation, mais le visage du policier resta impassible.

« Quinze mille euros. »

Marco laissa se prolonger le silence, mais Brunetti
n'ouvrit pas la bouche.

« Si je leur refile ces quinze mille euros, j'aurai mon
permis dès la semaine prochaine et je pourrai mettre les
ouvriers au travail.

– Et sinon ?

– Dieu seul le sait, répondit Marco en secouant la
tête. Ils sont capables de me faire attendre sept mois
de plus.

– Pourquoi n'avoir pas payé avant ?

– Mon architecte prétendait que ce n'était pas nécessaire, qu'il connaissait des gens à la commission
d'urbanisme et que c'était juste parce que ma demande
n'était pas la seule. Sans compter que j'ai d'autres
problèmes… »

Brunetti crut un instant que son ami allait lui en
parler, mais au lieu de cela, il dit :

« Non, tout ce que tu as besoin de savoir, c'est ça. »

Brunetti se souvint de la fois, quelques années auparavant, où une chaîne de restauration rapide avait pro-
cédé à d'importants travaux de rénovation dans quatre

locaux différents, faisant travailler ses équipes jour et nuit. Ils avaient ouvert avant même que les gens du coin se doutent de ce qui allait leur tomber dessus ou presque ; du jour au lendemain, l'odeur des différentes préparations carnées se mit à empuantir l'atmosphère, au point qu'on se serait cru dans un abattoir javanais au mois d'août.

« As-tu décidé de payer ?

– Je n'ai pas tellement le choix, hein ? répondit Marco d'un ton fatigué. J'ai déjà dépensé plus de cinquante mille euros en frais d'avocat, rien que pour faire face aux poursuites qui me sont intentées dans mes autres affaires et pour essayer de les régler. Si je dépose plainte contre des gens qui travaillent pour la ville parce qu'ils m'ont volontairement empêché de gérer mon affaire à mon idée, ou pour toute autre raison que mon avocat pourra inventer, ça ne fera que me coûter encore plus cher, l'affaire traînera des années et à la fin, je ne serai de toute façon pas plus avancé.

– Dans ce cas, pourquoi es-tu venu me voir ? demanda Brunetti.

– Je me demandais s'il n'y aurait pas moyen de faire quelque chose. Par exemple, je pourrais relever les numéros des billets, un truc comme ça… » La voix de Marco mourut, et il serra de nouveau les poings.

« Ce n'est pas tellement la question de l'argent, Guido. En deux mois, je l'aurai récupéré ; c'est fou comme les touristes se jettent sur ces cochonneries. C'est simplement que j'en ai plus que marre de faire des affaires de cette façon. J'ai des boutiques à Paris et à Zurich, et ce genre de connerie n'y arrive jamais. On dépose un permis de construire, l'administration vise les documents et quand c'est fait, tu as ton permis et tu peux commencer les travaux. Ils sont pas là à te sucer le sang. » Son poing s'abattit sur la table.

« Pas étonnant que ce soit le bordel, ici ! ajouta-t-il,

sa voix s'étranglant pour devenir tellement aiguë que, un instant, Brunetti crut bien que son ami allait perdre tout contrôle. C'est pas possible de travailler, ici ! Tout ce que ces enfoirés savent faire, c'est te sucer le sang jusqu'à ce que tu crèves ! »

Son poing s'abattit une deuxième fois sur la table. Les deux consommateurs accoudés au bar et le barman regardèrent dans leur direction, mais rien de tout cela n'était une nouveauté en Italie, et les trois hommes se contentèrent de hocher la tête d'un air entendu, sans faire de commentaire, avant de reprendre leur conversation.

Brunetti ignorait si Marco, dans ses attaques, avait voulu parler de Venise en particulier ou de la péninsule en général. Peu importait : c'était vrai dans un cas comme dans l'autre.

« Qu'est-ce que tu vas faire ? » demanda Brunetti.

La question sous-entendait, comme ils le savaient tous les deux, que Brunetti n'avait aucun moyen de l'aider. En tant qu'ami, il pouvait plaindre Marco et partager sa colère, mais en tant que policier, il était impuissant. Le pot-de-vin serait payé en liquide, si bien qu'il ne laisserait pas de traces, comme toujours dans ces cas-là. Si Marco déposait officiellement plainte contre l'un des membres de la commission d'urbanisme, autant fermer tout de suite boutique et prendre sa retraite, car il n'obtiendrait plus jamais le moindre permis, si mineur ou urgent que soit le problème.

Marco sourit et se déplaça vers l'extérieur de la banquette.

« Je crois que j'avais juste besoin de décompresser. Ou bien j'avais peut-être envie de te mettre le nez dedans, Guido, étant donné que tu travailles pour eux, en quelque sorte… Et si c'est pour cette raison, je suis désolé et je te présente mes excuses. »

Sa voix avait repris un timbre normal, mais ses doigts,

observa Brunetti, étaient en train de replier les angles d'une serviette en papier en triangles bien nets.

Le commissaire fut surpris de se trouver aussi profondément offensé, tout ça parce qu'un de ses amis considérait que, *en quelque sorte,* il travaillait pour *eux.* Mais, s'il ne travaillait pas pour *eux,* pour qui travaillait-il au juste ?

« Non, ce n'était pas pour ça, je ne crois pas, dit-il finalement. En tout cas, je l'espère. Et je suis désolé, moi aussi, parce que je ne peux rien faire pour toi. Oh, je pourrais te conseiller de porter plainte, mais autant te dire de te jeter dans la lagune, ce dont je n'ai aucune envie. »

Il se demanda comment Marco pouvait envisager d'ouvrir de nouvelles boutiques s'il tombait à chaque fois sur ce genre de problème. Il se souvint du garçon qui avait partagé trois ans de suite le même banc que lui à l'école, un enfant toujours agité et turbulent, plein de rêves grandioses, et il se rappela le mal qu'il avait à rester assis plus de cinq minutes d'affilée, même s'il trouvait toujours le temps de finir une tâche avant de se jeter sur la suivante. Peut-être Marco était-il programmé comme une abeille et n'avait pas d'autre choix que de voler d'un travail à un autre dès que le premier était terminé.

« Bon », dit Marco en se levant. Il mit la main à la poche, mais Brunetti leva la sienne pour l'arrêter. Marco comprit, sortit la main de sa poche et la tendit à Brunetti, qui était toujours assis.

« La prochaine fois, alors ?

– Bien entendu. »

Le commerçant consulta sa montre.

« Faut que j'y aille, Guido. J'attends une livraison de verres de Murano. »

Il avait eu un petit sourire et avait appuyé lourdement sur *Murano.*

« Arrivant en droite ligne de République tchèque. Il faut que je sois à la douane pour vérifier que tout se passe bien. »

Avant que Brunetti ait eu le temps de se lever, Marco était parti, marchant d'un pas vif comme toujours, en route pour de nouveaux projets, de nouveaux coups à faire.

3

S'ils écoutèrent mutuellement le compte rendu que chacun fit de sa journée, Guido et Paola n'établirent ni l'un ni l'autre de rapport entre les deux événements qui l'avaient marquée, pas plus qu'ils n'en établirent entre les histoires qu'on leur avait racontées et la notion d'honneur et de ses exigences. Surprenant Brunetti, Paola déclara alors que Marco lui avait toujours plu.

« Et moi qui pensais que tu ne l'aimais pas !

– Et pourquoi ?

– Il est tellement différent des personnes que tu apprécies, en général…

– C'est-à-dire ?

– Je croyais que tu l'avais toujours pris pour un homme d'affaires sans scrupules.

– Mais c'en est un. C'est précisément pour cela qu'il me plaît bien. »

Devant la mine perplexe de Guido, elle enchaîna :

« N'oublie pas que je passe l'essentiel de ma vie professionnelle en compagnie d'étudiants ou d'universitaires. Les premiers sont la plupart du temps paresseux, les seconds démesurément contents d'eux. Les premiers n'ont que leur sensibilité et la délicatesse de leur âme à la bouche, et t'expliquent admirablement bien comment quelque blessure narcissique profonde les a empêchés d'achever leur dissertation ; quant aux seconds, ils n'ont qu'un désir, t'expliquer que leur monographie sur l'usage du point-virgule par Italo Calvino va changer tout le cours de la critique littéraire moderne. Alors tu comprends, quelqu'un comme Marco, qui te parle de choses tangibles, de la manière de gagner de l'argent et de gérer une boîte, et qui pas une seule fois, au cours de toutes ces années, n'a essayé de m'impressionner avec ce qu'il sait, avec les endroits où il a été, ni ne m'a infligé le long récit de ses souffrances – quelqu'un comme lui est un verre de vin blanc bien sec après un long après-midi à boire de la camomille froide.

– De la camomille froide ? »

Elle sourit.

« C'est pour l'effet de contraste avec le vin blanc sec. La technique de l'exagération artistique, proche de la *reductio ad absurdum,* que j'ai empruntée à mes collègues.

– Qui, j'imagine, n'ont rien d'un vin blanc bien sec. »

Elle ferma les yeux et inclina la tête, faisant mine de souffrir d'une douleur exquise, l'expression que les artistes donnent en général à sainte Agathe.

« Il y a des jours où j'aimerais voler ton revolver et le prendre avec moi.

– Pour tirer sur qui ? Sur les étudiants ou les professeurs ?

– C'est pas vrai, tu plaisantes, dit-elle, simulant l'étonnement.

– Pas du tout. Sur qui ?

– Sur mes collègues, pardi. Les étudiants ne sont que de pauvres gosses, de jeunes blancs-becs qui vont finir par grandir et devenir, pour la plupart, des êtres humains à peu près acceptables. Non, c'est sur mes collègues que j'aurais envie de tirer, ne serait-ce que pour mettre un terme à ces interminables litanies d'autosatisfaction que je suis obligée de subir.

– Tous ? » demanda-t-il, davantage habitué à l'entendre critiquer une personne en particulier qu'à mettre tout le monde dans le même sac.

Elle réfléchit, comme si elle se disait qu'il n'y avait que six balles dans le barillet et dressait une liste. Au bout d'un moment, d'un ton un peu déçu, elle répondit :

« Non, pas tous. Peut-être cinq ou six.

– Ce qui fait tout de même la moitié de ton département, si je ne m'abuse ?

– Officiellement, oui. Mais sur les douze, nous sommes seulement neuf à enseigner.

– Et les trois autres, qu'est-ce qu'ils fabriquent ?

– Rien. On appelle ça *faire des recherches.*

– Mais comment est-ce possible ?

– L'un d'eux est agressif et probablement gâteux ; la signora Bettin, quant à elle, a eu ce que l'on a pudiquement appelé une crise de nerfs et a été placée en congé maladie pour un temps indéterminé, ce qui veut sans doute dire jusqu'au moment où elle pourra prendre sa retraite. Quant au vice-président, le professeur Della Grazia... lui, c'est un cas un peu particulier.

– Ce qui veut dire ?

– Il a soixante-huit ans et aurait dû prendre sa retraite il y a trois ans, mais il refuse de partir.

– Il n'enseigne pas ?

– Il est imprudent de lui confier des étudiantes.

– Quoi ?

– Tu m'as bien entendue. Il est imprudent de lui confier des étudiantes... et les profs de sexe féminin doivent aussi s'en méfier, ajouta-t-elle après un bref silence.

– Qu'est-ce qu'on lui reproche ?

– Avec les étudiantes, il jouait au petit jeu des sous-entendus sexuels permanents pendant ses cours – en tout cas, à l'époque où il en donnait encore. Ou bien il leur lisait des descriptions, disons, très réalistes d'actes sexuels, mais toujours tirées des grands auteurs, si bien que personne ne pouvait se plaindre et que si on se plaignait, il prenait une attitude de dédain outragé, comme s'il était le seul et unique protecteur de la grande tradition classique.» Elle marqua un temps d'arrêt, pour lui laisser le temps de réagir, mais Guido ne dit rien.

«J'ai entendu dire qu'il s'arrange pour bloquer toute chance de promotion, pour les jeunes profs femmes, jusqu'à ce qu'il ait obtenu une gratification sexuelle. Il est le vice-président du département, et en tant que tel a son mot à dire dans ces promotions.

– Et ce type a soixante-huit ans! s'exclama Guido, non sans un certain dégoût.

– Ce qui, quand on y pense, te donne une idée du temps pendant lequel il a pu sévir en toute impunité.

– C'est fini, à présent?

– Ça s'est un peu calmé depuis qu'il n'enseigne plus.

– Mais qu'est-ce qu'il fait?

– Je te l'ai dit, des recherches.

– En d'autres termes?

– Des recherches qui se limitent à toucher son salaire. Quand il décidera de partir, il aura droit à une prime généreuse et à une retraite encore plus généreuse.

– Et tout ça est connu de tout le monde?

– De tous les profs de la faculté, en tout cas; et probablement d'une bonne partie des étudiants, aussi.

– Et on ne fait rien?»

À peine avait-il posé la question qu'il sut quelle réponse elle allait donner.

«Ce n'est pas bien différent de ce que Marco t'a raconté aujourd'hui. Tout le monde est au courant, mais personne ne veut prendre le risque de déposer une plainte officielle, à cause des conséquences. Se retrouver le premier à dénoncer publiquement ce genre de fait reviendrait à commettre un suicide professionnel. On t'enverrait dans un trou perdu comme Calta-nissetta pour y donner un cours… (il la vit qui s'efforçait de trouver un sujet suffisamment horrible) sur les éléments celtiques dans la poésie catalane courtoise.

– C'est bizarre. J'imagine que nous nous attendons tous, plus ou moins, à voir ce genre de choses se produire dans un organisme du gouvernement. Mais nous pensons aussi – ou peut-être l'espérons-nous, moi, en tout cas – que c'est différent à l'université. »

Paola refit son numéro de sainte Agathe et ils ne tardèrent pas à aller se coucher.

Le matin, pendant le café, Paola demanda :

« Eh bien ? »

Guido savait à quoi elle faisait allusion : à la réponse qu'il ne lui avait pas donnée la veille, quand elle lui avait expliqué la requête de son étudiante.

« Tout dépend du genre de crime commis et de la sentence.

– Elle ne m'a pas dit quel était le crime, simplement que l'auteur a été condamné et envoyé à San Servolo. »

Brunetti remuait machinalement son café.

« Et cette femme est autrichienne ? A-t-elle dit qui était l'homme ? »

Paola revint à la conversation qu'elle avait eue avec la jeune fille, le temps de descendre l'escalier de la fac, essayant de se souvenir des détails.

« Non, simplement que la vieille dame était l'amie de son grand-père ; j'ai donc supposé que c'était de lui qu'il s'agissait.

– Comment s'appelle-t-elle ?

– Pourquoi as-tu besoin de le savoir ?

– Je pourrais demander à la signorina Elettra de regarder dans les dossiers.

– Mais la vieille dame n'est pas vraiment sa

parente », protesta Paola, prise de scrupule à l'idée de donner le nom de la jeune fille pour que la police enquête dessus – si bien intentionnée que soit cette investigation. Comment savoir quelles conséquences aurait l'introduction de ce patronyme dans l'ordinateur de la police ?

« On peut supposer que son grand-père l'était, lui, observa Brunetti, se montrant plus pointilleux qu'il ne l'aurait souhaité, mais irrité que sa femme lui ait amené des devoirs à faire à la maison.

– Guido, dit Paola d'un ton qu'elle trouva elle-même inhabituellement ferme, tout ce qu'elle voulait savoir c'était si, en théorie, il était possible qu'une grâce soit accordée. Elle ne demandait pas une enquête policière, simplement une information. »

En professeur de la vieille école, Paola ne pouvait s'empêcher de penser que, d'une certaine manière, elle agissait *in loco parentis* vis-à-vis de ses étudiants, conviction qui ne fit que renforcer sa résolution de ne pas lui livrer le nom de la jeune fille.

Il posa sa tasse.

« Je ne pense pas pouvoir faire quoi que ce soit sans savoir pour quel motif a été condamné cet homme qui est ou n'est pas son grand-père. »

Si ce genre de problème de jurisprudence s'était présenté dans un de ses cours, à l'époque où lui-même était en fac de droit, il l'avait oublié depuis longtemps.

« S'il s'agit d'un fait mineur, vol, agression, une grâce ne serait pas nécessaire, surtout après tout ce temps ; mais s'il s'agit d'un crime grave, comme un meurtre, alors peut-être, peut-être… A-t-elle précisé à quand remonte l'affaire ?

– Non, mais puisqu'il a été envoyé à San Servolo, c'est forcément avant l'adoption de la loi Basaglia, ce qui nous fait remonter aux années soixante-dix, non ? »

Brunetti réfléchit, lâcha un ou deux « Humm... »,
puis reprit :

« Ça ne sera pas facile, même avec son nom.

– Nous n'avons pas besoin d'avoir son nom, Guido,
insista Paola. Tout ce que demande cette gamine, c'est
une réponse théorique.

– Dans ce cas, la réponse théorique est qu'on ne peut
rien affirmer tant qu'on ignore le genre de crime dont il
s'agit.

– Autrement dit, aucune réponse n'est possible ?
lança Paola d'un ton acerbe.

– Paola, répliqua Guido sur le même mode, je ne
plaisante pas. C'est comme si tu me demandais d'esti-
mer la valeur d'une peinture sans me laisser la voir. »
Plus tard, ils se rappelleraient tous les deux cette com-
paraison.

« Mais qu'est-ce que je vais lui répondre, alors ?

– Exactement ce que je viens de te dire. C'est ce que
n'importe quel avocat honnête lui dirait, ajouta-t-il sans
tenir compte du haussement de sourcils de Paola devant
une éventualité aussi improbable. C'est quoi, déjà, la
phrase de ce maître d'école dans le livre que tu n'arrêtes
pas de citer ? Des faits, des faits, des faits, non ? Eh
bien, tant que moi ou quelqu'un d'autre n'aura pas les
faits, c'est la seule réponse qu'elle obtiendra ! »

Pendant qu'il parlait, Paola avait soupesé le coût et
les conséquences si elle continuait à s'entêter, et avait
décidé que ça n'en valait pas la peine. Guido était de
bonne foi, même si elle n'aimait pas sa réponse.

« Bon, dit-elle, je lui transmettrai, merci. »

Avec un sourire, elle ajouta :

« Ça me fait me sentir comme ce personnage de Dickens : j'ai envie de lui annoncer qu'elle vient d'écono-
miser deux mille cinq cents euros de frais d'avocat et
qu'elle ferait mieux de les employer à autre chose.

– Tu es toujours capable de trouver ce dont tu as

besoin dans un livre, pas vrai ? » demanda-t-il, souriant lui aussi.

Comme presque toujours, Paola ne se contenta pas de lui donner une réponse simple.

« Je crois que c'est Shelley qui a dit que les poètes étaient les législateurs méconnus du monde. Vrai ou faux, je n'en ai aucune idée, mais ce que je sais, c'est que les romanciers sont les grands marchands de commérages du monde. Quel que soit le sujet, ils y ont pensé les premiers.

– Bien, dit-il en se levant, je vais te laisser dans la contemplation des splendeurs de la littérature. »

Il se pencha sur elle pour l'embrasser dans les cheveux, s'attendant à voir sortir encore une citation, mais elle n'en fit rien. Au lieu de cela, elle passa une main derrière sa jambe et, lui tapotant le mollet, répondit :

« Merci, Guido. Je lui dirai tout ça. »

4

Étant donné que ces demandes d'information provenaient de personnes qu'on pourrait qualifier de relations mineures dans leur vie, Guido comme Paola les
oublièrent ou, du moins, les reléguèrent dans un coin
de leur cerveau. Quand on dirige un service de police
ayant à faire face à de nouveaux types de criminalité,
conséquence d'une forte immigration clandestine en
provenance d'Europe centrale, on n'a guère le temps
de s'occuper d'une affaire de corruption aussi insignifiante que celle de Marco ; de même, Paola n'allait pas
arrêter de relire James pour se pencher sur la question
des points-virgules dans Calvino.

La semaine suivante, Paola fut presque soulagée de
ne pas voir Claudia à son cours. Elle n'avait guère envie
de lui transmettre la réponse de son mari, pas plus que
de s'immiscer dans la vie personnelle – ou du moins
dans les soucis extrascolaires – d'une de ses étudiantes.
Comme la plupart des professeurs, elle avait cédé à
cette tentation, par le passé, sans que cela débouche sur
quoi que ce soit de positif, quand les choses ne se
terminaient pas mal. Elle avait ses propres enfants, et
s'occuper d'eux suffisait amplement à satisfaire les ins-
tincts maternels que la sagesse des nations exigeait
d'elle.

La jeune fille se présenta cependant en classe la

semaine suivante. Pendant le cours, qui traitait des ressemblances entre les héroïnes de James et celles de Wharton, Claudia se comporta comme elle l'avait toujours fait : elle prit des notes, ne posa pas de questions, et parut agacée par l'ignorance et le peu de sensibilité manifestées par ses camarades. Une fois le cours terminé, elle attendit que les autres étudiants aient quitté la salle pour s'approcher du bureau de Paola.

« Je suis désolée, mais je n'ai pas pu venir la semaine dernière, madame. »

Paola sourit mais n'eut pas le temps de répondre, car Claudia enchaîna :

« Avez-vous eu le temps de parler à votre mari ? »

Paola eut envie de lui demander comment elle pouvait imaginer qu'elle n'en aurait pas eu l'occasion, en quinze jours, mais se contenta de répondre :

« Oui, je lui en ai parlé. Il m'a dit qu'il ne pouvait me donner de réponse sans avoir une idée plus précise du genre de crime commis par l'homme qui a été condamné. »

Paola vit l'information faire son chemin à l'expression de la jeune fille, qui passa de l'étonnement au soupçon – sur quoi elle jeta un bref coup d'œil à Paola, comme pour s'assurer qu'il n'y avait pas de piège dans cette réponse. Tout cela ne dura que quelques secondes.

« Mais… d'une manière générale ? Je voudrais simplement savoir si c'est possible, s'il n'existe pas une procédure quelconque qui permettrait, euh, qui permettrait de rétablir la réputation de quelqu'un. »

Paola ne soupira pas, mais s'exprima avec une sorte de lenteur forcée.

« C'est précisément ce qu'il ne peut pas dire, Claudia. Pas sans savoir de quel crime il s'agissait. »

La jeune fille réfléchit quelques instants, puis surprit Paola en lui demandant si elle ne pourrait pas parler *à son mari*.

Soit Claudia était trop obsédée par le besoin de trouver une réponse à ses interrogations pour se soucier du manque de confiance vis-à-vis de Paola que sous-entendait sa question, soit elle était trop ingénue pour en avoir conscience. La réaction de Paola, cependant, fut un modèle de sérénité.

« Je ne vois pas ce qui t'en empêcherait. Tu n'as qu'à appeler la questure et le demander. Je suis sûre qu'il acceptera de te recevoir.

– Mais si on ne me laisse pas lui parler ?

– Dis que c'est de ma part. Que c'est moi qui t'ai demandé de l'appeler. Ça devrait suffire pour qu'on te le passe.

– Merci, madame », répondit Claudia, faisant demi-tour pour s'éloigner. Dans sa précipitation, sa hanche heurta le bord du bureau et elle laissa échapper les livres qu'elle tenait sous son bras. Tandis que la jeune fille s'agenouillait pour les ramasser, Paola, comme l'aurait fait tout amoureux des livres, ne put s'empêcher de regarder les titres. L'un d'eux était en allemand mais elle ne put le déchiffrer, le livre étant à l'envers. Il y avait en outre l'histoire de la monarchie italienne de Denis Mack Smith ainsi que, du même auteur, la biographie de Mussolini. Les deux ouvrages étaient en anglais.

« Tu lis l'allemand, Claudia ?

– Oui. Ma grand-mère me parlait en allemand quand j'étais petite. Elle était elle-même allemande.

– Tu veux dire, ta vraie grand-mère ? » demanda Paola avec un sourire d'encouragement.

Toujours un genou au sol, Claudia releva la tête et eut un regard des plus soupçonneux pour Paola. Mais c'est d'un ton calme qu'elle répondit :

« Oui, la mère de ma mère. »

Pour ne pas avoir l'air trop curieuse, Paola se contenta de répondre :

« Tu as eu de la chance, de recevoir une éducation bilingue.

– Vous aussi, n'est-ce pas, madame ?

– Oui, j'ai appris l'anglais quand j'étais enfant », répondit Paola. Elle ne jugea pas nécessaire de préciser que c'était au contact d'une série de nounous anglaises, et non pas à celui de membres de sa famille. Moins les étudiants en savaient sur sa vie personnelle, mieux cela valait. Avec un geste vers les ouvrages de Mack Smith, elle ajouta :

« Et toi ? »

Claudia se releva.

« J'ai passé plusieurs étés en Angleterre. » C'était, semblait-il, la seule explication que Paola allait avoir.

« Tu as eu de la chance, dit Paola en anglais, ajoutant, Ascot, les fraises, Wimbledon…

– Oh, c'était plutôt le genre nettoyage de l'écurie chez ma tante, dans le Surrey, répondit Claudia avec un accent parfait.

– Si ton allemand est aussi bon, ça doit être assez extraordinaire, observa Paola avec une pointe d'envie.

– Oh, j'ai rarement l'occasion de le parler, mais j'aime toujours le lire. Sans compter, ajouta-t-elle en calant les livres contre sa hanche, qu'on ne peut pas trop se fier aux bouquins italiens sur la guerre.

– Je crois que mon mari sera ravi de te parler, Claudia. C'est un grand amateur d'histoire, et ça fait des années qu'il me rebat les oreilles avec ce que tu viens de me dire.

– Vraiment ? Il lit ? demanda Claudia qui, prenant conscience de ce que la question avait d'insultant, ajouta précipitamment : des livres d'histoire ?

– Oui. » Paola commença à rassembler ses papiers, résistant à l'impulsion de préciser que son mari savait même écrire. D'une voix toujours aussi agréable, elle ajouta :

« D'habitude, ce sont les auteurs grecs et romains. Les

mensonges qu'ils racontent le mettent moins en colère que ceux des historiens contemporains. C'est du moins ce qu'il prétend. »

Claudia sourit à cette remarque.

« Oui, je comprends ce point de vue. Pouvez-vous lui dire que je l'appellerai, probablement demain ? Et qu'il me tarde de le rencontrer ? »

Paola trouva remarquable que cette séduisante jeune fille semble trouver tout naturel de dire à une autre femme qu'il lui tardait de rencontrer son mari. Elle était pourtant loin d'être idiote ; son attitude devait s'expliquer par une ingénuité comme Paola n'en avait pas rencontré depuis longtemps chez l'une de ses étudiantes, ou par quelque motif mystérieux.

Elle agissait en contradiction avec tout ce qu'elle avait appris sur la nécessité de limiter autant que possible les rapports extrascolaires avec les étudiants, mais curieuse à présent de savoir ce que cachait la requête de Claudia, elle répondit :

« Sans faute, je le lui dirai. »

Claudia sourit.

« Merci, madame le professeur », dit-elle avec componction.

Brillante, apparemment cultivée, au moins trilingue et respectueuse de ses aînés, avec ça. Devant un tel palmarès, Paola se demanda si cette jeune personne ne débarquait pas de Mars.

5

Paola l'ayant informé la veille que la jeune fille tenait à lui parler en personne, Brunetti comprit aussitôt que c'était elle lorsque le gardien à l'entrée de la questure lui annonça par téléphone qu'une jeune femme demandait à lui parler.

« Comment s'appelle-t-elle ? »

Il y eut une courte pause, et le gardien répondit : « Claudia Leonardo, monsieur.

– Fais-la monter, s'il te plaît », répondit Brunetti en reposant le combiné. Il finit de lire le paragraphe qu'il avait commencé (un rapport dépourvu de sens sur des prévisions de dépenses), repoussa le document de côté et en prit un autre, sans se rendre compte que cela lui donnerait l'air occupé lorsque la jeune fille arriverait.

On frappa à la porte, le battant s'ouvrit, une manche d'uniforme fit une brève apparition et la visiteuse entra. À la voir, il eut l'impression qu'elle était bien trop jeune pour être en dernière année de fac, comme Paola le lui avait dit.

Il se leva et lui fit signe de s'asseoir sur la chaise qui faisait face à son bureau.

« Bonjour, signorina Leonardo. Je suis content que vous ayez trouvé le temps de venir me voir », dit-il en s'efforçant de prendre le ton du brave oncle, mais en la vouvoyant, en dépit de sa jeunesse.

Le bref coup d'œil qu'elle lui lança montrait qu'elle avait l'habitude d'être traitée en petite fille par les gens plus âgés et que c'était loin de lui plaire ; il se félicita d'autant plus d'avoir employé le vouvoiement. Elle s'assit et Brunetti en fit autant. Elle était jolie, à la manière dont les jeunes filles le sont presque toujours : un visage ovale, des cheveux sombres et courts, une peau de bébé. Son regard pétillant d'intelligence et son expression attentive étaient cependant des caractéristiques moins courantes.

« Ma femme m'a expliqué qu'il y avait quelque chose dont vous vouliez discuter avec moi, reprit-il lorsqu'il se rendit compte qu'elle le laissait prendre la parole en premier.

– Oui, monsieur, répondit-elle, laconique, mais en le regardant droit dans les yeux.

– Que vous aimeriez savoir s'il existait une possibilité de grâce pour un crime commis il y a longtemps et pour lequel, si j'ai bien compris ce que m'a expliqué ma femme, un homme a été condamné.

– Oui, monsieur, répéta-t-elle, le regard tellement fixe que Brunetti se demanda si elle n'attendait pas simplement qu'il arrête de jouer les tontons et de voir quelle nouvelle stratégie il allait adopter.

– Elle m'a précisé qu'il avait été finalement envoyé à San Servolo et qu'il y était mort.

– C'est ça, oui. » Il n'y avait aucune trace d'émotion ou d'impatience sur le visage de la jeune fille.

Sentant qu'il ne la dériderait pas avec ce genre de questions, Brunetti changea d'approche.

« Elle m'a aussi dit que vous lisiez la biographie de Mussolini, celle de Mack Smith. »

Le sourire de Claudia révéla une double rangée de dents immaculées et fit paraître ses yeux plus grands, jusqu'à ce que ses iris bruns se retrouvent entièrement entourés d'un blanc impeccable.

« Vous l'avez lue ? demanda-t-elle, d'un ton qui trahissait une réelle curiosité.

– Il y a quelques années… Je lis rarement des ouvrages d'histoire contemporaine, mais j'ai eu une conversation, un soir au cours d'un repas, avec quelqu'un qui a commencé à nous raconter à quel point les choses iraient mieux s'il était encore là, et s'il pouvait…

– Mettre la jeunesse au pas et restaurer l'ordre dans la société, c'est bien ça ? » enchaîna-t-elle tout naturellement. La jeune fille avait parfaitement imité, sans le savoir, le ton doctoral de l'homme qui avait parlé en faveur du Duce et de la discipline qu'il aurait su insuffler, soi-disant, à la jeunesse italienne. Brunetti renversa la tête et éclata de rire, ravi et encouragé par la manière dont cette imitation involontaire balayait de son mépris le beau parleur et ses affirmations.

« Je n'ai aucun souvenir de vous y avoir vue, dit-il quand il put s'arrêter de rire, mais on croirait que vous étiez à cette table et que vous l'avez écouté pérorer.

– Oh, Seigneur, j'ai entendu ça tout le temps, et même en classe, dit-elle avec exaspération. C'est normal de se plaindre du présent. C'est l'un des grands sujets de conversation, après tout. Mais si par malheur vous commencez à mentionner ce qui, dans le passé, a fait que les choses sont devenues ce qu'elles sont aujourd'hui, on vous tombe dessus parce que vous ne respectez pas votre pays et les traditions. Personne ne veut prendre la peine de réfléchir au passé, d'y penser vraiment, personne n'a envie d'admettre quel homme terrible il a été.

– Et moi qui croyais que les jeunes gens ne savaient même pas qui était *Il Duce* », observa Brunetti – exagérant, certes, mais pas tellement, trop conscient qu'il était de l'amnésie à peu près complète dont avaient fait preuve tous ceux, quel que soit leur âge, avec lesquels il avait essayé de parler de la guerre et de ses causes.

Ou pire : on refaisait l'histoire pour présenter les Italiens comme des gens sympathiques et bien intentionnés, que leurs méchants voisins teutons avaient entraînés sur le mauvais chemin.

La voix de la jeune fille le tira de ses réflexions.

« La plupart des gens ne le savent pas. Et je parle des gens âgés. On pourrait croire qu'ils se seraient souvenus de la réalité des choses, puisqu'ils ont connu cette époque. » Elle secoua la tête, trahissant une nouvelle fois son exaspération.

« Eh bien, pas du tout. Tout ce que j'entends, ce sont ces absurdités sur les trains qui arrivaient à l'heure, sur la Mafia qui n'embêtait personne et comment les Éthiopiens auraient accueilli nos valeureux soldats à bras ouverts. »

Elle marqua un temps d'arrêt comme pour évaluer jusqu'où elle pouvait aller, devant cet homme habillé de manière conventionnelle mais au regard plein de bonté ; ce qu'elle vit parut la rassurer, car elle enchaîna :

« Nos valeureux soldats avec leurs gaz asphyxiants et leurs mitrailleuses, histoire de leur montrer les merveilles du fascisme. »

Si jeune et déjà si cynique, pensa-t-il. Et comme elle avait l'air déjà fatiguée de ces réactions.

« Je m'étonne que vous ne vous soyez pas inscrite en faculté d'histoire.

– Oh, j'ai commencé par ça. J'ai tenu un an. Mais je ne supportais pas tous ces mensonges, tous ces livres malhonnêtes, ce refus de prendre position sur tout ce qui a pu se passer depuis un siècle.

– Et alors ?

– Alors, je me suis inscrite en littérature anglaise. Le pire, dans ce domaine, c'est d'avoir à écouter toutes ces théories stupides sur la raison d'être de la littérature ou sur le statut du texte. »

Brunetti eut l'étrange sensation d'entendre Paola en train de piquer une de ses colères.

« Mais au moins, ils ne peuvent pas changer les textes. Ce n'est pas comme quand les gens au pouvoir font disparaître les documents compromettants des archives de l'État. C'est quelque chose qu'on ne peut pas faire à Dante ou à Manzoni, n'est-ce pas ? demanda-t-elle d'une manière qui n'était pas rhétorique et appelait une réponse.

– Non, en effet. Mais je soupçonne que c'est parce qu'il existe trop d'éditions correctes des grands textes. Sinon, je suis sûr qu'ils essaieraient, s'ils pensaient ne pas se faire prendre. »

Il vit qu'il avait capté son intérêt, et ajouta :

« J'ai toujours redouté les gens qui s'imaginent posséder ce qu'ils croient être la vérité. Ils feront tout pour déformer et triturer les faits jusqu'à ce qu'ils s'accordent avec leurs vues.

– Avez-vous étudié l'histoire, commissaire ? »

Brunetti prit la question comme un compliment.

« Je crois, si je l'avais fait, que je n'aurais pas tenu beaucoup plus longtemps que vous. »

Il s'interrompit et ils échangèrent un sourire, frappés l'un et l'autre par ce qu'avait d'immédiat et de démocratique le contact de deux personnes recherchant et trouvant dans les livres une certaine consolation intellectuelle. Quand il reprit la parole, ce fut sans se soucier s'il convenait ou non, de la part d'un officier de police, de tenir les propos qu'il allait tenir.

« Je passe encore une grande partie de mon temps à écouter des mensonges, mais au moins certains de ceux qui les profèrent mentent-ils, peut-on penser, parce qu'ils sont coupables de quelque chose. Ce n'est pas la même chose que d'entendre un prof, du haut de sa chaire à la fac d'histoire, débiter des contrevérités. » Il avait failli ajouter : *ou le ministre de la Justice,* mais se retint au dernier moment.

«Ce qui rend ces mensonges d'autant plus dangereux, n'est-ce pas? demanda-t-elle aussitôt.

– Tout à fait», approuva-t-il, ravi qu'elle ait si vite compris ce que sous-entendait sa remarque. Presque à regret, avant qu'ils se mettent à examiner le problème de la vérité historique, il revint au sujet de conversation qui avait amené la jeune fille.

«Que vouliez-vous me demander, exactement? Je crois que ma femme vous a dit que je ne pouvais pas vous éclairer sans connaître les détails, ajouta-t-il quand il vit qu'elle hésitait à répondre.

– Vous ne le direz à personne?» lâcha-t-elle enfin. Le ton sur lequel elle posa cette question rappela à Brunetti que Claudia n'était guère plus âgée que ses propres enfants et que ses capacités intellectuelles n'impliquaient pas la maturité dans d'autres domaines.

«Non, si cela n'implique aucune activité criminelle en cours. Si ce dont vous voulez me parler s'est produit il y a suffisamment longtemps, il est même probable qu'il y ait prescription, ou qu'une amnistie générale ait été accordée.»

Les informations que Paola lui avait données étaient tellement vagues qu'il décida de laisser la jeune fille prendre ses responsabilités et lui en dire davantage, si elle le souhaitait.

Il s'ensuivit un silence pendant lequel Brunetti n'eut aucune idée de ce qui pouvait passer par la tête de sa visiteuse. Il dura même tellement longtemps qu'il détourna les yeux, reportant machinalement son regard sur le texte imprimé posé sur son bureau. Et il se retrouva presque malgré lui, le silence se prolongeant, en train de lire.

Au bout d'un long moment, elle se jeta finalement à l'eau.

« Comme je l'ai expliqué à votre femme, ça concerne une vieille dame que j'ai toujours considérée comme une troisième grand-mère. C'est pour elle que j'ai besoin de cette information. Elle est autrichienne, mais elle a vécu avec mon grand-père pendant la guerre. Le père de mon père. » Elle regarda Brunetti, pour voir si ses explications suffisaient ; il soutint son regard, l'air certes intéressé, mais nullement impatient.

« Après la guerre, mon grand-père a été arrêté. Il y a eu un procès, au cours duquel le ministère public a produit des articles qu'il avait écrits pour divers journaux et où il condamnait des *formes d'art et des pratiques artistiques étrangères.* »

Brunetti reconnut la phrase fasciste codée pour parler de l'art juif.

« En dépit de l'amnistie, reprit-elle, on présentait encore ces preuves. »

Elle se tut. Quand il devint clair qu'elle avait besoin d'être encouragée pour continuer, il lui demanda ce qui s'était passé lors du procès.

« À cause de l'amnistie Togliatti, on ne pouvait pas le poursuivre pour crime politique, alors on l'a accusé d'extorsion de fonds. Pour d'autres événements qui s'étaient passés pendant la guerre. En tout cas, c'est la version que m'a donnée ma grand-mère… Quand les choses ont mal tourné et quand il a compris qu'il allait être condamné, il a fait une sorte de dépression nerveuse et son avocat a décidé de plaider la folie. »

Anticipant la question de Brunetti, elle ajouta :

« C'était une vraie dépression, pas une dépression simulée comme on en voit aujourd'hui.

– Je comprends.

– Et les juges y ont cru, eux aussi ; après la condamnation, ils l'ont envoyé à San Servolo. »

Il aurait mieux valu pour lui d'aller en prison, songea Brunetti, qui se garda bien de faire cette réflexion à voix haute. On avait fermé l'établissement plusieurs décennies auparavant, et il était préférable d'oublier les horreurs qui s'y étaient déroulées pendant tant d'années. Ce qui s'était produit concernait non seulement les autres internés, mais vraisemblablement aussi son grand-père, et on ne pouvait plus rien y changer. Une grâce, cependant – si une telle chose était possible –, changerait peut-être l'opinion que les gens avaient de lui. À condition – lui souffla une voix cynique – qu'il y en ait encore pour se soucier de ce qui avait bien pu se passer pendant la guerre.

« Et que souhaitez-vous obtenir pour lui ? Ou plutôt, que souhaite obtenir votre grand-mère ? se corrigea-t-il, cherchant comment l'encourager à être plus franche quant à la source de sa requête.

– Tout ce qui pourrait le disculper et laver son nom. »

Elle baissa la tête comme la voix.

« C'est la seule chose que je puisse faire pour elle… c'est la seule chose qu'elle désire », ajouta-t-elle dans un souffle.

On était là dans un domaine de la loi qui n'était pas familier à Brunetti, si bien que celui-ci ne pouvait envisager la requête qu'en termes de principes légaux. Il ne se sentit cependant pas le courage de dire à la jeune fille que les lois ne découlaient pas toujours directement de ces principes.

« Sur un plan légal, ce qui peut être envisageable, c'est une révision du procès. Si on arrive à la conclusion que le verdict n'était pas correct, votre grand-père, effectivement, pourra être déclaré innocent.

– Publiquement ? Y aura-t-il un document officiel que je pourrai montrer à ma grand-mère ?

– Si la cour prononce un jugement, il y aura forcément publication de celui-ci. »

Elle réfléchit tellement longtemps à ce que Brunetti

54

venait de lui dire que c'est lui qui finit par rompre le silence.

« Portez-vous le même nom que lui ?

– Non. Moi, c'est Leonardo.

– Il était cependant le père de votre père ?

– Mes parents n'étaient pas mariés quand je suis née, répondit-elle simplement. Mon père ne m'a pas reconnue tout de suite, et j'ai donc gardé le nom de ma mère. »

Ne voyant pas trop comment commenter cette information, Brunetti se contenta de demander :

« Et quel était son nom ?

– Guzzardi. Luca Guzzardi. »

Il lui sembla, très vaguement, que ce patronyme lui rappelait quelque chose. Mais ce souvenir devait être enfoui très loin dans sa mémoire.

« Était-il vénitien ?

– Non. Sa famille est de Ferrare. Mais ils étaient ici pendant la guerre. »

Le nom de Ferrare n'évoquait rien pour lui. Tout en ayant l'air de réfléchir à ce qu'il allait dire, Brunetti passait rapidement en revue, dans sa tête, toutes les personnes auxquelles il aurait pu poser des questions sur ce qui s'était passé pendant la guerre à Venise. Deux candidats lui vinrent presque aussitôt à l'esprit : son ami peintre Lele Bortoluzzi et son beau-père, le comte Orazio Falier, tous les deux assez âgés pour avoir connu la guerre, et tous les deux dotés d'une excellente mémoire.

« Mais il y a encore quelque chose qui m'échappe, dit Brunetti, avec l'idée que manifester de la confusion serait une meilleure manière d'obtenir des informations que des questions trop directes. À quoi rimerait aujourd'hui une action en justice ? L'affaire aurait dû passer en appel à l'époque.

– Elle y est passée, et le verdict a été confirmé, de même que la décision de l'envoyer à San Servolo. »

Brunetti devint l'incarnation de la perplexité.

« Cette fois, je ne vois plus, mais alors là, plus du tout, comment une annulation de ce verdict pourrait être obtenue aujourd'hui, ni pourquoi quelqu'un pourrait la souhaiter. »

Elle lui adressa un regard si pénétrant qu'il quitta tout de suite son expression simplette et se sentit très clairement gêné d'avoir tenté de la piéger, pour lui faire révéler le nom de cette grand-mère désireuse d'obtenir la grâce de son ancien compagnon, alors qu'il n'était plus motivé, à présent, que par la curiosité.

Elle ouvrit la bouche pour parler, s'interrompit et l'étudia comme si elle se souvenait de sa tentative pour paraître moins intelligent qu'il ne l'était, avant de rétorquer, avec un mordant peu commun pour une personne de son âge :

« Je suis désolée, mais je n'ai pas la liberté de vous en révéler davantage. Tout ce que je vous ai demandé, c'était de me dire s'il était possible de laver son nom. »

Brunetti fut frappé par la dignité avec laquelle elle s'était exprimée, par sa façon d'exiger d'être traitée en égale en se fondant sur le lien de fraternité établi lorsqu'ils avaient parlé histoire. Mais, avant qu'il ait pu réagir, elle ajouta :

« Rien de plus.

– Je vois », dit-il en se levant, nullement sûr qu'il pourrait l'aider, mais suffisamment charmé par sa jeunesse et sa sincérité pour avoir envie d'essayer.

Claudia se leva aussi. Il fit le tour de son bureau et se dirigea vers elle, mais c'est la jeune fille qui tendit la main la première. Après avoir échangé une poignée de main, il la raccompagna rapidement jusqu'à la porte.

Brunetti se retrouva seul, avec la désagréable impression qu'il s'était comporté comme un idiot, mais aussi avec le désir de découvrir quel souvenir était lié au nom de Guzzardi.

6

Une fois la jeune fille partie, Brunetti tira à lui la pile de documents restés entassés sur son bureau, griffonna ses initiales sur chacun d'eux sans prendre la peine d'en lire une seule ligne, les faisant au fur et à mesure passer à sa gauche, d'où ils reprendraient ensuite leur voyage dans les méandres bureaucratiques de la questure. Il n'était nullement gêné de s'en débarrasser avec autant de désinvolture ; il pensait que ce serait même une bonne idée que de systématiser cette méthode à partir de maintenant, à moins de pouvoir partager la corvée de la lecture avec d'autres commissaires – une semaine chacun, par exemple. Il envisagea un instant de faire cette proposition aux collègues en qui il avait confiance, afin de réduire un gaspillage de temps aussi stupide, mais il n'alla pas bien loin quand il vit à quel point rares étaient les noms qu'il pouvait mettre sur sa liste : Vianello, la signorina Elettra, Pucetti et une commissaire récemment nommée, Sara Marino.

Le fait qu'elle soit sicilienne avait tout d'abord rendu Brunetti méfiant vis-à-vis de la nouvelle venue ; il avait craint par la suite, ayant appris que son père, un juge, avait été assassiné par la Mafia, qu'elle ne soit une sorte de justicière fanatique. Puis il avait vu qu'elle travaillait avec enthousiasme et honnêteté ; qui plus est, le vice-questeur Patta et le lieutenant Scarpa ne l'appréciaient pas, de sorte que Brunetti avait fini par lui faire confiance. En dehors de ces quatre personnes – et encore, le nom de Sara n'y figurait que parce que son instinct disait à Brunetti qu'elle était quelqu'un de bien –, il n'y avait personne d'autre, à la questure, en qui il aurait placé une confiance aveugle. Plutôt que de s'en remettre, pour sa sécurité, aux mains de ses collègues, tous pourtant assermentés et s'étant engagés à faire respecter la loi, il aurait de loin préféré confier sa vie, sa carrière et sa fortune à quelqu'un comme Marco Erizzo, l'homme à qui il venait juste de conseiller de commettre un délit.

Il décida de ne pas perdre davantage de temps à rester assis à dresser des listes stupides, et d'aller plutôt parler à son beau-père, homme en qui il avait fini par avoir confiance, même si cela s'accompagnait toujours d'une indéfinissable sensation de malaise. Un surnom lui venait parfois à l'esprit, quand il pensait à son beau-père : Orazio l'oracle, tant il avait la certitude que les innombrables contacts que le comte avait consacré toute une vie à nouer pouvaient permettre de répondre à n'importe quelle question qu'il se poserait sur les Vénitiens et sur la façon dont les ficelles étaient tirées dans la ville. Le comte Falier lui avait, par le passé, révélé des choses intimes sur les grands de ce monde ; des secrets qui, le plus souvent, remettaient en question une telle qualification. La seule chose qu'il ne lui avait jamais révélée, cependant, était le nom de ses sources, ce qui n'avait pas empêché Brunetti de croire ce que le comte lui disait.

Brunetti appela son beau-père à son bureau et lui demanda s'il pouvait lui parler. Expliquant qu'il avait un déjeuner d'affaires et devait quitter la ville tout de suite après, le comte proposa à Brunetti de venir immédiatement à Campo San Barnaba, où ils pourraient parler sans être dérangés. Quand il reposa le combiné,

Brunetti se rendit compte que la capacité d'intuition du comte le rendait nerveux. Celui-ci avait d'emblée deviné que Brunetti venait le voir dans le seul but de récolter des informations, mais y avait fait si discrètement allusion qu'il était impossible à Brunetti de s'en formaliser.

Le commissaire laissa un mot sur sa porte, disant qu'il était parti interroger quelqu'un et qu'il serait de retour après le déjeuner. Le temps s'était couvert et il faisait plus froid, si bien qu'il préféra prendre le vaporetto que d'y aller à pied. Le numéro 1, arrivé de San Zaccaria, était rempli à craquer par un groupe considérable de touristes retranchés derrière des montagnes de bagages – se rendant de toute évidence à la gare de Piazzale Roma pour y prendre le train ou gagner l'aéroport. Il embarqua néanmoins, mais, quand il voulut entrer dans la cabine, trouva le passage bloqué par l'énorme sac à dos d'une femme plus énorme encore. Il avait l'impression que les touristes américains, au cours des dernières années, avaient doublé de taille. Ils avaient toujours été d'un gabarit imposant, mais dans le style des Scandinaves : grands et musclés. Aujourd'hui, ils étaient tout en bourrelets de graisse pendant mollement et en membres dilatés comme des saucisses qui donnaient la sensation qu'on se poisserait les mains en les touchant.

Il savait pertinemment que la physiologie humaine pouvait évoluer, certes, mais très lentement ; un changement brutal avait dû néanmoins se produire dans les besoins vitaux de l'organisme, car ces gens paraissaient incapables de survivre sans de fréquentes ingestions d'eau ou de boissons sucrées : tous agrippaient leur bouteille de un litre et demi comme si elle leur était aussi indispensable que sa bouteille d'oxygène à un plongeur.

Récidiviste impénitent, il ouvrit le *Gazzettino* et s'intéressa à la deuxième section du journal, s'abandonnant aux nombreux plaisirs qu'elle offrait jusqu'à ce que le vaporetto arrive au débarcadère de Ca'Rezzonico.

Au bout de la longue et étroite ruelle, il tourna à droite devant l'église pour emprunter une *calle* encore plus étroite, et se retrouva bientôt devant l'immense portail du palazzo Falier. Il sonna et se plaça devant l'interphone pour décliner son nom, mais la porte s'ouvrit presque immédiatement. Il était attendu par Luciana, la plus âgée des domestiques qu'employait le palazzo, personnage qui, par la grâce de sa dévotion et du passage du temps, était devenu un membre à part entière de la famille.

« Ah, dottor Guido… », dit-elle avec un sourire, lui mettant la main sur le bras pour l'entraîner à l'intérieur. Ce geste instinctif exprimait à la fois son bonheur de le voir, son inquiétude pour son bien-être et une forme d'affection.

« Paola ? Les enfants ? »

Brunetti se souvint que cela faisait seulement deux ou trois ans, alors que son fils et sa fille la dominaient déjà d'une bonne tête, que la minuscule vieille femme avait arrêté de dire *les petits*.

« Tout le monde va bien, Luciana. Et nous attendons tous avec impatience le miel de cette année. » Le fils de Luciana avait une ferme laitière dans les hauteurs, près de Bolzano et, tous les ans pour Noël, donnait à la famille quatre pots de un kilo des différents miels qu'il produisait en plus du lait.

« Vous l'avez déjà fini ? demanda-t-elle, d'une voix inquiète. Vous en voulez un peu plus ? »

Il l'imagina, s'il répondait oui, prenant le premier train pour Bolzano, le lendemain matin.

« Non, Luciana, il nous reste celui d'acacia. Nous ne l'avons pas encore ouvert. Et celui de châtaignier n'est qu'à moitié entamé. Avec ça, on devrait largement avoir de quoi tenir jusqu'à Noël – tant qu'on le cache à Chiara. »

Elle sourit, connaissant depuis longtemps l'insatiable appétit de l'adolescente. Pas entièrement convaincue cependant, elle insista :

« S'il vous en manque, prévenez-moi, et Giovanni pourra vous en envoyer. Rien de plus facile. » Elle le tapota de nouveau sur le bras. « Il signor conte est dans son bureau. »

Brunetti la remercia d'un signe de tête et la vieille servante partit pour l'escalier qui conduisait au premier étage et à la cuisine, où elle régnait sans partage – personne ne se souvenait d'une époque où il n'en avait pas été ainsi.

La porte donnant sur le bureau du comte était ouverte quand Brunetti arriva, si bien qu'il entra après avoir simplement frappé deux coups sur le chambranle, pour la forme. Le comte leva la tête et lui adressa un sourire si chaleureux que Brunetti commença à se demander si son beau-père n'avait pas une information à lui demander en échange de celle qu'il allait lui donner.

Le policier ignorait l'âge exact d'Orazio Falier, âge qui n'était pas facile à évaluer à son seul aspect. Si ses cheveux, coupés court, étaient entièrement blancs, leur combinaison avec une peau bronzée créait un contraste vibrant, dynamique, qui faisait que cette couleur n'était pas, dans son cas, une indication fiable. Guido avait une fois demandé à Paola quel âge pouvait avoir son père, à quoi elle lui avait répondu qu'il n'avait qu'à consulter le passeport de ce dernier ; et elle avait continué en expliquant avec jubilation qu'il en possédait quatre, comportant chacun une date et un lieu de naissance différents.

Les yeux bleus au regard perçant et le nez en bec d'aigle devaient figurer sur tous, Brunetti en était certain ; mais Paola n'avait jamais précisé si les noms étaient identiques sur tous les passeports, et il n'avait jamais eu le courage de le lui demander.

Le comte vint à la rencontre de son gendre pour lui serrer la main, souriant.

«Comme c'est gentil d'être passé me voir, Guido. Assieds-toi. Veux-tu boire quelque chose? Un café? *Un'ombra?*

– Non, merci, répondit Brunetti en prenant place. Je sais que tu as un rendez-vous, et je vais donc simplement te demander ce que j'aimerais savoir, en tâchant de faire vite.»

Sans un regard pour sa montre, le comte répondit:

«Je dispose d'une demi-heure. Tu as tout le temps de boire quelque chose.

– Non, merci, vraiment. Peut-être après que nous aurons parlé, si on a le temps.»

Le comte retourna s'asseoir derrière son bureau.

«De qui s'agit-il? demanda-t-il, montrant par là à quel point il connaissait son gendre.

– D'un Italien du nom de Luca Guzzardi, condamné après la guerre, mais je ne sais pas pour quel crime, et qui, au lieu d'aller en prison, a été envoyé à San Servolo, où il est mort.»

Brunetti préférait, pour l'instant, ne rien dire de Claudia Leonardo ni des raisons de l'intérêt qu'il portait à Guzzardi. De toute façon, le comte ne se souciait généralement pas de ces raisons; le fait que Guido soit marié à sa fille en était une suffisante à ses yeux pour l'aider.

L'homme était resté impassible. Lorsque Brunetti se tut, il fit la moue et pencha la tête, comme s'il écoutait les sons en provenance de l'un des palais situés sur l'autre bord du Grand Canal. Puis son regard revint sur le policier.

«Ah, la vie est vraiment longue», dit-il.

Brunetti savait que, semblable en cela à sa fille, le comte Falier ne résisterait pas à la tentation de clarifier cette remarque. Il reprit la parole au bout de quelques instants.

« Luca Guzzardi était le fils d'un homme jadis associé à mon père en affaires. Il se disait artiste. »

Devant l'air perplexe de Guido, il ajouta : « Le fils, pas le père. »

On pouvait supposer que le comte lui présentait les faits de manière ordonnée dans le but d'être plus clair.

« En fait, ce n'était pas un véritable artiste, même s'il avait un petit talent d'illustrateur. Il sut cependant en tirer profit, car il devint peintre de fresques et dessinateur d'affiches pour le parti au pouvoir, avant et pendant la guerre. » Il y avait des moments où Brunetti ne pouvait faire autrement qu'admirer l'arrogance de son beau-père : de même qu'il refusait d'appeler ses domestiques par leur prénom, il refusait de prononcer le nom du parti politique qui avait conduit leur pays à la ruine.

Brunetti, qui ne savait que trop bien ce qu'avaient été *I Fascisti,* se souvint alors où il avait entendu parler de Guzzardi – ou plutôt, où il avait lu son nom : dans un livre d'art fasciste où ce n'était, page après page, qu'ouvriers bien nourris, serveuses au regard brillant et aux longues tresses – un livre consacré à établir, dans les couleurs les plus criardes, le triomphe des gens ordinaires.

« Il a été très actif pendant la guerre, ce Luca Guzzardi, reprit le comte, aussi bien à Ferrare, d'où sa famille était originaire – je crois qu'ils étaient dans le textile –, qu'ici, où lui et son père occupaient des postes d'une certaine importance. »

Il y avait longtemps que Guido avait renoncé à demander à son beau-père d'où il tenait toutes ses informations, mais cette fois-là, Orazio Falier le lui expliqua spontanément.

« Comme Paola te l'a peut-être dit, nous avons dû quitter le pays en 1939, si bien que personne de ma famille n'était à Venise pendant les premières années de la guerre. J'étais encore gamin, mais mon père avait beaucoup d'amis restés sur place ; ce n'est qu'après la guerre, lorsque nous sommes revenus à Venise, qu'il a appris, et moi par la même occasion, ce qui s'était passé entre-temps. Ce n'était pas joli-joli, dans l'ensemble. »

Après cette courte explication, il poursuivit. « Le père de Guzzardi était fournisseur de l'armée pour des uniformes et aussi, je crois, des tentes. C'est comme ça qu'il a fait fortune. Le fils, grâce à ses talents artistiques, avait décroché un travail au service de la propagande : il dessinait les affiches et les panneaux décrivant le mode de vie officiel de notre grande nation. Il faisait aussi partie de la commission constituée pour décider des œuvres d'art décadent à faire disparaître des galeries et des musées.

– Faire disparaître ?

– L'une des maladies dont le Nord nous avait infectés, observa sèchement le comte avant de continuer. La liste des peintres considérés comme dérangeants était longue : elle allait de Goya jusqu'aux expressionnistes allemands en passant par Matisse et Chagall, entre autres. Et bien entendu, il suffisait que certains soient Juifs pour y être inscrits. Ou encore que le sujet de leurs toiles ne soit pas joli, ou ne soutienne pas les mythes du parti. Il fallait en faire disparaître toute trace des cimaises des musées, et beaucoup de gens prirent eux-mêmes la précaution de décrocher les toiles de leurs murs, chez eux.

– Et où tout ça est-il passé ?

– Voilà une bonne question. Ce furent souvent les premières peintures que vendirent ceux qui avaient besoin d'argent pour survivre, ou qui voulaient quitter le pays, même s'ils n'en tiraient pas grand-chose.

– Et pour les musées ? »

Le comte sourit, arborant ce raidissement cynique des lèvres dont avait hérité sa fille.

« C'était le fiston de Guzzardi qui avait la charge de décider de ce qu'il fallait enlever.

– Et c'était lui qui avait la charge, enchaîna Brunetti, qui commençait à voir se dessiner le tableau, de décider où devaient être envoyées ces peintures et de tenir les registres des lieux d'expédition ?

– Quel plaisir, Guido, de constater que toutes ces années passées dans la police n'ont en rien affecté tes capacités intellectuelles », répliqua le comte avec une ironie affectueuse.

Brunetti ignora la remarque, et le comte poursuivit son exposé.

« Beaucoup de choses semblent avoir disparu dans le chaos. Il semble cependant qu'il ait été trop loin. Je crois que c'était en 1942. Il y avait une famille suisse qui habitait sur le Grand Canal, dans un palais lui appartenant depuis plusieurs générations. Le père, qui avait je ne sais quel titre (le comte avait dit cela avec le mépris presque inconscient de celui pour qui toute prétention aristocratique doit avoir des origines remontant à au moins mille ans), était consul honoraire de Suisse, et le fils n'arrêtait pas d'avoir des ennuis à force de dire ce qu'il pensait du gouvernement italien ; il n'avait cependant jamais été arrêté, grâce à son père et aux relations de celui-ci. Finalement, je ne sais plus quand, on trouva le fils en compagnie de deux aviateurs anglais qu'il cachait dans le grenier du palais. L'histoire n'est pas très claire, mais il semble que les Guzzardi aient eu vent de l'affaire et que l'un d'eux ait envoyé la police. »

Le comte s'interrompit, et Guido le vit qui s'efforçait de rassembler des souvenirs vieux de plus d'un demi-siècle.

« La police a embarqué tout le monde, reprit Orazio Falier. Le soir même, les Guzzardi rendirent visite au père dans son palais. Sans doute y eut-il plus ou moins négociation. Toujours est-il qu'elle se termina sur la décision de rendre le fils à son père et de laisser tomber l'affaire.

– Et les aviateurs ?

– Aucune idée.

– Les Guzzardi, alors ?

– Ils auraient quitté le palais en portant un gros colis.

– D'art décadent ?

– Personne ne le sait. Le consul était grand collectionneur de dessins de maîtres anciens : Titien, le Tintoret, Carpaccio. C'était aussi un grand ami de Venise, et il a donné de nombreuses œuvres d'art aux musées de la ville.

– Mais pas les dessins en question ?

– Ils n'étaient plus dans le palais à la fin de la guerre.

– Et les Guzzardi ? voulut savoir Brunetti.

– Il semble que le consul ait été le condisciple de l'ambassadeur de Grande-Bretagne nommé en Italie juste après la guerre, et que ce dernier ait tenu à ce qu'une action en justice soit menée contre les Guzzardi.

– Et ensuite ?

– Le fils Guzzardi a été mis en accusation. Je ne me souviens plus exactement pour quel motif, mais son sort était scellé. L'ambassadeur était très riche et très généreux, vois-tu, et cela le rendait très puissant. »

Le comte regarda le mur, derrière Brunetti, où étaient accrochées trois sanguines de Titien – comme pour mieux solliciter sa mémoire.

« J'ignore si l'on a jamais revu les dessins en question. D'après la rumeur, à l'époque, l'avocat de Guzzardi aurait négocié un accord pour obtenir son acquittement en échange des dessins, mais Luca a eu une crise ou je ne sais quoi pendant le procès, une dépression nerveuse vraie ou fausse, aucune idée, et il a finalement été condamné – maintenant que j'y pense, peut-être pour extorsion – et envoyé à San Servolo. On a dit que tout ça était un coup monté pour que les juges puissent l'expédier là-bas. L'idée aurait été de l'y laisser moisir quelques mois, puis de l'en faire sortir, miraculeusement guéri. De cette manière, l'ambassadeur aurait eu ce qu'il voulait, et Guzzardi aurait tout de même échappé à sa punition.

– Sauf qu'il est mort.

– Oui, il est mort.

– Rien de suspect, dans cette disparition ?

– Non, je ne me souviens pas avoir entendu dire quoi que ce soit là-dessus. Mais San Servolo était un vrai mouroir. » Le comte réfléchit quelques instants, avant d'ajouter : « Même si ce n'est pas tellement mieux aujourd'hui, vu la manière dont les choses sont organisées. »

Les fenêtres du bureau de Brunetti, à la questure, donnaient sur la place San Lorenzo, où se trouvait une maison de retraite ; et ce qu'il voyait de là-haut était suffisant pour confirmer tout ce que la phrase de son beau-père laissait entendre sur la manière dont les institutions publiques prenaient soin des vieux, des fous ou des gens abandonnés. Il se tira de ses réflexions pour jeter un coup d'œil à sa montre ; il était grand temps qu'il prenne congé, s'il voulait que le comte soit à l'heure pour son déjeuner. Il se leva.

« Merci beaucoup. Si tu te souviens de quelque chose d'autre…

– Je ne manquerai pas de te le faire savoir, enchaîna le comte, avec un sourire qui n'avait rien de gai. C'est très étrange, de repenser à cette époque.

– Pourquoi ?

– Tout comme les Français après la Libération, nous nous sommes empressés d'oublier ce qui s'était passé pendant la guerre. Tu sais ce que je pense des Allemands (Brunetti acquiesça, connaissant le dégoût insurmontable que lui inspirait l'Allemagne). Mais je dois dire qu'eux, au moins, ont regardé leurs actes en face.

– Avaient-ils le choix ? demanda Brunetti.

– Avec les communistes dirigeant la moitié du pays, le début de la guerre froide et les Américains terrifiés à l'idée qu'ils puissent basculer à l'Est, oui, ils avaient le choix. Une fois les procès de Nuremberg terminés, les Alliés se seraient bien gardés de mettre le nez des Allemands dans ce qu'ils avaient fait. Mais eux ont choisi de dire ce qui s'était passé pendant la guerre, au moins en partie. Les Français, depuis quelque temps et non sans mal, aussi. Nous, jamais. Si bien que nous n'avons pas d'histoire pour ces années-là, en tout cas pas d'histoire sérieuse. »

Brunetti fut frappé par la ressemblance entre les propos de son beau-père et ceux qu'avait tenus Claudia Leonardo, alors qu'ils étaient séparés par plus de deux générations.

Une fois à la porte du bureau, Guido se retourna et demanda :

« Au fait, et les dessins ?

– Quoi, les dessins ?

– Combien vaudraient-ils, aujourd'hui ?

– Impossible de te répondre. On n'en a pas de reproduction et on ne sait même pas combien il y en avait. De plus, rien ne prouve que les choses se soient passées ainsi.

– Que les Guzzardi les aient emportés ?

– Oui.

– Et toi, qu'en penses-tu ?

– Évidemment, qu'ils les ont emportés, répondit le comte. Ils étaient comme ça, ces gens-là. La lie de l'humanité. Des voyous arrivistes et prétentieux, le genre d'individus qu'attirent les idées politiques de ce genre. C'était pour eux une occasion unique, inespérée, d'acquérir du pouvoir et des richesses ; dans des cas comme celui-là, ces gens s'unissent comme des rats et raflent tout ce qu'ils peuvent. Puis, dès que la partie est terminée, ils sont les premiers à dire qu'ils ont toujours été moralement opposés au système, mais qu'ils craignaient pour la sécurité de leur famille. C'est remarquable, cette capacité qu'ils ont de trouver les arguments les plus nobles pour excuser ce qu'ils ont fait. Ils sont en plus très forts dans l'art de tourner casaque pour se trouver dans le camp des vainqueurs. » Le comte accompagna cette dernière charge d'un geste méprisant plein de colère.

Brunetti ne se souvenait pas d'avoir vu le comte passer aussi rapidement du mépris distancié et amusé à la colère brute. Il se demanda quel genre d'expérience avait pu le conduire à éprouver des sentiments encore aussi vifs, pour des événements remontant aussi loin. Le moment était néanmoins mal venu pour manifester de la curiosité, si bien qu'il se contenta de renouveler ses remerciements et de serrer la main du comte avant de quitter le palazzo Falier pour retrouver son domicile – endroit beaucoup plus modeste – et son déjeuner.

7

En arrivant chez lui, il trouva ses deux enfants en train de se quereller. Debout dans le passage donnant sur le séjour, ils s'apostrophaient avec véhémence et c'est à peine s'ils jetèrent un coup d'œil à leur père quand ce dernier entra. Des années passées à évaluer ce qu'il en était au ton de leurs échanges lui apprirent que le cœur n'y était pas vraiment, et qu'ils ne faisaient rien de plus que respecter les règles établies de l'affrontement, comme dans les combats rituels de morses exhibant leurs défenses, tête hors de l'eau, pour impressionner l'adversaire : dès que celui-ci reculait, l'autre se laissait retomber dans l'eau et s'éloignait. La querelle concernait la propriété d'un CD, à l'heure actuelle décomposé en deux parties : Raffi tenait le disque, et Chiara, l'emballage en plastique.

« Je l'ai acheté il y a moins d'un mois au Tempio della Musica, s'entêtait Chiara.

– C'est Sara qui me l'a donné pour mon anniversaire, espèce d'idiote ! » rétorquait Raffi.

Se félicitant de son sang-froid, Brunetti ne leur suggéra pas de s'inspirer d'un jugement célèbre et de couper en deux l'objet (lui-même phénoménalement bruyant) de la dispute pour en terminer. Il se contenta de leur demander si leur mère était dans son bureau.

Chiara répondit *oui* de la tête et revint aussitôt au combat.

« Je veux l'écouter *maintenant !* » disait-elle au moment où Brunetti s'éloignait dans le couloir.

La porte du sanctuaire de Paola était ouverte, et Brunetti entra donc.

« Puis-je réclamer le statut de réfugié ? »

Paola retira ses lunettes.

« Ils n'ont pas fini ? »

Aussi convenue que l'une des cent une symphonies de Haydn, la prise de bec des deux adolescents, après cet *allegro,* était passée à l'*adagio* ; Brunetti, sachant qu'un *allegro tempestoso* n'allait pas manquer de suivre, referma la porte et alla s'asseoir sur le sofa placé contre le mur.

« J'ai parlé à ton père.

– De quoi ?

– De cette histoire de Claudia Leonardo.

– Quelle histoire ? demanda-t-elle, se gardant bien de s'enquérir de la façon dont il avait appris le nom de l'étudiante.

– Concernant son grand-père et les crimes qu'il a commis pendant la guerre.

– Les crimes ? » répéta Paola, son intérêt éveillé.

En quelques mots, Guido expliqua ce que Claudia lui avait dit et ce qu'il avait appris du comte Falier.

« Je me demande si Claudia a envie que d'autres personnes soient au courant. Elle m'a demandé si elle pouvait te parler, mais elle n'est pas du genre à souhaiter que ses histoires de famille s'étalent sur la place publique.

– En parler à ton père n'est pas exactement les étaler sur la place publique, observa sèchement Guido.

– Tu sais ce que je veux dire, répliqua-t-elle sur le même ton. J'ai supposé qu'elle me parlait en confidence.

– Pas moi. » Brunetti s'interrompit, attendant une objection, mais rien ne vint. « Elle est venue me voir à la questure, sachant parfaitement que j'étais de la police. Comment aurais-je dû lui répondre ?

– Si je ne me trompe, la question était purement théorique.

– Mais il fallait que j'en apprenne davantage pour y répondre ! »

Il avait l'impression que c'était la centième fois qu'il donnait cette explication, et était conscient de la ressemblance de plus en plus criante de cette conversation avec la dispute de leurs enfants – laquelle, constata-t-il avec plaisir, paraissait avoir atteint sa conclusion.

« Écoute, dit-il dans un effort de réconciliation, ton père m'a dit qu'il essaierait d'en savoir plus sur ce qui s'est passé.

– Y a-t-il au moins une chance de réhabilitation légale ? C'est tout ce qu'elle désire savoir.

– Comme je te l'ai dit, je ne pourrai répondre que lorsque j'en saurai davantage. »

Elle l'étudia un long moment, jouant de la main droite avec l'une des branches de ses lunettes, avant de remarquer :

« On dirait que tu en sais déjà assez pour lui donner une réponse.

– Une réponse négative ?

– Oui.

– C'est probablement le cas.

– Alors pourquoi aller en parler à mon père ? Par curiosité ? »

Comme il ne répondait pas, elle ajouta :

« Est-ce que mon chevalier en armure blanche vient encore de monter sur le large dos de son noble destrier au nom de la justice ?

– Oh, ça va, Paola, dit-il avec un sourire gêné. J'ai l'air d'un idiot, à t'entendre. »

Paola chaussa ses lunettes.

« Mais non, très cher, tu as l'air de l'homme que

j'aime, c'est tout. » Cachant l'expression qui accompagnait cet aveu, elle plongea la tête vers les papiers étalés devant elle. « Et maintenant, va dans la cuisine et ouvre une bouteille. J'arrive dès que j'ai terminé la correction de cette copie. »

Regrettant que les enfants ne voient pas, pour l'imiter, la célérité avec laquelle il obéissait aux ordres de leur mère, Brunetti passa dans la cuisine et ouvrit le réfrigérateur. Il en sortit une bouteille de chardonnay qu'il posa sur le comptoir, ouvrit le tiroir pour y prendre le tire-bouchon puis, changeant d'avis, remit le chardonnay dans le frigo pour prendre une bouteille de prosecco à la place. « Tout travail mérite salaire », marmonna-t-il en faisant sauter le bouchon. Emportant la bouteille et un verre, il battit en retraite dans le séjour, espérant avoir le temps de finir de lire l'édition du jour du *Gazzettino*.

Vingt minutes plus tard, la famille passait à table. La dispute autour du CD était apparemment réglée – en faveur de Chiara, espérait Guido avec ferveur : elle au moins craignait encore assez ses parents pour utiliser un baladeur, tandis que Raffi, l'an dernier, avait acheté une minichaîne stéréo avec laquelle il tenait absolument à faire connaître au reste de la famille et à tous ceux qui se trouvaient dans un rayon de moins de quinze mètres de sa chambre quels étaient ses goûts exécrables en matière de musique ou plutôt de bruit, faisant regretter parfois à Brunetti de ne pas souffrir d'acouphène, ce bourdonnement ou sifflement permanent de l'oreille qui relègue tout autre son au second plan.

Pour être dans l'esprit du changement de saison, Paola avait préparé un *risotto di zucca* dans lequel, à la dernière minute, elle avait râpé un peu de gingembre, dont l'âpreté était adoucie par la généreuse portion de beurre qui l'avait précédé et le parmesan dont elle avait ensuite saupoudré sa préparation. Cette polyphonie gustative chassa tout souci pour la musique de Raffi dans l'esprit de Guido, et le poulet grillé à la sauce et au vin blanc qui suivit remplaça même cette musique par ce qui lui parut être le chant céleste des anges.

Brunetti reposa sa fourchette et se tourna vers sa femme.

« Si tu m'apportes une braeburn, une fine tranche de montasino et un verre de calva, je te couvrirai de diamants gros comme des noix, déposerai des perles aussi blanches que le lait à tes pieds, cueillerai des émeraudes de la taille de kiwis… »

Chiara lui coupa la parole.

« Vraiment, papa, tu ne penses qu'à manger ! »

De la part de quelqu'un qui se goinfrait à tous les repas, c'était une remarque des plus hypocrites ; mais avant que Guido ait pu le lui reprocher, Paola déposa une grande coupe pleine de pommes devant lui.

« En plus, poursuivit Chiara, comment veux-tu porter une émeraude aussi grosse ? »

Son assiette disparut, remplacée par une assiette à dessert propre et des couverts adéquats.

« De toute façon, intervint Raffi, tendant la main vers une braeburn, maman s'en servirait comme presse-papier. » Il mordit dans la pomme, prit pour excuse un devoir de mathématique à terminer et demanda à s'éclipser.

« Si j'entends une seule mesure de ce raffut avant trois heures de l'après-midi, je viens t'enfoncer des pointes de bambous dans les oreilles, histoire de te rendre définitivement sourd », dit Paola quand l'adolescent quitta la table, apprenant par la même occasion à Guido qui avait pris possession du CD. Raffi chipa deux pommes de plus et partit, immédiatement suivi de Chiara.

« Tu le gâtes trop, dit Brunetti, en se coupant une tranche de montasino qui n'était pas si fine que ça. Tu devrais être plus ferme avec lui, peut-être en commençant par le menacer de lui arracher les ongles.

– Il n'a que deux ans de moins que certains de mes étudiants, répondit Paola, prenant à son tour une pomme qu'elle se mit à peler. Si je me mets à lui faire des choses pareilles, je n'ose penser à ce que je pourrais leur faire, à eux. L'odeur de ce sang juvénile risque de me rendre folle.

– C'est à ce point ? » dit Brunetti.

La pomme pelée, Paola la découpa en huit, enleva les pépins, planta sa fourchette dans la première tranche et la croqua avant de répondre.

« Non… et je suppose que ce n'est pas aussi affreux que ce que tu fais. Mais crois-moi, il y a des jours où je rêve de me trouver enfermée dans une cave en compagnie de deux costauds de la police et des outils préférés de l'Inquisition. Et avec un de ces étudiants.

– À t'entendre, on dirait que les choses se sont subitement dégradées.

– Non, pas subitement, pas vraiment. C'est moi qui ai pris une conscience aiguë du stade où elles en sont.

– Tu devrais me donner un exemple.

– Il y a dix ans, j'arrivais à leur faire entrer dans la tête, même s'ils n'acquiesçaient parfois que du bout des lèvres, l'idée que la culture au sein de laquelle notre génération avait grandi – Platon, Virgile, Dante et Shakespeare – était supérieure, à plusieurs titres, aux choses qui remplissaient leur existence. Ou du moins, si elle n'était pas supérieure, qu'elle était assez intéressante pour mériter d'être étudiée. »

Elle croqua trois autres tranches de pomme avec une fine tranche de fromage avant de poursuivre.

« Ça, c'est fini. Ils pensent, ou du moins donnent l'impression de penser, que leur culture, avec le boucan qu'elle fait, sa religion du lucre et son caractère Klee-nex, immédiatement jetable, est supérieure à toutes nos stupides idées.

– Comme ?

– Comme celle totalement ridicule, par exemple, voulant que la beauté se conforme à certaines normes, ou à un idéal ; comme la croyance risible que nous avons toujours la possibilité de nous comporter honorablement et que c'est la voie que nous devrions choisir ; comme la notion idiote que le but ultime de l'existence humaine ne se résume pas à l'acquisition de biens.

– Pas étonnant que tu aies envie de tout l'attirail de l'Inquisition », dit Brunetti en ouvrant la bouteille de calva.

8

De retour à son bureau, et vaguement conscient d'avoir peut-être mangé un peu trop copieusement, Brunetti se dit qu'il pouvait essayer d'obtenir davantage d'informations sur les Guzzardi de son ami Lele Bortoluzzi – des informations que l'on qualifierait, dans un pays mieux policé, de ragots, voire de calomnies, choses dont l'artiste était friand. En temps normal, il se serait rendu à pied jusqu'à la galerie de Lele, mais, sans doute alourdi par le calvados (même s'il avait beau se dire qu'il n'en avait descendu qu'un doigt), il décida finalement d'utiliser le téléphone.

Lele décrocha à la deuxième sonnerie.

« *Si*.

– *Ciao*, Lele, dit Brunetti sans prendre la peine de décliner son nom. J'ai encore besoin de faire appel à tes archives, si tu veux bien.

– Je t'écoute.

– Il s'agit cette fois d'un type appelé Luca Guzzardi…

– *Quel figlio di mignotta !* l'interrompit Lele, d'un ton de colère que Brunetti n'avait que rarement entendu dans la voix du peintre.

– Si je comprends bien, tu te souviens de lui, observa Brunetti sans rire, mais en essayant de cacher son étonnement.

– Évidemment, que je me souviens de ce salopard ! Il n'a eu que ce qu'il méritait. La seule chose qui me chagrine est qu'il soit mort aussi rapidement : ils auraient dû le garder en vie plus longtemps pour qu'il se traîne là-bas comme une larve.

– À San Servolo ? demanda Brunetti, même s'il n'y avait guère de doute sur ce que son ami avait voulu dire.

– L'endroit où il méritait de croupir. Beaucoup mieux que n'importe quelle prison dans laquelle on aurait pu envoyer cette ordure. Je suis désolé pour tous les pauvres diables qui étaient enfermés dans ce bagne : ils ne méritaient certainement pas de vivre dans ces conditions, pire que des animaux. Guzzardi, lui, le méritait, et pis encore. »

Brunetti savait qu'il n'allait pas tarder à apprendre les raisons du dégoût viscéral qu'inspirait Guzzardi à Lele. Pour l'asticoter, il dit :

« C'est la première fois que je t'entends parler de lui. C'est bizarre, étant donné la haine que tu lui voues.

– C'était un voleur et un traître, Guido. Comme son père. Il n'y avait rien qu'ils n'auraient été capables de faire, personne qu'ils n'auraient pas trahi. »

Le policier trouva la condamnation de Lele encore plus radicale que celle du comte – puis se souvint que ce dernier n'était pas à Venise pendant la guerre. Lele, lui, y était resté pendant toute sa durée. Deux de ses oncles étaient morts, l'un en combattant aux côtés des Allemands, l'autre contre eux. Il coupa court au flot d'épithètes peu flatteuses qui continuaient à se déverser du téléphone.

« Très bien, très bien, je comprends ce que tu ressens. Mais dis-moi pourquoi, à présent. »

Lele lui fit la grâce de rire.

« Ça doit te faire un drôle d'effet, une telle colère après tant de temps. Il doit bien y avoir, oh… vingt ans, sinon plus, que je n'ai pas entendu prononcer son nom, mais il a suffi que tu le dises et tout ce que je sais sur lui m'est revenu. »

Il se tut un instant, puis ajouta :

« C'est bizarre, non, comme certaines choses ne disparaissent jamais ? On pourrait croire que le temps les a adoucies. Pas avec Guzzardi.

– Et qu'est-ce qui n'a pas été adouci ?

– Eh bien, de toute évidence, la haine qu'il nous a inspirée à tous.

– À tous ?

– Oui. À mon père, à mes oncles et même à ma mère.

– Pourquoi ?

– Tu es sûr d'avoir le temps d'écouter ce que j'ai à te dire ?

– Sinon, pourquoi t'aurais-je appelé ? » lui rappela Brunetti, soulagé que Lele n'ait pas demandé pour quelle raison il s'intéressait à Guzzardi fils.

En guise de réponse, Lele commença par une question.

« Tu sais que mon père était antiquaire et négociant d'art ?

– Oui. » Brunetti n'avait qu'un vague souvenir du père de Lele : un homme énorme, arborant une moustache et une barbe blanches, qui était mort quand lui-même était encore un gamin.

« Des tas de gens voulaient quitter le pays. Sauf qu'il n'y avait pas beaucoup d'endroits où ils pouvaient se réfugier – se réfugier et être en sécurité. Toujours est-il que lorsque la guerre a commencé, certains d'entre eux ont contacté mon père, pour lui demander de vendre des objets pour eux.

– Des antiquités ?

– Oui, et des peintures, des statues, des livres rares – à peu près tout ce qui avait de la beauté et de la valeur.

– Et qu'est-ce qu'il a fait ?

– Il a agi en tant qu'agent, répondit Lele comme si cela expliquait tout.

– Qu'est-ce que ça veut dire, exactement, en tant qu'agent ?

– Intermédiaire, si tu préfères. Il a accepté de trouver des acheteurs. Il connaissait le marché, et il avait un carnet d'adresses bien rempli. En échange, il prenait dix pour cent sur les transactions.

– Rien de plus normal, il me semble, non ? » demanda Brunetti, conscient de ne pas saisir où Lele voulait en venir.

– Il n'y avait rien de normal pendant la guerre », répondit Lele, à nouveau comme si cela expliquait tout.

Brunetti l'interrompit :

« Je ne comprends pas à quoi tu fais allusion, Lele. Sois un peu plus clair, s'il te plaît.

– D'accord. J'ai tendance à oublier combien les gens en savent peu sur ce qui s'est passé pendant cette période – quand ils ne préfèrent pas ne pas en entendre parler. C'était comme ça. Quand des gens étaient obligés de vendre des choses, ou étaient mis dans une situation où ils n'avaient pas d'autre choix que de les vendre, soit ils le faisaient eux-mêmes, ce qui était toujours une erreur, soit ils s'adressaient à un agent. Ce qui était aussi souvent une erreur.

– Pourquoi ?

– Parce que certains négociants avaient reniflé l'odeur du fric, de beaucoup de fric, et une fois qu'ils eurent pris conscience que les vendeurs étaient complètement paniqués, cette odeur les a rendus fous.

– Comment ça, fous ?

– Ils ont augmenté leur pourcentage. Les gens étaient aux abois : il leur fallait vendre à tout prix et quitter le pays dès qu'ils pouvaient. À tout prix, c'est le cas de le dire. Vers la fin, ils avaient presque tous compris qu'ils allaient mourir, s'ils restaient. Non, se corrigea Lele, pas mourir, être tués. Être envoyés quelque part pour s'y faire massacrer. Mais certains n'avaient pas le courage de couper les ponts et de filer en laissant tout derrière eux : des maisons, des peintures, des vêtements, des objets d'art, des papiers, des trésors de famille. C'est pourtant ce qu'ils auraient dû faire, tout laisser et essayer de passer en Suisse ou au Portugal, voire même en Afrique du Nord, mais beaucoup d'entre eux ne pouvaient supporter cette idée. Sauf qu'en fin de compte, ils n'ont pas eu le choix.

– Et alors ?

– Alors, à la fin, ils ont été forcés de vendre tout ce qu'ils avaient pour obtenir en échange de l'or, des pierres précieuses ou des devises étrangères fortes – bref, quelque chose de facile à emporter à l'étranger.

– Et ils n'ont pas pu ?

– Je vais en avoir pour un moment à t'expliquer tout ça, Guido, répondit Lele, s'excusant presque.

– Pas de problème.

– Très bien. Le système fonctionnait souvent de cette manière : ils contactaient les agents, dont beaucoup étaient des antiquaires, ici ou dans une autre grande ville. Certains collectionneurs ont même essayé de traiter directement avec les Allemands, avec des types comme Haberstock, à Berlin. Le bruit avait couru que le prince Farnese, à Rome, aurait réussi à vendre beaucoup de choses grâce à lui. Mais la plupart des gens contactaient des agents, lesquels venaient jeter un coup d'œil sur ce qu'ils avaient à vendre avant de leur faire une offre sur ce qui les intéressait ou sur ce qu'ils pensaient pouvoir revendre. » De nouveau, Lele s'interrompit.

Intrigué à l'idée que ces petites histoires sordides de trafic n'avaient pu suffire à faire exploser Lele, Brunetti encouragea le vieux peintre.

« Et alors ?

– Et alors, les agents offraient une somme ridicule

comparée à la valeur réelle des objets, en prétendant que c'était tout ce qu'eux-mêmes pourraient en tirer. » Cette fois, Lele enchaîna sans que Brunetti ait eu le temps de poser la question évidente qui lui vint à l'esprit. « Tout le monde savait que ce n'était pas la peine d'essayer de contacter un autre agent. Ils avaient formé un cartel et dès que l'un d'eux donnait un prix, il en faisait part au reste de la bande et aucun n'aurait offert davantage.

– Mais il y avait tout de même des hommes comme ton père, non ? Les gens ne pouvaient pas le contacter ?

– À cette date, mon père était en prison, répondit Lele d'un ton glacial.

– Accusé de quoi ?

– Qui sait ? Est-ce que c'est important ? Il aurait été dénoncé pour avoir tenu des propos défaitistes. Évidemment, qu'il en a tenu. Même le dernier des crétins savait que nous n'avions aucune chance de gagner la guerre. Mais il n'avait fait ces remarques qu'à la maison, en notre seule présence. En fait, ce sont les autres agents qui l'ont dénoncé à la police et on est venu le chercher. On lui a fait très clairement comprendre, pendant son interrogatoire, qu'il aurait été imprudent pour lui de reprendre son travail.

– C'est-à-dire d'aider les personnes voulant quitter le pays ?

– Entre autres. On ne lui a jamais dit pour le compte de qui il ne devait pas négocier, mais ce n'était pas la peine, hein ? Mon père a compris le message. À la troisième arrestation, c'était très clair. Quand ils l'ont relâché et quand il est rentré à la maison, il a cessé d'essayer d'aider ces gens.

– Des Juifs ?

– Avant tout, oui. Mais aussi des familles non juives. Ton beau-père, par exemple.

– Tu parles sérieusement, Lele ? demanda Brunetti, incapable de dissimuler sa stupéfaction.

– Ce n'est pas un sujet dont on peut plaisanter, Guido, répondit le vieil artiste d'un ton inhabituellement sec. Le père de ton beau-père a été contraint de quitter le pays. Il est venu voir mon propre père pour lui demander s'il ne voulait pas s'occuper de la vente de certains objets pour son compte.

– Et il l'a fait ?

– Il les a pris. Je crois qu'il y avait trente-quatre peintures et une importante collection de premières éditions de Minutius.

– Il ne craignait pas de les négocier, après les avertissements qu'il avait reçus ?

– Il ne les a pas vendues. Il a donné une certaine somme d'argent au comte et lui a dit qu'il garderait les peintures et les livres avec lui, jusqu'à son retour à Venise.

– Et qu'est-ce qui est arrivé ?

– Toute la famille, ton beau-père y compris, s'est réfugiée au Portugal et, de là, en Angleterre. Ils comptent parmi ceux qui ont eu de la chance.

– Et les objets que ton père avait en dépôt ?

– Il a tout mis en lieu sûr, et quand le comte est rentré à Venise, après la guerre, il lui a tout rendu.

– Où avait-il caché tout ça ? » demanda Brunetti, même si c'était sans importance. Sa curiosité d'historien avait été éveillée.

« Une de mes tantes était mère supérieure chez les dominicaines, dans le couvent des Miracoli. Elle a tout planqué sous son lit. »

Brunetti n'intervint pas, trop stupéfait pour dire quoi que ce soit. Lele poursuivit :

« En réalité, il y avait une trappe secrète sous le plancher de sa chambre, et elle a disposé son lit juste au-dessus. J'ai toujours eu des scrupules à demander ce qu'une mère supérieure pouvait bien avoir à mettre dans une telle cachette, si bien que j'ignore encore quelle était sa raison d'être, à l'origine.

– Espérons que c'était pour la bonne cause, observa Guido, se souvenant des récits qu'il avait entendus, dans son enfance, sur les débordements des moines et des religieuses.

– Oui, espérons-le. Toujours est-il que le trésor n'avait pas bougé de là quand les Falier sont revenus d'exil, et mon père a pu tout leur restituer. Le comte, de son côté, lui a rendu son argent. Il lui a aussi donné un petit Carpaccio, celui qui est maintenant dans notre chambre. »

Il fallut un moment à Brunetti pour digérer toutes ces informations.

« Je n'en avais jamais entendu parler, depuis toutes ces années que je le connais.

– Orazio ne parle jamais de ce qui s'est passé pendant la guerre. »

Surpris d'entendre Lele parler aussi familièrement d'un homme auquel lui-même ne s'était jamais adressé en l'appelant par son prénom, même si, pour respecter les conventions familiales, il le tutoyait, Brunetti demanda :

« Comment se fait-il que tu sois au courant de tout ça ? Par ton père ?

– Oui. Au moins en partie. C'est Orazio qui m'a raconté le reste.

– Je ne savais pas que tu le connaissais aussi bien.

– Nous avons combattu ensemble pendant deux ans avec les partisans, Guido.

– Pourtant, il m'a dit qu'il n'était qu'un petit garçon quand il a quitté Venise.

– C'était en 1939. Trois ans plus tard, c'était un jeune homme. Un jeune homme très dangereux. C'était l'un des meilleurs. Ou des pires, j'imagine, si l'on était allemand.

– Où étiez-vous ?

– Du côté d'Asagio, dans les montagnes. »

Après un court instant, Lele reprit :

« Si tu veux en apprendre davantage, je crois qu'il vaut mieux que tu t'adresses à ton beau-père. »

Comprenant que ce n'était qu'une façon polie de lui faire savoir qu'il n'en dirait pas davantage, Brunetti n'insista pas et revint indirectement à l'affaire qui avait suscité son coup de téléphone.

« Dis-moi comment s'y prenait ton père, avant d'être arrêté.

– Quand on lui confiait une vente, il prélevait dix pour cent et faisait de son mieux, bien entendu, pour obtenir le meilleur prix. Et, quel que soit l'objet, jamais il n'achetait pour lui. Aussi intéressant que soit le prix de ce qu'on lui proposait, aussi heureux qu'il aurait été de posséder l'objet, il refusait d'agir à titre personnel.

– Et les Guzzardi ? » demanda Brunetti – les Guzzardi, la vraie raison de son intérêt.

« L'équipe parfaite, ces deux-là. Le père s'occupait des finances et le fils était l'artiste. » Lele prononça *artiste* avec une dérision acide. « C'est pratiquement par accident qu'ils se sont retrouvés dans les antiquités. Sans doute ont-il dû renifler l'odeur de l'argent. Ces gens-là ont un flair particulier. Au début, ils ont engagé quelqu'un qui faisait les évaluations pour eux et, comme ils étaient tous les deux des membres importants du parti, ils n'ont pas eu de difficultés à se faire une place dans le cartel. Tous les gens qui voulaient vendre quelque chose et le vendre vite, ici, mais aussi à Padoue et à Trévise, finissaient par se retrouver obligés de traiter avec les Guzzardi. Et ils vendaient. Les Guzzardi suçaient les gens jusqu'à la moelle. De vrais requins.

– Ont-ils eu quelque chose à voir avec l'arrestation de ton père ? »

Lele se montra prudent comme toujours – il était persuadé que toutes les lignes du pays étaient sur écoute – et il répondit indirectement.

«En affaires, c'est toujours de bonne guerre que d'éliminer la concurrence.

– Achetaient-ils pour eux-mêmes ou pour revendre?

– Au début, comme ils n'y connaissaient strictement rien, ils achetaient pour des clients, des gens qui avaient entendu dire que telle ou telle collection était à vendre et que les propriétaires ne voulaient pas se salir les mains en procédant eux-mêmes ouvertement à la transaction. C'était de plus en plus fréquent, vers la fin de la guerre. Les acheteurs ne demandaient qu'à acheter, mais il ne fallait surtout pas que ça se sache.

– Et les Guzzardi?

– Vers la fin, ils auraient acheté pour eux-mêmes. Luca commençait à avoir un bon coup d'œil, à ce moment-là. Même mon père était obligé de le reconnaître. Il n'était pas stupide, le Luca, pas stupide du tout.

– S'étaient-ils spécialisés?

– Plus ou moins. Le père achetait des peintures; Luca s'intéressait aux dessins et aux gravures.

– C'était pour ça que Luca avait le coup d'œil?

– Non, pas particulièrement, il ne me semble pas. Mais les dessins et les gravures ont l'avantage d'être facilement transportables; de plus, comme il existe toujours plus d'un exemplaire d'une gravure, par définition, et en général plusieurs dessins préparatoires avant l'exécution d'un tableau, leur provenance est beaucoup plus difficile à établir que dans le cas d'un exemplaire unique. Sans compter qu'ils sont faciles à cacher.

– Je ne me doutais pas qu'il y ait eu un tel trafic, observa Guido lorsqu'il lui sembla que Lele n'allait rien ajouter.

– Peu de personnes en ont idée. Et très peu ont envie d'en entendre parler. C'est ce que nous avons fait, tout de suite après la Libération : décidé d'oublier ce qui s'était passé au cours des dix années précédentes, en particulier les années de guerre. Sans compter qu'étant dans le camp des vainqueurs, cela nous a été d'autant plus facile. Et c'est ce que nous avons pratiqué depuis : la politique de l'amnésie. On l'a voulue, et on l'a eue. »

Brunetti n'avait jamais entendu formule plus appropriée.

« Autre chose ?

– Oh, il y aurait de quoi écrire un livre avec ce qui s'est passé pendant ces années-là. Ensuite, après la guerre, les choses ont repris leur cours normal, comme en Allemagne. En fait, non : ça a pris un peu plus longtemps pour eux, parce qu'ils ont dû se taper toute cette histoire de dénazification, même si elle n'a pas servi à grand-chose. Mais ces porcs d'agents avaient de nouveau le nez dans leur auge, alors que la guerre était à peine terminée.

– Tu donnes l'impression de les connaître, Lele.

– Évidemment. Quelques-uns sont encore en vie. L'un d'eux possède même un portefeuille de dessins de maîtres anciens dans un coffre de banque – il y est depuis qu'il l'a acquis, en 1944.

– Légalement ? »

Lele eut un reniflement de mépris.

« Quand on craint pour sa vie et quand on vend quelque chose en signant une décharge – ce que les Guzzardi prenaient toujours grand soin de leur faire faire –, alors la vente est toujours légale. En revanche, si quelqu'un volait ces dessins en forçant le coffre pour les rendre à leur propriétaire d'origine, je suis sûr que ce serait illégal. »

Lele marqua un long temps d'arrêt pour donner plus de poids à sa remarque.

« Je t'appelle si je pense à autre chose. » Et il raccrocha.

9

Brunetti eut le loisir, tout l'après-midi, de réfléchir à ce que Lele lui avait appris. Il avait lu peu de choses sur la dernière guerre, mais l'histoire contenait bien assez d'exemples de pillages et de profits réalisés en temps de guerre pour illustrer les propos de son ami. Le pillage de Rome et celui de Constantinople, par exemple : ne s'étaient-ils pas traduits par de vastes transferts de richesses et d'œuvres d'art, et la destruction collatérale bien plus grande encore d'objets de valeur ? Rome s'était retrouvée en ruines, et Byzance avait continué à brûler durant des semaines, pendant que ses envahisseurs raflaient tout ce qu'ils pouvaient. D'ailleurs, les chevaux de bronze qui surmontaient l'entrée de la basilique Saint-Marc faisaient partie des rapines effectuées par les Vénitiens. La chute de ces villes avait sans aucun doute été précédée par des crises d'hystérie de la part de tous ceux qui n'avaient plus d'autre issue que de s'échapper. En dernière analyse, aussi beau et précieux qu'ait été un objet, quelle valeur avait-il, comparé à la vie ? Quelques années avant, Brunetti avait lu le récit d'un croisé franc, présent lors du siège et du sac de Constantinople. Jamais aucune ville, écrivait-il en substance, n'avait accumulé autant de richesses depuis la création du monde[1]. Mais cela comptait-il, devant la perte de tant de vies humaines ?

Peu après dix-neuf heures, il s'arracha à contrecœur à ces réflexions, déplaça paresseusement quelques papiers d'un côté à l'autre de son bureau pour donner l'impression qu'il avait fait autre chose que passer l'après-midi à méditer sur les aléas de l'histoire, et rentra chez lui.

Il trouva Paola dans son bureau, comme il s'y était attendu, et alla s'affaler sur le sofa décrépit dont elle refusait de se séparer.

« Tu ne m'avais jamais rien raconté, pour ton père, dit-il.

– Raconté *quoi* ? »

À en juger par le ton de sa remarque et par son attitude, elle devina qu'ils étaient partis pour une longue conversation et elle reposa son stylo.

« Ce qu'il a fait pendant la guerre.

– À t'entendre, on croirait que tu viens de découvrir que c'est un ancien criminel de guerre.

– Pas exactement. Je viens d'apprendre aujourd'hui qu'il avait combattu avec les partisans du côté d'Asagio. »

Elle sourit.

« Alors, tu en sais autant que moi.

– Vraiment ?

– Tout à fait. Je sais qu'il s'est battu et qu'il était très jeune, mais il ne m'en a jamais parlé et je n'ai jamais eu le courage de poser la question à ma mère.

– Le courage ?

– À la manière et au ton dont elle réagissait chaque fois que je mettais le sujet sur le tapis, quand j'étais

---

1. « Et bien tesmoigne Joffrois de Vile-Hardouin li mareschaus de Champaigne, a son escient par vérité, que puis que li secles fut estorez, ne fut gaignié tant en une ville. » Villehardouin, *La Conquête de Constantinople*, Livre LV. (*N.d.T.*)

plus jeune, j'ai compris qu'elle ne tenait pas à en parler et que je ne devais même pas le demander à mon père. Je n'ai donc pas insisté et sans doute ai-je perdu ma curiosité, mon envie de savoir ce qu'il avait fait, exactement. » Avant que Brunetti ait le temps de réagir, elle ajouta :

« Tout à fait comme toi et ton père. Tout ce que tu m'as dit se résume au fait qu'il était revenu d'Afrique pour partir sur le front russe, où il était resté des années, et qu'à son retour, tous ceux qui l'avaient connu disaient que ce n'était plus le même homme. Mais tu ne m'en as jamais dit davantage. Quant à ta mère, lorsqu'elle en parlait, c'était simplement pour dire qu'il était parti cinq ans. »

L'enfance de Guido avait été profondément marquée par les conséquences de ce qu'avait vécu son père durant ces cinq années qui l'avaient laissé enclin à des accès de violence ; ils se déclenchaient sans raison apparente. Un mot ou un geste malheureux, voire un livre abandonné sur la table : n'importe quoi pouvait le mettre dans une rage dont seule la mère de Guido parvenait à l'arracher. Comme si elle disposait des pouvoirs que l'on attribue aux saintes, elle n'avait qu'un geste à faire, placer la main sur le bras de son mari : le contact le plus léger suffisait à le ramener de l'enfer dans lequel il venait de déraper.

En revanche, quand il n'était pas prisonnier de cette humeur aux manifestations subites et spectaculaires, il était le plus tranquille des hommes, s'adonnant au silence et à la solitude. Blessé à plusieurs reprises au combat, on lui avait accordé la pension d'invalidité avec laquelle sa famille tentait de vivre. Brunetti ne l'avait jamais compris et, en un certain sens, ne l'avait jamais vraiment connu : pour sa mère, en effet, le vrai Brunetti père était l'homme parti pour la guerre, pas celui qui en était revenu. Quant à elle, par la grâce de

Dieu ou de l'amour, ou des deux, elle aimait l'un et l'autre.

Une fois, seulement, Guido avait entraperçu l'homme qu'avait pu être son père; c'était le jour où il vint lui annoncer qu'il était le seul étudiant de sa classe à avoir été accepté au lycée classique. Alors qu'il faisait tout son possible pour cacher les sentiments de fierté qui bouillonnaient en lui, inquiet de la manière dont son père allait prendre la nouvelle, celui-ci s'était levé de la table (il était en train d'aider sa femme à écosser des petits pois) et s'était approché de son fils. Posant une main sur la joue de l'adolescent, il lui avait dit : « Tu fais de nouveau de moi un homme, Guido. Merci. » Le souvenir du sourire qu'avait alors eu son père suffisait à lui faire venir les larmes aux yeux, car pour la première fois depuis son enfance, Guido s'était senti fondre d'amour pour cet homme doux et honnête.

« Est-ce que tu m'écoutes, Guido ? demanda Paola, le faisant redescendre sur terre.

– Oui, oui. Je pensais juste à quelque chose.

– Si bien, enchaîna-t-elle comme s'il n'y avait pas eu d'interruption, que j'en sais aussi peu sur ce qu'a fait mon père que toi sur ce qu'a fait le tien. Ils se sont battus et ils sont revenus, et aucun d'eux ne voulait parler de ce qu'il avait vécu.

– À ton avis, c'était tellement affreux, ce qu'ils ont dû faire ?

– Ou ce qu'on leur a fait.

– Il y a cependant une différence, observa Guido.

– Laquelle ?

– Ton père est revenu pour se battre comme volontaire. Forcément. Lele m'a dit que sa famille s'était réfugiée en Angleterre ; c'est donc lui qui a choisi de revenir.

– Et le tien ?

– D'après ma mère, il n'avait aucune envie d'aller à l'armée. Mais il n'avait pas le choix. Ils l'ont attrapé, lui et bien d'autres, et après leur avoir appris à marcher au pas sans tomber les uns sur les autres, ils les ont envoyés se battre en Afrique, en Grèce, en Albanie et en Russie, équipés de godillots en carton bouilli parce que l'ami d'un ami d'un membre du gouvernement avait fait fortune sur ce contrat.

– Il n'en a jamais vraiment parlé ? insista Paola.

– Ni à moi ni à Sergio, non.

– Tu penses qu'il a pu en parler à ses amis ?

– Je ne crois pas qu'il en avait, répondit Brunetti, admettant à haute voix ce qu'il avait toujours considéré comme la grande tragédie de la vie de son père.

– Comme la plupart des hommes, non ? demanda-t-elle, d'un ton où ne pointait que de la tristesse.

– Qu'est-ce que tu veux dire ? Bien sûr que si, nous avons des amis ! » Devant la sympathie proche de l'apitoiement qu'elle manifestait, il n'avait pu dissimuler son indignation.

« Je crois que la plupart des hommes n'ont pas d'amis, Guido, et tu sais que je le pense pour te l'avoir déjà dit bien des fois. Vous avez ce que les Américains appellent des *pals*, et les Français, *des potes*, c'est-à-dire des types avec lesquels parler sport, politique ou bagnole… » Elle réfléchit à ce qu'elle venait de dire. « Étant donné que nous habitons à Venise, et que tu travailles pour la police, c'est plutôt bateaux et armes à feu. Des objets, toujours des objets. Mais en fin de compte, cela revient au même : vous ne parlez jamais de ce que vous ressentez ou de ce que vous redoutez, pas comme le font les femmes.

– De quoi est-il question ? Du manque d'amis, ou du fait que nous ne parlons pas des mêmes choses que les femmes ? Ce n'est pas tout à fait pareil. »

C'était une vieille bagarre, mais Paola n'était apparemment pas disposée à la relancer, ce soir, alors que Guido était d'humeur sombre et qu'elle avait encore un cours à préparer pour le lendemain matin.

« Il ne va pas nous rester tant de soirées semblables à celle-ci, tu ne crois pas ? dit-elle, lançant sa remarque comme un drapeau blanc. Si on se servait un verre de vin qu'on irait siroter sur la terrasse ?

– Le soleil est déjà couché », objecta-t-il, ne voulant pas céder aussi facilement et encore piqué par le sous-entendu. Bien sûr que si, il avait des amis.

« Eh bien, on regardera les couleurs s'estomper à l'horizon. J'ai envie de m'asseoir à côté de toi et de te tenir la main.

– Chiche », dit-il, touché.

Claudia ne vint pas en cours le lendemain, fait que Paola releva mais auquel elle ne prêta pas particulièrement attention. Les étudiants étaient par définition imprévisibles, même si elle devait reconnaître que Claudia faisait exception à la règle. Elle apprit la raison de son absence par un coup de téléphone de Guido, qui l'appela à son bureau de l'université, un peu plus tard le même jour.

« J'ai de mauvaises nouvelles », dit-il, ce qui la remplit instantanément d'angoisse pour les enfants. « Non, pas la famille », ajouta-t-il aussitôt, comprenant à qui elle avait pensé et parlant d'une voix aussi calme que possible. Il lui laissa un instant pour bien enregistrer cela. « C'est Claudia Leonardo. Elle est morte. »

Un souvenir fit brusquement irruption dans l'esprit de Paola : Claudia se retournant, à hauteur de la porte, et lui disant que la mort de Lily Bart lui avait brisé le cœur. Pourvu que la mort de Claudia brise le cœur de quelqu'un, eut-elle le temps de penser avant que Brunetti ne reprenne.

« Son appartement a été cambriolé et elle a été tuée.

– Quand ça ?

– Hier soir.

– Comment ?

– Poignardée.

– Qu'est-ce qui s'est passé ?

– D'après ce qu'on m'a dit, sa colocataire est rentrée ce matin et l'a trouvée. Claudia était allongée sur le sol. On a supposé qu'en arrivant chez elle, elle a surpris le voleur et que le type a été pris de panique.

– Il avait un couteau à la main ? s'étonna Paola.

– Je ne sais pas. Je te dis simplement quelles sont les premières hypothèses.

– Où es-tu ?

– Sur place. Je viens d'arriver. Je t'appelle avec le portable de Vianello.

– Pourquoi m'as-tu téléphoné tout de suite ?

– Parce que tu la connaissais, et que je préférais te mettre au courant moi-même. »

Paola laissa le silence se prolonger entre eux.

« Ç'a été rapide ?

– J'espère, put-il seulement répondre.

– Et sa famille ?

– Je ne sais pas. Comme je te l'ai dit, je viens d'arriver. Nous n'avons pas encore inspecté les lieux. »

Il y eut du bruit en fond sonore, une voix, une deuxième voix.

« Faut que j'y aille. Ne m'attends pas avant ce soir. » Et il raccrocha.

La voix de sa femme s'était évanouie, mais pas la présence de la mort, dans cet appartement de Dorso-duro, non loin de la pension Seguso, à deux rues du canal de la Giudecca.

Il rendit le portable à Vianello, qui le glissa dans la poche de son veston. Encore une fois, Brunetti fut surpris de le voir en civil – conséquence de la promotion du sergent au poste d'inspecteur. Si l'emballage était différent, le contenu n'avait pas changé. Toujours aussi fiable, honnête et habile, Vianello avait répondu à l'appel de Brunetti, alors qu'il était chez lui et s'apprêtait à partir pour la journée faire des courses sur le continent avec sa femme. Brunetti lui était reconnaissant d'avoir accepté de se joindre à lui : sa présence imposante, sa confiance en lui aideraient le commissaire dans la tâche qui l'attendait.

Vianello ne fit pas semblant de ne pas avoir entendu la conversation que son supérieur venait d'avoir.

« Votre femme la connaissait, monsieur ? demanda-t-il.

– C'était l'une de ses étudiantes. »

Le nouvel inspecteur trouva-t-il étrange que Brunetti ait été au courant de ce détail ? Toujours est-il qu'il n'en laissa rien paraître. « On y va, monsieur ? »

Un policier en uniforme montait la garde à la porte de l'immeuble, un autre sur le palier du deuxième étage devant celle, ouverte, de l'appartement. Le reste du bâtiment, qui comprenait trois autres logements, aurait pu tout aussi bien être vide, tant était profond le silence qui émanait de ces portes closes. La colocataire de Claudia se trouvait cependant dans l'un d'eux : c'était ce que lui avait dit leur logeuse au téléphone.

Sans hésiter, Brunetti entra dans l'appartement. La première chose qu'il vit furent les mains de la jeune fille ; ses doigts agrippaient encore, dans une étreinte de mort, les franges du tapis sur lequel elle était allongée, un turcoman dont le tympan central représentait des striges blanches se détachant sur un fond rouge foncé. Les motifs étaient géométriques, nets ; les fleurs stylisées, disposées en rangées, formaient des lignes blanches créant une bordure aux deux extrémités. Le dessin disparaissait à l'une de ces extrémités, caché par le sang qui avait coulé sur le tapis, un sang d'un rouge à peine plus clair que celui du fond. Les fleurs avaient disparu en même temps que la vie de la jeune fille.

Son regard se porta sur la nuque et le cou de Claudia,

blancs, sans défense. Elle lui tournait le dos, et il fit donc le tour du tapis (en regardant bien où il posait les pieds), afin de voir son visage. Il était trop blanc et semblait étrangement détendu. On n'y lisait aucune expression particulière – pas plus qu'on ne peut lire une expression sur un visage endormi. Brunetti regretta qu'il n'y eût pas moyen de faire la différence.

Immobile, il regarda autour de lui, à la recherche de traces de violence, mais n'en trouva pas. Quelques quartiers de pomme, brunis et desséchés, étaient restés dans une assiette posée sur une table basse, à côté d'un fauteuil recouvert d'un tissu imprimé. Un livre retourné chevauchait l'un des accoudoirs. Brunetti s'approcha et déchiffra le titre : *The Faustian Bargain*[1]. Il ne lui disait rien ; il était aussi dépourvu de sens, pour lui, que le calme apparent qui avait entouré la mort de la jeune fille.

« Ce n'est pas un cambriolage, observa Vianello.

– En effet, admit Brunetti. Mais alors, de quoi s'agit-il ?

– Querelle d'amoureux ? » proposa l'inspecteur, sans y croire lui-même, manifestement. Personne ne s'était disputé dans cette pièce.

Brunetti revint vers l'entrée et demanda au jeune policier si la colocataire de la victime avait dit quelque chose sur la porte : était-elle ouverte ou fermée ? Il remarqua que le jeune homme s'était légèrement coupé en se rasant – peut-être parce qu'il était à peine en âge de le faire.

« Je ne sais pas, monsieur. Quand je suis arrivé, elle était déjà chez une voisine, en bas. »

Brunetti acquiesça, avant de demander :

1. Ouvrage de Jonathan Petropoulos, sous-titré « Le monde de l'art dans l'Allemagne nazie ». (*N.d.T.*)

« Et le couteau ? Ou l'instrument avec lequel… ?

– Je n'ai rien vu, monsieur, répondit le jeune policier d'un ton d'excuse. Il est peut-être dessous, ajouta-t-il.

– Oui, ce n'est pas impossible. Allons jeter un coup d'œil dans les autres pièces », dit Brunetti en se tournant vers Vianello.

L'inspecteur enfonça les mains dans ses poches, imité par Brunetti. Ils avaient oublié de prendre des gants jetables mais pourraient toujours en emprunter plus tard au médecin légiste, au besoin.

Les chambres, la cuisine et la salle de bains ne révélèrent rien, sinon que l'une des deux locataires était beaucoup plus soigneuse que l'autre, et que celle-là aimait lire : Brunetti devina sans peine de qui il s'agissait.

De retour dans le séjour, Vianello demanda :

« Et la colocataire ? »

Brunetti gagna de nouveau l'entrée où il s'arrêta, juste le temps de dire au policier de faction de venir le prévenir dès l'arrivée du médecin légiste, avant de s'engager dans l'escalier.

De toute évidence, on les attendait, car une femme âgée se tenait devant la porte de l'un des appartements, à l'étage inférieur.

« Elle est ici, monsieur », dit-elle en reculant d'un pas pour laisser entrer les deux hommes.

Voyant qu'ils se retrouvaient dans une petite entrée, Brunetti demanda doucement :

« Comment se sent-elle ?

– Très mal, monsieur. J'ai appelé mon médecin. Il va venir dès que possible. » Petite et corpulente, la vieille dame avait les yeux clairs et une peau qui paraissait aussi sèche et fraîche que celle d'un bébé.

« Vivaient-elles ici depuis longtemps, toutes les deux ?

– Claudia est arrivée il y a trois ans. L'appartement m'appartient, et je le loue à des étudiantes parce que j'aime bien l'animation qu'elles créent. Mais seulement à des étudiantes. Elles mettent la musique moins fort que les garçons et elles viennent de temps en temps prendre une tasse de thé avec moi, l'après-midi. Les garçons, jamais. »

Brunetti, qui avait un fils à l'université, n'était que trop au fait du volume sonore prisé par les garçons et savait qu'une tasse de thé n'était pas tellement leur genre. Il allait devoir interroger plus longuement cette femme, mais il tenait à parler d'abord à la jeune colocataire de Claudia, avec l'espoir qu'elle le mettrait sur la piste de l'assassin. « Comment s'appelle-t-elle, signora ?

– Lucia Mazzotti… Elle est de Milan, ajouta la vieille dame, comme si cette information pouvait être utile au policier.

– Pouvez-me conduire jusqu'à elle ? » demanda-t-il, faisant signe à Vianello de rester en arrière. Si l'inspecteur n'était plus en uniforme, son seul gabarit aurait pu suffire à rendre la jeune fille nerveuse.

La vieille femme se tourna et, claudiquant de la jambe droite, entraîna Brunetti par un petit salon ; elle le fit passer devant la porte ouverte de la cuisine et celle, fermée, de ce qui devait être la salle de bains. N'en restait qu'une, devant laquelle elle s'arrêta.

« Je l'ai obligée à s'allonger, mais je serais étonnée qu'elle dorme. Elle était éveillée il y a quelques minutes – au moment où je vous ai entendu monter l'escalier. »

Elle frappa deux coups légers au battant et le poussa après avoir reçu une réponse.

« Lucia ? Il y a là un homme qui veut te voir. Un policier. »

Elle fit un pas de côté, mais Brunetti la prit par le bras.

« Je crois qu'il vaudrait mieux que vous restiez avec nous, signora. »

Perplexe, la vieille dame s'immobilisa, regardant tour à tour Brunetti et la chambre.

« Ça sera plus facile pour elle, je crois », souffla Brunetti.

Pas tout à fait convaincue mais docile, la logeuse entra dans la chambre et s'écarta pour laisser passer Brunetti.

Une jeune femme à l'éclatante chevelure rousse était allongée sur les couvertures, la tête reposant sur un oreiller rebondi. Elle avait les bras le long du corps, paumes tournées vers le ciel, et contemplait le plafond.

Pour paraître moins imposant, Brunetti prit une chaise et s'assit près du lit.

« Je suis le commissaire de police Brunetti, Lucia. On m'a chargé de découvrir ce qui s'est passé. Je sais que c'est toi qui as trouvé Claudia, et que tout ça doit être terrible pour toi, mais il faut que je te parle maintenant parce que tu pourras peut-être nous aider. »

La jeune fille tourna la tête et le regarda. Son visage aux traits délicats avait quelque chose de curieusement affaissé.

« Vous aider comment ? demanda-t-elle.

– En nous racontant ce qui s'est passé quand tu es arrivée à la maison, ce que tu as vu, ce dont tu te souviens. »

Puis, avant qu'elle ait eu le temps de répondre, il ajouta :

« Il faudra ensuite me dire tout ce que tu sais sur Claudia et tout ce qui, à ton avis, pourrait d'une manière ou d'une autre avoir un rapport avec ce qui est arrivé.

– Ce qui lui est arrivé à elle ? »

Brunetti acquiesça.

La jeune fille détourna la tête et reprit la contemplation de l'abat-jour jaune qui pendait du plafond.

Brunetti laissa passer une bonne minute, mais Lucia continuait à regarder la lampe. Il se tourna vers la vieille dame et lui adressa un regard interrogateur.

La logeuse s'approcha de lui et lui posa fermement la main sur l'épaule lorsqu'il voulut se lever.

« Lucia ? Je pense que ce serait une bonne chose si tu parlais au policier. »

La jeune fille regarda la vieille dame, puis Brunetti.

« Elle est morte ?

– Oui.

– Quelqu'un l'a tuée ?

– Oui. »

Lucia réfléchit quelques instants.

« Je suis arrivée à l'appartement vers neuf heures. J'ai passé la nuit à Trévise et j'étais juste venue pour me changer et prendre mes livres. J'ai cours, ce matin. »

Elle cligna des yeux à plusieurs reprises et regarda par la fenêtre.

« On est encore le matin ?

– Il est onze heures, à peu près, dit la logeuse. Veux-tu que je t'apporte quelque chose à boire, Lucia ?

– Je crois qu'un peu d'eau me ferait du bien. »

La vieille dame serra de nouveau l'épaule de Brunetti et sortit, claudiquant toujours.

La jeune fille reprit alors la parole.

« Quand je suis arrivée, j'ai monté l'escalier, j'ai ouvert la porte de l'appartement, je suis entrée et je l'ai vue allongée par terre. Sur le coup, j'ai cru qu'elle était tombée, puis j'ai vu le tapis. Je suis restée là, sans savoir quoi faire. Je crois que j'ai crié. Oui, j'ai dû crier, parce que la signora Gallante est montée et m'a ramenée ici… C'est tout ce que je me rappelle.

– La porte était-elle fermée ? demanda Brunetti. La porte de l'appartement ? »

Elle fit à nouveau une pause avant de répondre, et Brunetti comprit combien il lui répugnait d'évoquer le souvenir de la scène.

« Non, je ne crois pas, dit-elle finalement. En tout cas, je ne me souviens pas de m'être servie de la clef. »

Il y eut un long silence, puis elle ajouta :

« Mais je peux me tromper.

— As-tu croisé quelqu'un, dehors ?

— Quand ?

— Lorsque tu es arrivée.

— Non, dit-elle avec un mouvement vif de la tête. Il n'y avait personne. »

Cet interrogatoire, comme le craignait Brunetti, n'allait probablement servir à rien. Il avait remarqué la couleur du sang sur le tapis et en avait déduit que Claudia était morte depuis au moins plusieurs heures. Le légiste pourrait fournir des indications plus précises, mais Brunetti ne serait pas surpris d'apprendre qu'elle était restée toute la nuit gisant sur le sol. Il lui fallait néanmoins convaincre Lucia de l'importance qu'il y avait à répondre à ses questions. De cette façon, si jamais il en posait une susceptible de le conduire à l'auteur du crime, elle pourrait y répondre sans craindre de causer du tort à quelqu'un, une personne de sa connaissance, par exemple.

La signora Gallante revint dans la chambre, un verre d'eau à la main, et annonça que le médecin était arrivé.

Brunetti se leva et murmura quelques paroles de réconfort à la jeune fille, puis quitta la pièce. La logeuse était suivie d'un homme qui paraissait bien trop jeune pour être médecin ; la seule preuve de sa profession était la sacoche en cuir noir, manifestement neuve, qu'il tenait à la main.

10

Au bout de quelques minutes, la signora Gallante sortit de la chambre et s'approcha des deux policiers.

« Le docteur conseille qu'elle reste ici avec moi jusqu'à ce que ses parents puissent venir de Milan pour la ramener chez eux.

– Vous les avez appelés ?

– Oui. Tout de suite après la police.

– Est-ce qu'ils vont venir ?

– J'ai parlé à sa mère. Elle a rendu visite deux ou trois fois à Lucia, et elle me connaît. Elle m'a dit qu'elle allait appeler son mari au bureau. Puis elle m'a rappelée pour m'annoncer qu'ils partaient tout de suite.

– Comment viennent-ils ?

– Je n'ai pas demandé, répondit la signora Gallante, étonnée par la question. Les autres fois, ils ont fait le trajet en voiture, et je suppose que cette fois aussi.

– Ce coup de téléphone remonte à combien de temps, à peu près ?

– Oh, environ une demi-heure. Je les ai appelés tout de suite après avoir ramené Lucia ici. J'ai d'abord appelé la police, puis ses parents. »

Cette initiative allait limiter le temps dont disposerait Brunetti pour parler avec Lucia, et compliquer ses futurs contacts avec elle, néanmoins il remercia la logeuse.

« Je me suis demandé comment j'aurais aimé que les

choses se passent s'il s'était agi d'une de mes petites-filles, et du coup, c'était facile. »

Brunetti ne pouvait s'empêcher de lancer des coups d'œil en direction de la porte de la chambre.

« À part ça, quelles ont été les recommandations du médecin ?

– Lorsque je lui ai dit que les parents de Lucia venaient, il m'a expliqué qu'il allait lui donner un séda-tif, et il m'a demandé de lui préparer une infusion de tilleul avec beaucoup de miel. Pour atténuer le choc.

– Oui, c'est une bonne idée », dit Brunetti, qui enten-dit un bruit de pas sur le palier. Il lui tardait, à présent, de parler avec le médecin légiste.

« L'inspecteur peut peut-être rester avec vous pendant que vous faites ça », ajouta-t-il avec un coup d'œil signi-ficatif à Vianello ; ce dernier comprit qu'il devait interro-ger la signora Gallante sur Claudia et ceux qui auraient pu lui rendre visite.

Prenant poliment congé de la logeuse, Brunetti quitta l'appartement et remonta d'un étage. Le dottor Rizzardi était déjà agenouillé auprès de la jeune morte, sa main gantée de plastique lui entourant le poignet. Il leva les yeux en entendant Brunetti arriver.

« Ce n'est pas qu'il y ait le moindre espoir, mais c'est la procédure. »

Il abaissa les yeux sur la jeune fille, lui lâcha le poignet et confirma à voix haute le décès. Il laissa le silence se prolonger après ce mot terrible, puis se releva. Un photo-graphe arrivé en même temps que le médecin s'avança alors et, décrivant lentement un cercle autour de la morte, prit un certain nombre de clichés du corps, sous tous les angles possibles. Puis il recula jusqu'à la porte d'entrée, prit une dernière photo et rangea son appareil dans son boîtier avant de sortir pour attendre le légiste sur le palier.

Connaissant suffisamment Rizzardi pour ne même

pas avoir besoin de faire allusion au sang séché, Brunetti demanda :

« Quand, d'après toi ?

– Probablement la nuit dernière, mais l'heure exacte, je ne peux pas dire. Je le saurai après l'avoir examinée. » Examen qui consisterait en fait à explorer l'intérieur de son corps, comme ils le savaient tous les deux ; ni l'un ni l'autre n'avaient envie d'y faire allusion.

« Je suppose que tu aimerais bien savoir qui a fait ça ? demanda Rizzardi.

– Oui », répondit Brunetti, qui vint automatiquement se placer à côté du médecin.

Rizzardi lui tendit une paire de gants transparents et attendit que le policier les ait enfilés.

D'un même mouvement, les deux hommes s'agenouillèrent et passèrent les mains sous le corps de la morte. Lentement, avec le genre de douceur propre en général aux costauds quand ils manipulent des bébés, ils le soulevèrent en le faisant pivoter par la hanche pour le mettre sur le dos.

Aucun couteau ou instrument quelconque ne gisait sous Claudia, mais les trous gluants, dans sa blouse en coton, trahissaient brutalement les causes de sa mort. Brunetti en compta tout d'abord quatre, puis en découvrit un cinquième un peu plus haut, près de l'épaule. Toutes les blessures étaient situées sur le côté gauche du corps.

Rizzardi ouvrit les deux boutons du haut de la blouse et rabattit les pans. Il étudia les blessures, écartant même les lèvres de l'une d'elles – ce qui rappela au policier un poème pervers que lui avait lu Paola, dans lequel les blessures du Christ étaient comparées à des lèvres.

« Il y en a deux ou trois de particulièrement profondes, dit Rizzardi. Je pourrai être plus précis quand j'aurai fait l'autopsie, mais il n'y a guère de doute. »

Il referma délicatement la blouse et la reboutonna,

puis fit un signe de tête à Brunetti. Les deux hommes se relevèrent.

« Je sais bien que c'est de la pure superstition, reprit le médecin légiste, mais je suis content qu'elle ait les yeux fermés. » Puis il changea brusquement de sujet :

« Je dirais qu'il te faut chercher une personne de taille très moyenne, pas plus grande que la victime.

– Pourquoi ?

– L'angle. Les coups paraissent avoir été portés plus ou moins horizontalement. Si l'agresseur avait été plus grand, ils auraient été portés de haut en bas en fonction de la taille de celui-ci. Je pourrai faire un calcul approximatif après avoir pris des mesures, mais je ne pense pas me tromper.

– Merci.

– Ce n'est pas d'une grande aide, j'en ai peur. » Rizzardi se dirigea vers la porte, suivi de Brunetti.

« Je n'aurai sans doute rien de plus à t'apprendre, mais je te téléphonerai quand j'aurai terminé l'autopsie.

– Est-ce que tu as le numéro du portable de Vianello ?

– Oui. Mais pourquoi, tu n'en as pas un ?

– Si. Mais je l'oublie tout le temps à la maison ou au bureau.

– Vianello n'a qu'à te prêter le sien.

– Il a peur que je l'égare quelque part.

– Voyons, voyons, le sergent aurait-il perdu sa candeur depuis qu'il est passé inspecteur ? demanda Rizzardi, d'un ton plus affectueux que sarcastique.

– Il en a fallu, du temps, répondit Brunetti avec un reste de colère à l'idée que Vianello avait dû patienter des années pour obtenir une promotion pourtant méritée depuis longtemps.

– Scarpa ? » demanda Rizzardi.

En désignant l'assistant personnel du vice-questeur Patta – d'autres auraient dit « son âme damnée » –, le médecin légiste montrait qu'il était au courant des intrigues de la questure.

« Bien entendu. Il s'est arrangé pour bloquer son avancement pendant des années. En fait, depuis qu'il est ici.

– Qu'est-ce qui a fait bouger les choses ? »

Brunetti détourna les yeux. « Oh, je n'ai pas… », mais Rizzardi lui coupa la parole.

« Qu'est-ce que tu as fait ?

– J'ai menacé Patta de demander mon transfert à Trévise ou Vicence.

– Et ?

– Il a cédé.

– Pensais-tu qu'il le ferait ?

– Non, au contraire. Je croyais qu'il serait heureux d'avoir une occasion de se débarrasser de moi.

– Et si Patta avait refusé la promotion de Vianello, serais-tu parti ? »

Brunetti eut une mimique, soulevant les sourcils et remontant la commissure de ses lèvres, qui n'était qu'une manière de ne pas répondre.

« Tu l'aurais fait ?

– Oui, répondit le commissaire en se dirigeant vers la porte. Appelle-moi dès que tu auras terminé, d'accord ? »

De retour chez la signora Gallante, Brunetti trouva Vianello dans la cuisine, assis en face de la logeuse. Il y avait une théière et un pot de miel sur la table, et une tasse devant chacun d'eux. La signora Gallante commença à se lever, mais l'inspecteur se pencha par-dessus la table et lui mit la main sur le bras.

« Ne bougez pas, signora. Je vais préparer une tasse pour le commissaire. »

Il se leva et, avec l'aisance qui vient d'ordinaire d'une longue habitude, ouvrit un placard et en retira une tasse et sa soucoupe. Il les plaça devant Brunetti, qui venait de s'asseoir, remplit la tasse d'infusion au tilleul et regagna son siège, face à la logeuse.

« La signora vient juste de me parler de la signorina Leonardo, monsieur », commença Vianello. La logeuse acquiesça.

« Elle m'a dit que c'était une jeune fille sérieuse, très respectueuse et prévenante.

– Oh, oui, monsieur, l'interrompit la vieille dame. Elle descendait de temps en temps prendre le thé avec moi et me demandait toujours des nouvelles de mes petits-enfants et de nouvelles photos d'eux. Elles ne faisaient aucun bruit, elle et Lucia – étudier, étudier, étudier, on aurait dit qu'elles ne savaient pas faire autre chose.

– Avaient-elles jamais des amis qui passaient les voir ? demanda Vianello, quand il vit que Brunetti gardait le silence.

– Non. Il est arrivé que je voie un jeune homme ou une jeune fille dans l'escalier, mais il n'y a jamais eu de problème. Vous savez que les étudiants aiment bien travailler ensemble. Mes fils faisaient ça, de leur temps, mais en beaucoup plus bruyant, j'en ai peur. »

Elle esquissa un sourire, puis se souvint de ce qui avait amené ces deux hommes à sa table ; son sourire s'évanouit et elle prit sa tasse.

« Vous nous avez dit que vous aviez rencontré la maman de Lucia, signora, intervint alors Brunetti. Avez-vous jamais rencontré les parents de Claudia ?

– Oh, non, ce n'était pas possible… »

Voyant la perplexité de Brunetti, elle expliqua :

« Vous comprenez, son père est mort. C'est elle qui me l'a dit. Quand elle était petite fille. »

Comme la signora Gallante n'ajoutait rien, Brunetti la relança :

« Et sa mère ?

– Eh bien, je ne sais pas. Claudia n'en parlait jamais, mais j'ai toujours eu l'impression qu'elle avait disparu.

– Vous voulez dire… qu'elle est morte, signora ?

– Non, non, pas exactement. Oh, je ne sais pas ce que je veux dire. Claudia n'a jamais dit expressément qu'elle était morte ; elle donnait juste l'impression que sa mère était absente, qu'elle était partie pour toujours. »

Elle réfléchit quelques instants, essayant de se souvenir des conversations qu'elle avait eues avec la jeune fille.

« Tout ça était assez étrange, maintenant que j'y pense. Elle parlait de sa mère au passé, d'habitude, mais une fois, elle y a fait allusion comme si elle était vivante.

– Vous souvenez-vous de ce qu'elle a dit ? demanda Vianello.

– Non, non, pas du tout. Je suis vraiment désolée, messieurs, mais j'ai complètement oublié. C'était à propos d'une chose que sa mère aimait, une couleur, peut-être. Ou un plat. Rien de précis comme un livre, un film, un acteur – quelque chose de général… Oui, peut-être bien une couleur, maintenant que j'y pense. Elle a dit quelque chose comme *Ma mère aime*… et elle a mentionné une couleur, je ne sais plus laquelle, peut-être le bleu. C'est un souvenir très vague, mais je me rappelle avoir pensé, sur le moment, qu'il était bizarre qu'elle parle de sa mère comme si elle était encore vivante.

– Vous n'avez pas essayé d'en savoir un peu plus ?

– Oh, non. Claudia n'était pas le genre de fille à qui on pouvait poser de telles questions. Si elle voulait que vous sachiez quelque chose, elle vous le disait. Sans quoi, elle changeait de sujet de conversation ou ignorait simplement la question.

– Cela ne vous vexait pas un peu ? voulut savoir Vianello.

– Si, au début, peut-être. Puis j'ai compris qu'elle

108

était comme ça et que je ne pouvais rien y faire. Sans compter que je l'aimais beaucoup et que c'était sans importance, absolument sans importance. »

La signora Gallante voulut porter la tasse à sa bouche, baissant la tête comme si elle s'apprêtait à boire une gorgée, mais les larmes furent les plus fortes et elle dut reposer la tasse et prendre son mouchoir.

« Je crois que je n'ai plus envie d'en parler, messieurs.

– Bien sûr, signora », dit Brunetti, en vidant sa tasse. Le contenu avait refroidi pendant qu'ils parlaient.

« Je vais voir si le médecin a terminé et si je peux éventuellement dire un mot à Lucia. » Initiative que désapprouvait clairement la signora Gallante, mais elle ne fit pas de commentaire et se contenta d'essuyer ses larmes.

Brunetti alla frapper à la porte de la chambre. Il attendit un peu, frappa de nouveau. Au bout d'un moment, le battant s'entrouvrit légèrement et le médecin passa la tête par l'entrebâillement.

« Oui ?

– J'aimerais m'entretenir avec la signorina Mazzotti, docteur, si c'est possible.

– Je vais le lui demander. »

Au bout d'une ou deux minutes, le médecin rouvrit la porte pour expliquer que la jeune fille ne voulait parler à personne.

« Pouvez-vous lui expliquer, docteur, que nous tenons à trouver la personne qui a tué son amie ? Je sais que les parents de la signorina Mazzotti vont arriver d'ici quelques heures pour la ramener à Milan ; après cela, il me sera difficile de lui parler. »

Brunetti ne mentionna pas le fait qu'il avait le droit de lui interdire de quitter la ville, préférant ajouter qu'il lui serait très reconnaissant si elle acceptait un court entretien, tout de suite, car cela les aiderait beaucoup.

Le médecin acquiesça, manifestant à Brunetti sa compréhension et peut-être même sa sympathie, avant de refermer la porte.

Lorsque, au bout de cinq minutes, le médecin rouvrit, la jeune fille se tenait derrière lui. Elle était plus grande et plus mince qu'il en avait eu l'impression en la voyant allongée et, maintenant qu'elle était face à lui, il se rendit compte à quel point elle était jolie. Le médecin s'effaça pour la laisser passer dans le couloir. Brunetti la conduisit dans le salon et attendit qu'elle s'asseye sur une chaise.

« Préfères-tu que le docteur reste avec nous pendant que nous parlons ? » demanda-t-il.

Elle acquiesça tout d'abord d'un signe de tête, avant de prononcer un « oui » à peine audible.

Le médecin, gardant le silence, s'assit sur le bord du canapé et posa sa sacoche sur le sol.

Brunetti prit une chaise, qu'il plaça à environ un mètre de celle de Lucia, de manière que le visage de la jeune fille reste dans l'ombre, et le sien, dans la lumière qui venait de la fenêtre. Son but était de créer une ambiance où il paraîtrait ouvert et où elle se sentirait assez détendue pour parler. Il lui adressa un sourire qui, espéra-t-il, était rassurant. Comme souvent chez les rousses, elle avait les yeux verts – des yeux verts à présent bordés de rouge par les larmes qu'elle avait versées.

« Je tenais à te dire à quel point nous sommes désolés de ce qui est arrivé, signorina. La signora Gallante nous a expliqué que Claudia était une jeune fille délicieuse. Je suis sûr qu'il t'est très pénible d'avoir perdu une telle amie. »

Lucia inclina la tête et acquiesça.

« Pourrais-tu m'en dire un peu plus sur vos liens d'amitié ? Depuis combien de temps partagiez-vous cet appartement ? »

La jeune fille parlait d'une voix douce, à peine audible ; Brunetti dut se pencher vers elle pour entendre.

« Je suis venue habiter ici il y a à peu près un an. Nous étions inscrites toutes les deux à la même faculté et nous avions des cours ensemble... Alors, quand son ancienne colocataire a décidé d'abandonner ses études, elle m'a demandé si je voulais venir reprendre sa chambre.

– Depuis combien de temps Claudia habitait-elle ici ?

– Je ne sais pas. Un an ou deux ans avant moi, je crois.

– Et toi, tu es de Milan ? »

La jeune fille regardait toujours le plancher, mais elle acquiesça.

« Sais-tu d'où venait Claudia ?

– Elle était d'ici, je crois. »

Brunetti, sur le moment, crut ne pas avoir bien compris.

« De Venise ?

– Oui, monsieur. Mais elle avait été en classe à Rome, avant.

– Elle louait son propre appartement ; c'est donc qu'elle n'habitait pas avec ses parents ?

– Je crois qu'elle n'avait pas de parents », répondit Lucia qui, se rendant compte de ce que sa réponse pouvait avoir de bizarre, regarda directement Brunetti dans les yeux, pour la première fois. « Ce que je veux dire... je crois qu'ils sont morts.

– Tous les deux ?

– Son père, oui. Je le sais parce qu'elle me l'a dit.

– Et sa mère ? »

Lucia se mit à réfléchir.

« Pour sa mère, je ne suis pas sûre. J'ai toujours pensé qu'elle était morte, mais Claudia ne me l'a jamais dit.

– N'as-tu jamais trouvé curieux que des gens vraisemblablement aussi jeunes que ses parents soient morts tous les deux ? »

Lucia secoua la tête.

« Claudia avait-elle beaucoup d'amis ?

– Des amis ?

– Des camarades de classe, des étudiants ou des étudiantes qui seraient venus pour travailler, manger chez elle, ou simplement bavarder ?

– Certains étudiants de notre faculté sont venus étudier, parfois, mais il n'y avait personne de spécial.

– Avait-elle un petit ami ?

– Vous voulez dire, un *fidanzato* ? dit Lucia d'un ton qui montrait clairement que la réponse était non.

– Oui, ou juste un garçon avec qui elle serait sortie de temps en temps. »

Nouvelle dénégation de la tête.

« Ne voyez-vous pas quelqu'un qui aurait pu être proche d'elle ? »

Lucia réfléchit quelques instants avant de répondre.

« La seule personne dont elle m'a jamais parlé, ou à qui elle a parlé au téléphone, était une femme qu'elle appelait sa grand-mère, mais qui, en fait, ne l'était pas.

– Est-ce que cette femme ne s'appelle pas Hedi ? » demanda Brunetti, attentif à la réaction que la jeune fille allait avoir en constatant que la police connaissait déjà le nom de la fausse grand-mère.

Manifestement, Lucia ne trouva nullement bizarre que la police soit déjà au courant, car elle répondit :

« Oui, je crois qu'elle était allemande, ou autrichienne. Au téléphone, elles parlaient en allemand.

– Et toi, Lucia, tu parles allemand ? voulut savoir Brunetti, utilisant pour la première fois le prénom de la jeune fille avec l'espoir que cette familiarité la mettrait à l'aise et la pousserait à répondre plus facilement.

– Non, monsieur. Je n'ai jamais su de quoi elles parlaient.

– Aurais-tu aimé le savoir ? »

La question parut la surprendre : que pouvait-il bien y

avoir d'intéressant dans une conversation entre sa colocataire et une vieille dame étrangère ?

« As-tu rencontré cette femme ?

– Non. Claudia allait lui rendre visite. Parfois, elle revenait avec des cookies faits maison ou une sorte de gâteau aux amandes. Je ne lui ai jamais posé la question, je supposais simplement qu'elle les avait ramenés de là-bas.

– Qu'est-ce qui te le faisait penser, Lucia ?

– Oh, je ne sais pas. Peut-être parce ce que je n'avais pas vu ce genre de gâteau avant, avec de la cannelle et des noix. »

Brunetti acquiesça.

« Ne te souviens-tu pas de quelque chose que Claudia aurait pu dire à propos de cette grand-mère ?

– Quel genre de chose ?

– Par exemple, sur le fait qu'elle était, euh, sa grand-mère adoptive ? Ou sur l'endroit où elle vivait ?

– Je crois qu'elle habite ici, à Venise.

– Pourquoi, Lucia ?

– Parce que les fois où elle ramenait des choses à manger, elle ne restait jamais partie bien longtemps. En tout cas, pas le temps d'aller sur le continent et d'en revenir. »

Elle réfléchit à sa dernière remarque avant de reprendre.

« Ça ne peut même pas être au Lido, même si on peut y aller et en revenir assez vite, parce que je me souviens qu'une fois Claudia a dit que ça faisait des années qu'elle n'avait pas mis les pieds là-bas. »

Brunetti s'apprêtait à lui poser une nouvelle question, mais la jeune fille tourna brusquement la tête pour demander au médecin si elle était encore obligée de répondre.

L'homme ne consulta pas Brunetti.

« Pas si vous ne voulez plus, signorina.

« – Je ne veux plus. C'est tout ce que j'ai à dire. »

Elle regarda le médecin pendant qu'elle répondait, ignorant complètement Brunetti.

Se résignant au fait que tout futur interrogatoire devrait avoir lieu à Milan ou par téléphone, le commissaire se leva.

« Je te suis très reconnaissant pour ton aide, dit-il avant de se tourner vers le médecin. Ainsi que pour la vôtre, dottore. »

S'adressant alors aux deux, il leur dit que la signora Gallante avait préparé une boisson chaude, et qu'il était sûr qu'elle leur en offrirait avec plaisir. Sur quoi il gagna la porte de l'appartement, fit demi-tour comme s'il allait ajouter quelque chose et sortit. Vianello, en le voyant apparaître, salua la signora Gallante et alla rejoindre son patron.

11

Une fois sur le palier, Vianello lui demanda :

« Voulez-vous retourner à l'appartement, monsieur ? »

En guise de réponse, Brunetti s'engagea dans l'escalier. Le policier en tenue montait toujours la garde à la porte et leur apprit que le corps avait été emporté.

« Dans ce cas, tu peux retourner à la questure », lui dit Brunetti avant d'entrer.

Le tapis était toujours à la même place, au centre de la pièce, sa frange décolorée ayant retrouvé sa position normale, comme si une main l'avait peignée. Brunetti reprit les gants en plastique qu'il avait conservés sur lui et les enfila. La couche de poussière grise recouvrant les surfaces planes du mobilier était la preuve silencieuse que l'équipe technique était passée et avait relevé des empreintes.

Brunetti était certes habitué à fouiller les affaires de personnes décédées, mais il n'arrivait jamais à se débarrasser du malaise qui accompagnait toujours cette corvée. Il sondait, déplaçait, dépliait les objets, vidait les tiroirs, fouinait parmi les secrets laissés par ceux qu'avait surpris une mort soudaine ; mais en dépit de tous ses efforts pour rester calme, il n'arrivait jamais à éviter la bouffée d'excitation provoquée par la découverte de ce qu'il cherchait. Était-ce, se demandait-il, ce qu'éprouvaient les voyeurs ?

Vianello disparut en direction des chambres, tandis que Brunetti restait dans le séjour, devant faire un effort pour tourner le dos à l'endroit où la jeune fille gisait encore quelques minutes plus tôt. Il trouva, là où il devait logiquement être – c'est-à-dire posé bien en vue sur l'annuaire de la ville –, juste à côté du combiné, un petit calepin contenant des numéros de téléphone. Il l'ouvrit et commença à lire. Ce n'est qu'en arrivant à la lettre J qu'il eut l'impression d'avoir découvert ce qu'il cherchait : « Jacobs ». Il feuilleta le reste du calepin, mais à part les mentions « plombier » et « ordinateur », tous les autres noms se terminaient par une voyelle. Qui plus est, le numéro de Jacobs commençait par 52 et n'avait aucun préfixe de ville, comme certains des autres numéros. Il caressa un moment l'idée de le composer, mais si Claudia avait été chère au cœur de cette personne, le téléphone n'était pas la bonne manière de s'y prendre.

Au lieu de cela, il ouvrit l'annuaire à la lettre J ; la liste qui suivait était courte. « Jacobs H. » y figurait bien, avec une adresse du côté de Santa Croce. Après quoi, l'impression d'avoir déjà trouvé ce qui était important l'empêcha de prendre beaucoup d'intérêt au reste de la fouille. Lorsqu'il sortit de la chambre de Lucia, Vianello déclara sobrement :

« C'est à croire qu'elle partageait son temps entre l'histoire de l'Empire byzantin et les romans Harlequin. »

Brunetti, qui avait raconté à Vianello son entrevue avec Claudia et l'étrange requête de la jeune fille, lui répondit qu'il avait trouvé « la grand-mère manquante ».

Portant la main à la poche pour y prendre son portable, l'inspecteur demanda :

« Voulez-vous l'appeler d'abord pour l'avertir de votre visite ? »

Brunetti refusa d'un geste de la main et résista à la

tentation de lui faire remarquer qu'ils se tenaient juste à côté d'un téléphone.

«Non. Elle va s'inquiéter si je lui dis que je suis de la police, et il faudrait finalement que je lui dise. Il vaut mieux y aller et lui parler en personne.

– Voulez-vous que je vous accompagne, monsieur ?

– Non, c'est inutile. Va déjeuner. Sans compter qu'il vaut peut-être mieux ne pas arriver en force. Avant de partir, vérifie s'il n'y a pas des personnes, dans l'immeuble, qui auraient des infos à nous donner sur les deux filles, ou qui auraient vu ou entendu des choses hier soir ou dans la nuit. Demain, on ira poser des questions à l'université ; ma femme pourra certainement me donner quelques renseignements – qui étaient ses amis, ses autres professeurs. Quand tu seras de retour à la questure, demande à la signorina Elettra de voir ce qu'elle peut trouver sur Claudia Leonardo et sur cette femme, Hedi Jacobs – Hedi pour Hedwig, sans doute. Et tant qu'à faire, qu'elle se renseigne aussi sur Luca Guzzardi.

– Ça va lui faire plaisir d'avoir de quoi s'occuper, observa Vianello d'un ton qui n'était pas exactement neutre.

– Parfait. Dis-lui que tout m'intéresse, y compris si ça remonte jusqu'à la guerre. »

Vianello ouvrit la bouche – peut-être pour dire quelque chose qui concernait la signorina Elettra –, puis se reprit et se contenta de répondre qu'il ferait la commission.

Brunetti savait que l'adresse devait se trouver du côté de San Giacomo dell'Orio, et il se rendit donc à l'Accademia d'où il prit le numéro 1 pour San Stae. Une fois là, d'instinct, il entra dans le Campo San Boldo ; les numéros, sur la place, étaient proches de celui qu'il cherchait, et il s'arrêta chez un *tabacchaio* pour se renseigner. L'homme hésitait sur la direction à donner, Brunetti lui précisa alors qu'il rendait visite à une dame âgée, une Autrichienne. Le buraliste sourit.

« Ah, c'est elle qui me fait vivre, la signora Hedi, et aussi elle qui me fait courir, parce que je dois lui monter ses cigarettes. Elle fume comme un pompier. Vous êtes passé devant son immeuble. Sortez, tournez à droite, elle habite au premier. »

Brunetti respecta ces instructions et vit, à côté de la deuxième porte à gauche, une plaque portant le nom de Jacobs. Alors qu'il levait déjà la main pour sonner, il fut envahi par un sentiment passager d'épuisement. Il avait fait cela trop de fois. Trop souvent, il avait été le porteur de terribles nouvelles et il éprouvait une répugnance presque insurmontable à le faire encore. Comme ce serait plus facile, si les victimes n'avaient aucun parent, si elles étaient des solitaires aimées de personne, dont la mort n'avait aucune répercussion, ne faisait aucune vague submergeant les petits bateaux les plus proches, projetant de nouvelles victimes sur les récifs de la vie…

Se sachant dans l'incapacité de se débarrasser de ces sentiments, il attendit qu'ils passent d'eux-mêmes. Ce n'est qu'après plusieurs minutes qu'il appuya sur la sonnette. Au bout d'un moment, une voix grave – mais néanmoins une voix de femme – s'éleva dans l'interphone.

« Qui est-ce ?

– Je suis venu pour vous parler, signora Jacobs, fut tout ce qu'il put trouver.

– Je ne parle pas aux gens », répondit-elle avant de raccrocher.

Brunetti sonna de nouveau, laissant le doigt sur le bouton jusqu'à ce qu'elle déclenche à nouveau l'interphone.

« Qui êtes-vous ? » Elle avait parlé d'un ton péremptoire, sans hésitation, sans manifester de crainte.

«Le commissaire Guido Brunetti, signora, de la police. Je suis venu pour vous parler.»

Il s'ensuivit un long silence. Finalement, elle demanda :

«À quel sujet ?

– Au sujet de Claudia Leonardo.»

Le bruit qu'il entendit, ou crut entendre, n'était peut-être qu'un simple chuintement de l'appareil, mais il pouvait tout aussi bien s'agir de la respiration de la femme. La porte s'ouvrit avec un claquement et il entra. La moisissure donnait une couleur verdâtre au sol du vestibule, éclairé par une faible ampoule, prisonnière d'une vasque en verre crasseuse. Il attaqua l'escalier, la nuance verdâtre s'estompant au fur et à mesure qu'il montait. Au premier étage, une ampoule tout aussi anémique projetait sa faible lueur sur le motif de médaillons octogonaux en marbre du sol. Une porte à un seul battant, blindée, était ouverte à sa gauche avec, dans l'embrasure, la silhouette d'une femme grande mais terriblement voûtée, dont les cheveux formaient une couronne compliquée de tresses – rappelant à Brunetti des photos datant des années trente ou quarante. Elle s'appuyait des deux mains sur le pommeau en ivoire d'une canne. Elle avait des yeux gris, à peine embrumés par l'âge, dont l'expression n'en était pas moins soupçonneuse.

«Je crains d'avoir de mauvaises nouvelles pour vous, signora Jacobs », dit-il en faisant halte devant la porte. Il observa son visage, à la recherche d'une réaction, mais elle n'en eut aucune.

«Il vaut mieux que vous rentriez. Comme ça, je serai assise quand vous me le direz. » Une pointe d'accent germanique apparaissait dans cette phrase un peu longue. «C'est mon cœur. Et je ne tiens plus très bien debout. J'ai besoin d'être assise. »

Elle fit demi-tour. Brunetti entra, referma la porte de

l'appartement et la suivit. La première bouffée qu'il respira lui prouva que le buraliste n'avait pas menti : l'odeur n'aurait pas été plus forte s'il avait marché dans un cendrier géant. Il se demandait depuis quand l'appartement n'avait pas été aéré, tant l'âcre puanteur était entêtante.

Elle le conduisit le long d'un corridor assez large et, tout d'abord, Brunetti ne quitta pas des yeux le dos de la vieille dame, craignant que la seule annonce d'une mauvaise nouvelle suffise à la faire vaciller, sinon tomber. Mais elle paraissait avancer d'un pas régulier, bien que lent, et il se mit donc à regarder autour de lui. Il se pétrifia alors sur place : on aurait dit qu'une main généreuse avait jeté ici, à profusion, les œuvres d'art les plus exquises.

Des deux côtés du couloir, les murs étaient encombrés par une accumulation de tableaux et de dessins, cadre contre cadre, comme des gens faisant la queue pour prendre le bus. Et comme dans ce genre de groupes disparates, les peintures ne se ressemblaient nullement : il vit ce qui lui parut être un petit Degas représentant une danseuse assise ; une poire comme seul Cézanne, à son avis, pouvait en peindre ; une madone aux paupières lourdes qui ne pouvait être que de l'école de Sienne ; et ce qui était incontestablement un dessin de Goya représentant un peloton d'exécution.

Alors qu'il restait planté dans le couloir, pétrifié comme la femme de Loth, une voix lui parvint d'un endroit situé à sa gauche.

« Allez-vous venir me dire ce que vous avez à me dire, commissaire ? »

Il se détourna des tableaux, son regard passant sur ce qui devait être un minuscule Memling, suivi d'un ensemble de dessins d'Otto Dix et d'un nu impossible à identifier et particulièrement peu érotique, avant de suivre la voix dans le séjour. Ici aussi, ses sens furent pris d'assaut : l'odeur du tabac froid y était encore plus forte et lourde, au point qu'il avait l'impression qu'elle imprégnait déjà ses vêtements. Quant aux objets exposés, ils ne présentaient même pas le semblant d'ordre qu'imposait l'étroitesse relative du couloir. Tout un mur était couvert de miniatures persanes ou indiennes dans des cadres dorés; il devait y en avoir une bonne trentaine. À sa gauche, il découvrit trois céramiques qui ne pouvaient provenir que d'Iznik, ainsi que toute une collection de plats et de dalles de céramique du Moyen-Orient – avec, au milieu, un crucifix en bois grandeur nature. À sa droite, c'était surtout des dessins à la plume, mais il n'eut pas le temps de les examiner, son attention revenant à la vieille dame qui venait de s'asseoir lourdement dans un fauteuil recouvert de velours.

Le siège était installé au milieu d'un tapis qui devait être un Esfahani : seule la soie pouvait avoir autant d'éclat dans la partie encore visible, dans l'un des coins. Car les motifs, et à vrai dire jusqu'à la trace même de ces motifs, étaient obscurcis par un grand arc de cendre, formant un demi-cercle devant le fauteuil et en dessous.

Automatiquement, d'un geste qui paraissait aussi instinctif et rythmique que sa respiration, la signora Jacobs prit une cigarette dans un paquet bleu de Nazionali, sur la table voisine, et l'alluma à l'aide d'un briquet bon marché.

Elle inhala profondément avant de prendre la parole.

«Et maintenant, allez-vous me dire ce que vous êtes venu me dire ?

– Il s'agit de Claudia Leonardo. Elle a été tuée.»

La main qui tenait la cigarette retomba mollement le long du fauteuil. La vieille dame ferma les yeux et, si sa colonne vertébrale déformée le lui avait permis, sa tête serait venue s'appuyer contre le haut dossier. Du coup, lorsque ses paupières se relevèrent, elle regardait Brunetti directement dans les yeux. Se rendant compte que c'était une position pénible pour elle, le policier tira une chaise à lui et s'assit de manière qu'elle puisse baisser la tête, tout en le voyant distinctement.

«Oh, mon Dieu… je ne pensais pas que cela puisse arriver», dit-elle dans un souffle. Peut-être n'avait-elle même pas conscience d'avoir parlé à voix haute. Elle fixa encore Brunetti pendant un moment, puis porta péniblement une main à son visage et se cacha les yeux.

Brunetti était sur le point de lui demander ce qu'elle avait voulu dire, lorsqu'il remarqua les volutes de fumée qui montaient le long du fauteuil. Il se leva aussitôt et se dirigea vers elle. Elle ne parut nullement concernée par ce brusque mouvement, qu'elle aurait pu trouver menaçant. Brunetti ramassa la cigarette et écrasa du pied le fragment de tapis qui avait commencé à brûler.

La signora Jacobs semblait n'avoir aucune conscience de sa présence, ni de ce qu'il faisait.

«Vous allez bien, signora?» demanda-t-il, posant la main sur l'épaule de la vieille dame. Celle-ci ne parut pas l'avoir entendu.

«Signora?» répéta-t-il, augmentant sa pression sur l'épaule.

La main qu'elle avait portée à son visage retomba sans force sur ses genoux, mais elle garda les yeux fermés. Brunetti recula un peu, inquiet de la voir ainsi. Lorsqu'elle les rouvrit, elle dit en même temps:

«Dans la cuisine. Les pilules qui sont sur la table.»

Il courut vers le fond de l'appartement et longea un corridor – cette fois tapissé de livres. Il aperçut un évier par une porte entrouverte, alla y jeter la cigarette et s'empara de l'unique fiole de médicament qui se trouvait sur la table. Il prit le temps de remplir un verre d'eau avant de revenir. Il donna la fiole à la vieille dame, qui en retira deux pilules de la taille de cachets d'aspirine qu'elle porta immédiatement à sa bouche, refusant d'un geste le verre qu'il lui tendait. Elle ferma de nouveau les yeux et resta parfaitement immobile pendant un moment. Quand il la vit se détendre et qu'il constata qu'un peu de couleur revenait à ses joues, il ne put résister à la tentation de parcourir à nouveau les murs des yeux.

Ce n'était pas la première fois qu'il avait affaire à la manifestation concrète d'une grande richesse, même si son entêtement, peut-être borné, à vouloir que sa famille vive uniquement de son salaire et de celui de Paola, le tenait à l'écart de l'opulence de la famille Falier. Malgré tout, quelques peintures – possessions personnelles de Paola, comme le Canaletto de la cuisine – avaient réussi à se glisser dans la maison, un peu comme les chats errants les soirs de pluie. Il connaissait bien la collection de son beau-père, ainsi que celle de certains amis de celui-ci, sans parler de ce qu'il avait pu admirer au domicile des suspects nantis qu'il avait interrogés. Rien de ce qu'il avait vu jusqu'ici, cependant, n'aurait pu le préparer au spectacle de cette grandiose promiscuité : peintures, céramiques, sculptures, gravures et dessins se bousculaient comme s'ils se disputaient la place d'honneur. Aucun ordre ne présidait à leur présentation, mais tant de beauté le submergeait.

Il jeta un coup d'œil à la signora Jacobs et vit qu'elle le regardait, tout en cherchant ses cigarettes d'une main tâtonnante. Il se rassit en face d'elle pendant qu'elle en rallumait une et tirait profondément dessus – avec quelque chose dans son attitude qui relevait presque du défi.

« Qu'est-il arrivé ?

– En arrivant à l'appartement ce matin, sa colocataire l'a retrouvée morte. Elle était décédée. Sans doute tuée hier soir.

– Comment ?

– Poignardée.

– Par qui ?

– Il s'agit peut-être d'un voleur ou d'un cambrioleur. »
Il se rendit compte à quel point son ton manquait de conviction.

« Ce genre de choses n'arrive pas ici », murmura-t-elle.

Sans prendre la peine de regarder s'il y avait un cendrier à côté d'elle, elle fit tomber la cendre de sa cigarette directement à ses pieds, sur le tapis.

« En effet, signora, ce n'est pas courant. Mais jusqu'ici, nous n'avons rien trouvé qui suggère une autre explication.

– Et qu'avez-vous trouvé ? voulut-elle savoir, le surprenant par la vitesse avec laquelle elle avait retrouvé son sang-froid.

– Son carnet d'adresses. »

Un éclair d'intelligence brilla dans les yeux de la vieille dame.

« Et comme par hasard, je suis la première personne que vous êtes venu voir ?

– Non, signora. Si je suis venu ici, c'est que, d'une certaine manière, je connaissais déjà votre existence.

– Vous connaissiez mon existence ? » demanda-t-elle, incapable d'arriver à dissimuler l'inquiétude que ressent quiconque, en Italie, apprenant que la police est au courant de quelque chose sur lui.

« Oui. Je savais que Claudia vous considérait comme sa grand-mère et que vous cherchiez à obtenir l'annulation officielle de la condamnation d'une personne morte à San Servolo. »

Il ne voyait aucune raison de lui cacher ce qu'il savait : tôt ou tard, il aurait à l'interroger là-dessus, et autant commencer tout de suite, alors que le choc produit par ce qu'elle venait d'apprendre avait pu abaisser sa garde et lui faire répondre plus facilement à ses questions.

La signora Jacobs laissa tomber sa cigarette sur le

tapis, l'écrasa du bout du pied et en prit tout de suite une autre. Ses gestes étaient lents et étudiés ; elle devait avoir, jugeait-il, largement plus de quatre-vingts ans. Elle tira trois bouffées avides, alors qu'elle venait de terminer la cigarette précédente. Sans lui en demander la permission, Brunetti se leva et alla jusqu'à une table, derrière elle, où il prit le couvercle d'un pot qui paraissait faire office de cendrier. Il le posa à côté d'elle. Elle ne prit pas la peine de le remercier.

« C'est vous, la personne à qui elle a parlé ?

– Oui.

– Je lui avais dit d'aller voir un avocat. Que j'étais prête à payer pour ça.

– Elle l'a fait. Il lui a dit qu'elle en aurait pour deux mille cinq cents euros. »

Elle eut un petit reniflement de mépris, reléguant la somme à une insignifiance absolue.

« Si bien qu'elle est venue vous voir ?

– D'une certaine manière, signora. Elle a tout d'abord consulté ma femme, qui enseigne à la faculté qu'elle fréquentait, et lui a demandé de me poser la question. Mais Claudia, apparemment, n'a pas été satisfaite de la réponse que je lui ai transmise par le biais de ma femme, et elle est donc venue me voir à la questure.

– Oui, c'était bien son genre, dit la vieille dame avec une esquisse de sourire presque imperceptible mais un peu plus de chaleur dans la voix. Et qu'est-ce que vous lui avez répondu ?

– En gros, la même chose que ce que j'avais dit à ma femme : que je ne pouvais lui fournir de réponse précise sans avoir davantage de détails sur les raisons de cette condamnation.

– Vous a-t-elle dit de qui il s'agissait ? demanda la signora Jacobs, sans pouvoir dissimuler ce que la question avait de soupçonneux.

– Non. »

C'était un mensonge, mais c'était son travail de tirer tout le parti possible d'une vieille dame encore sous le choc d'avoir appris la disparition d'un être cher, après tout, même si c'était déloyal.

La signora Jacobs détourna les yeux et se mit à contempler le mur, sur sa droite, celui qui était couvert de céramiques. Mais Brunetti eut l'impression qu'elle ne les voyait pas, qu'elle ne voyait pas un seul des innombrables objets qu'il y avait dans la pièce.

Au bout d'un moment, comme elle continuait à se taire, il commença à se demander si elle n'avait pas oublié sa présence. Finalement, elle se tourna vers lui.

« Je crois que c'est tout, dit-elle.

– Pardon ? demanda Brunetti, n'ayant pas du tout compris ce qu'elle entendait par là.

– C'est tout. C'est tout ce que je veux savoir, et c'est tout ce que je vous dirai.

– Si seulement c'était aussi simple, signora, dit-il avec une réelle sympathie. Mais j'ai bien peur que vous n'ayez pas le choix. Il s'agit d'une enquête criminelle, et vous avez l'obligation de répondre aux questions que vous pose la police. »

Elle se mit à rire, mais d'un rire totalement dépourvu de joie ou de plaisir : c'était apparemment la seule réaction qu'elle avait pu trouver devant une déclaration aussi absurde à ses yeux.

« Monsieur le commissaire, dit-elle, j'ai quatre-vingt-trois ans et, comme l'indique ma dépendance pour ces pilules, ma santé est loin d'être bonne. En ce qui concerne mon refus de vous en dire davantage, ajouta-t-elle avant qu'il ait eu le temps d'objecter quelque chose, n'importe quel médecin serait prêt à certifier que toute question relative à cette affaire risquerait de mettre ma vie en danger.

– Vous n'avez pas l'air de croire à ce que vous dites, observa-t-il.

– Oh, que si, j'y crois. J'ai été élevée à une école fichtrement plus dure que tout ce que vous pourriez imaginer, vous, les Italiens, et je n'ai jamais été une pleurnicheuse. Mais si vous entendiez battre mon cœur, en ce moment, vous sauriez que je ne mens pas. Vos questions mettraient ma vie en danger. J'ai parlé du médecin uniquement pour que vous sachiez jusqu'où je suis prête à aller pour ne pas avoir à vous répondre.

– Est-ce que ce sont les questions qui mettraient votre vie en danger, signora, ou les réponses ? »

Se rendant soudain compte que sa cigarette s'était éteinte, elle la jeta au sol et tendit la main vers le paquet.

« Je ne vous raccompagne pas, commissaire », dit-elle avec ce timbre de voix autoritaire qu'ont les personnes ayant passé leur jeunesse dans une maison pleine de domestiques.

12

Brunetti avait eu trop souvent affaire, dans son travail, aux diverses formes que peut prendre le désespoir pour ne pas gaspiller de temps en se lançant dans ce qu'il savait être une vaine tentative : convaincre la signora Jacobs de lui en apprendre davantage sur Claudia Leonardo.

Il quitta donc l'appartement, comme on l'en avait prié, et décida de revenir à pied à la questure, utilisant le temps du trajet pour réfléchir à l'hypothèse d'un lien éventuel entre la vieille Autrichienne, les Guzzardi et la mort de Claudia. Comment des actes criminels commis des décennies avant la naissance de la jeune fille auraient-ils pu avoir un rapport avec ce qui était peut-être simplement un cambriolage ayant mal tourné ? Des voleurs ordinaires, lui soufflaient la voix de l'expérience et son scepticisme habituel, ne se promènent pas avec des poignards, des voleurs ordinaires n'assassinent pas ceux qui les prennent sur le fait ; tout au plus les repoussent-ils en tentant de s'enfuir, mais ils ne les poignardent pas jusqu'à ce que mort s'ensuive.

Il se retrouva en train d'étudier le campanile de San Giorgio et plus particulièrement l'ange juché à son sommet, qui venait d'être restauré après avoir été sérieusement endommagé par la foudre, quelques années auparavant. Il se rendit alors compte qu'il avait dépassé la questure sans y faire attention et fit demi-tour vers San Lorenzo. Le policier de faction devant l'entrée le salua normalement, rien n'indiquant, dans son attitude, qu'il avait vu le commissaire passer devant lui quelques minutes plus tôt.

Brunetti s'arrêta à l'entrée du bureau de la signorina Elettra, et jeta un coup d'œil à l'intérieur ; il fut soulagé de voir le rebord de la fenêtre débordant de fleurs. Un pas de plus, et son espoir d'en apercevoir d'autres sur le bureau fut comblé : des roses jaunes, au moins deux douzaines. Comme il avait prié, le mois dernier, pour qu'elle renoue avec l'habitude de piocher sans vergogne dans les finances de la ville en faisant passer ces explosions de couleurs en frais de bureau… Brunetti inspira profondément et poussa un soupir de soulagement.

Elle était assise, comme il l'avait aussi espéré, à sa place habituelle ; il fut heureux de voir qu'elle portait un chandail en cachemire vert, et plus heureux encore de constater qu'elle lisait une revue.

« C'est quoi aujourd'hui, signorina ? *Famiglia Cristiana* ? »

Elle leva les yeux mais ne sourit pas.

« Non, monsieur, je réserve toujours celui-là à ma tante.

– Elle est pratiquante ?

– Non, monsieur, mais elle a un perroquet. »

Sur quoi elle referma le magazine à l'envers, empêchant Brunetti de voir ce que c'était. *Vogue*, espérait-il.

« Vianello vous a dit ?

– Pauvre fille… Quel âge avait-elle ?

– Je n'en suis pas sûr, mais pas plus de vingt ans. »

Ni l'un ni l'autre ne jugèrent bon de commenter cet affreux gâchis.

« Il m'a dit que c'était l'une des étudiantes de votre femme. »

Brunetti acquiesça.

«Je viens juste de rendre visite à une très vieille dame qui la connaissait.

– Avez-vous une idée de ce qui s'est passé ?

– Peut-être un cambriolage, répondit-il, ajoutant aussitôt, en voyant sa réaction : ou n'importe quoi d'autre.

– Comme par exemple ?

– Un petit ami. Une histoire de drogue.

– Vianello m'a aussi dit que vous lui aviez parlé. Est-ce que l'un ou l'autre vous paraissent possibles ?

– Mon premier mouvement est de répondre que non, mais je ne comprends plus le monde tel qu'il est aujourd'hui. Tout est possible. De la part de n'importe qui.

– Croyez-vous vraiment cela, monsieur ? demanda-t-elle, d'un ton qui laissait entendre que sa question avait beaucoup plus de sens que la remarque du commissaire, qu'il avait faite sans y penser.

– Non, avoua-t-il après deux secondes de réflexion. Il y a toujours, en fin de compte, des gens en qui on peut avoir confiance.

– Pourquoi ? »

Il ne comprenait pas comment ils s'étaient retrouvés lancés dans cette conversation et se demandait où elle allait les conduire ; mais il avait senti que la jeune secrétaire la prenait au sérieux.

«Parce qu'il y a certaines personnes en qui l'on peut avoir une confiance absolue. Et nous devons croire qu'il en est ainsi.

– Pourquoi ?

– Parce que si nous ne trouvons pas au moins une personne en qui avoir une confiance absolue… eh bien, quelque chose nous manquera, nous serons appauvris… Ne serait-ce que pour ne pas avoir fait l'expérience de donner son entière confiance. »

Il n'était pas trop sûr de ce qu'il voulait dire par là, ou peut-être s'y prenait-il mal pour expliquer ce qu'il cherchait à exprimer, mais il était certain, néanmoins, qu'il se sentirait plus faible s'il n'avait eu personne sur qui se reposer.

Avant qu'il ait eu le temps d'ajouter quelque chose ou qu'elle ait pu poser une autre question, le téléphone sonna. La signorina Elettra décrocha.

« Oui, monsieur. »

Elle jeta un coup d'œil à Brunetti, souriant, cette fois.

« Oui, il vient d'arriver… Je le fais entrer. »

Brunetti hésitait entre le soulagement et la déception d'avoir été interrompu ainsi dans leur conversation, mais il ne se sentait pas d'humeur à la poursuivre, à présent que le vice-questeur Patta était au courant de son arrivée.

« Si je ne suis pas ressorti dans un quart d'heure, dit-il, appelez la police. »

Elle acquiesça d'un signe de tête et rouvrit sa revue.

Patta, derrière son bureau, n'avait l'air ni content ni mécontent et son aspect était, comme toujours, celui d'un homme tellement en adéquation avec le niveau de responsabilité et d'autorité qui était le sien qu'on aurait pu croire que sa position résultait d'une loi de la nature. En le voyant, Brunetti se rendit compte à quel point il avait pris l'habitude de tenter de déchiffrer ce qui l'attendait dans l'expression de son supérieur, tel un augure examinant les entrailles d'un poulet qu'on vient de sacrifier.

« Oui, monsieur ? » dit-il en prenant le siège que Patta lui avait indiqué du geste.

« Qu'est-ce que c'est que cette histoire de fille assassinée, Brunetti ? » Le ton était celui de l'exigence, plus que de l'interrogation.

« Elle a été poignardée à mort pendant la soirée ou la nuit, monsieur. Nous en saurons davantage lorsque le docteur Rizzardi m'aura fait parvenir son rapport.

–Elle avait un petit ami ?

–Ni sa logeuse ni la jeune fille qui partageait l'appartement avec elle ne lui en connaissaient, répondit calmement Brunetti.

–Avez-vous exclu la possibilité d'un cambriolage ?» voulut savoir Patta.

Brunetti fut surpris que le vice-questeur semble écarter l'explication la plus évidente.

«Non, monsieur.

–Qu'avez-vous fait ?» demanda Patta sans oublier d'appuyer lourdement sur *fait*.

Décidant qu'il y avait des cas où les intentions valaient les actes, au moins quand on s'adressait à son supérieur, le commissaire répondit qu'il avait envoyé des hommes poser des questions dans le quartier pour savoir si personne n'avait rien remarqué pendant la nuit ; que la signorina Elettra vérifiait les appels téléphoniques partis de l'appartement des deux jeunes filles.

«J'ai déjà pu interroger l'autre étudiante, mais elle était encore trop sous le choc pour pouvoir être vraiment utile. Et nous avons commencé à demander à ses amis à l'université ce qu'ils savaient sur elle. »

Brunetti espérait réussir à prendre toutes ces mesures avant la fin de l'après-midi.

«Est-ce que votre inspecteur travaille avec vous sur cette affaire ?»

Brunetti ravala une réplique : « Qui *possédait* le lieutenant Scarpa ?» et se contenta de répondre par l'affirmative.

«Bien. Il faut me régler cette affaire le plus vite possible. On peut compter sur le *Gazzettino* pour étaler ça en première page ; j'espère simplement que la presse nationale ne s'en emparera pas. Dieu sait que des filles se font assassiner partout sans que personne y fasse attention. Mais quand c'est ici, ça fait toujours sensation et j'imagine qu'il faut nous attendre à de la mauvaise publicité, au moins jusqu'à ce que les gens aient oublié l'affaire. »

Soupirant comme s'il se résignait, devant ce devoir supplémentaire qui lui incombait, Patta tira un dossier à lui et ajouta :

« Ce sera tout, commissaire. »

Brunetti se leva, mais se sentit incapable de faire un pas. Il resta paralysé si longtemps que Patta releva les yeux.

« Oui, qu'est-ce qu'il y a ?

– Non, rien, monsieur. Mais cette histoire de mauvaise publicité, c'est honteux, non...

– Oui, n'est-ce pas ? » concéda Patta en reportant son attention au dossier ouvert devant lui. Brunetti consacra la sienne à sortir du bureau du vice-questeur sans ouvrir la bouche.

C'est alors qu'il se rappela une petite scène à laquelle il avait assisté avec Paola, environ quatre ans auparavant. Ils avaient été voir une exposition du peintre colombien Botero, sa femme étant attirée par l'exubérance déchaînée de ses gros bonshommes et grosses bonnes femmes au visage de pleine lune, tous dotés d'une bouche minuscule en bouton de rose. Devant eux, il y avait un instituteur et un groupe d'enfants qui ne devaient pas avoir plus de huit ou neuf ans. Quand ils arrivèrent dans la salle où se trouvait tout ce petit monde, l'instituteur disait : « Et maintenant, les enfants, nous allons partir. Mais il y a beaucoup de gens ici, et il ne faut pas les gêner en faisant du bruit et en parlant. Alors voilà ce que nous allons faire. » Du doigt, il montra sa propre bouche, qu'il mit en cul de poule, lèvres bien serrées. « On va faire *la bocca di Botero*. » Ravis, les enfants mirent tous l'index devant leur bouche en cul de poule pour imiter celles des peintures, tout en sortant de l'exposition sur la pointe des pieds et en pouffant. Depuis, chaque fois que lui ou Paola pensaient qu'il pourrait y avoir quelque indiscrétion à s'exprimer, ils invoquaient *la bocca di Botero*, s'épargnant sans aucun doute beaucoup d'ennuis, sans parler du temps gagné et de l'énergie économisée.

La signorina Elettra avait apparemment terminé la lecture de son magazine, car il la trouva qui compulsait les documents d'un dossier.

« Signorina, dit-il, j'ai du travail pour vous.

– Oui, monsieur ? » Elle referma le dossier sans chercher à dissimuler l'étiquette portant la mention « Confidentiel » qui figurait en grandes lettres rouges, en bas à gauche, ni le nom du lieutenant Scarpa, qui apparaissait en haut au milieu.

« Un peu de lecture distrayante ? demanda-t-il.

– Tout à fait distrayante, répondit-elle avec un mépris audible dans la voix, tandis qu'elle repoussait le dossier de côté. De quoi voulez-vous que je m'occupe, monsieur ?

– Si vous pouviez demander à votre ami des télécoms de vous fournir la liste des coups de téléphone envoyés et reçus par Claudia Leonardo ou Lucia Mazzotti, et vérifier si l'une ou l'autre avait un portable, je vous en serais reconnaissant. Voyez aussi ce que vous pouvez trouver sur Claudia : si elle avait une carte de crédit, ou un compte en banque. Toute information d'ordre financier serait précieuse.

– Avez-vous fouillé son appartement ?

– Oui, mais superficiellement. Une équipe doit le passer au peigne fin dès cet après-midi.

– Bien. Je leur demanderai de m'apporter tous les papiers qu'ils trouveront.

– Oui, parfait.

– Autre chose ?

– Non, pas pour le moment. À vrai dire, nous ne savons rien ou presque. Si vous dénichez quoi que ce soit, prévenez-moi aussitôt. » Voyant son expression, il s'expliqua plus clairement : « Une lettre d'un petit ami, par exemple – même si cette génération n'écrit plus guère, on ne sait jamais. Oui, ajouta-t-il avant qu'elle puisse poser la question, dites-leur de vous apporter son ordinateur.

– Et vous, monsieur ? »

Au lieu de répondre, il consulta sa montre, soudain conscient d'être affamé.

« Je vais appeler ma femme. Ensuite, je serai dans mon bureau, où j'attendrai des nouvelles de Rizzardi. »

Le médecin légiste ne le rappela qu'à dix-sept heures passées, alors que Brunetti se sentait mort de faim et d'ennui à force d'être resté assis à patienter.

« C'est moi, Guido, dit Rizzardi.

– Alors ? demanda Brunetti d'un ton qui ne trahissait aucune impatience.

– Deux des coups auraient suffi à la tuer. Les deux ont touché le cœur. Elle a dû mourir presque sur-le-champ.

– Et son assassin ? Penses-tu toujours qu'il était de petite taille ?

– En tout cas il n'était pas grand, comme toi ou moi, par exemple. Peut-être légèrement plus grand que la jeune fille. Et droitier.

– Tu crois qu'il pourrait s'agir d'une femme ?

– Bien entendu, si ce n'est que les femmes tuent rarement de cette manière. » Au bout de quelques instants, Rizzardi ajouta : « Et les femmes meurtrières sont peu nombreuses, non ? »

Brunetti acquiesça d'un grognement, se demandant s'il fallait interpréter la remarque du légiste comme un compliment au beau sexe et, si oui, ce qu'il disait sur la nature humaine. La remarque suivante de Rizzardi le tira de ses réflexions.

« Je crois qu'elle était vierge.

– Quoi ?

– Tu m'as bien entendu, Guido. Pucelle. »

Un silence songeur se prolongea jusqu'à ce que Brunetti demande s'il y avait autre chose.

« Elle ne fumait pas et était apparemment en très bonne santé. »

Le médecin se tut et Brunetti espéra un instant qu'il n'allait pas le dire. Mais il ne put s'en empêcher.

« Elle aurait pu vivre encore une soixantaine d'années.

– Merci, Ettore », conclut Brunetti en reposant le combiné.

De nouveau irritable, le commissaire comprit qu'il lui fallait bouger s'il voulait venir à bout de sa mauvaise humeur. Il se rendit donc au labo de la police criminelle, où il demanda à voir les objets rapportés de l'appartement de Claudia Leonardo.

« C'est la signorina Elettra qui a son carnet d'adresses, lui dit Bocchese, le chef technicien, en posant un sac en plastique sur son bureau. Comme Brunetti prenait délicatement le sac par un coin, Bocchese ajouta :

« Vous pouvez toucher tout ce que vous voulez. J'ai relevé toutes les empreintes, mais je n'ai trouvé que les siennes et celles de sa colocataire. »

Brunetti ouvrit une grande enveloppe contenant un certain nombre de documents et d'enveloppes plus petites. Il trouva les choses habituelles : factures de gaz et d'électricité, invitation à l'inauguration d'une galerie, factures de téléphone, reçus de carte de crédit. Il aperçut un relevé bancaire et parcourut la colonne des dépôts. Il constata alors que, le premier de chaque mois, une somme de cinq mille euros était déposée sur le compte de Claudia. Les virements remontaient au début de l'année. Il ne fallait pas être très brillant en calcul pour arriver à un total annuel considérable pour une étudiante. Cet argent, cependant, n'était plus sur le compte de la jeune fille : le solde actuel s'élevait à un peu plus de mille cinq cents euros, ce qui signifiait qu'elle avait dépensé, au cours des dix derniers mois, pas loin de cinquante mille euros.

Il étudia de plus près la colonne des débits. Tous les mois, une certaine somme passait sur le compte de Loredana Gallante, sa logeuse. Les divers services faisaient l'objet de prélèvements directs. Et chaque mois, à des dates et pour des montants variés, d'importantes sommes étaient virées sur des comptes différents, sous la rubrique « transferts vers l'étranger ».

Les versements mensuels qu'elle recevait, quant à eux, portaient la mention « transfert de l'étranger », rien de plus. Il prit le document et le montra à Bocchese.

« Je dois te signer une décharge pour ça ?

– Je crois qu'il vaudrait mieux, commissaire », répondit le technicien en sortant un épais registre d'un tiroir. Il l'ouvrit, écrivit quelque chose et fit pivoter le registre vers Brunetti.

« Signez ici, monsieur. Avec la date, si cela ne vous ennuie pas. »

Aucun des deux ne fit de commentaire sur les tentatives, aussi répétées qu'inefficaces, de Bocchese pour faire allouer une photocopieuse à son service.

Brunetti s'exécuta, replia le relevé bancaire et le glissa dans sa poche.

À cette heure, les banques étaient fermées, et lorsqu'il regagna son bureau, il constata que la signorina Elettra avait elle aussi déjà quitté son lieu de travail. La revue était posée à l'envers sur son bureau, mais Brunetti ne s'autorisa pas à la toucher pour la retourner. Au lieu de cela, il fit le tour du bureau et se pencha pour apercevoir le titre. *Vogue*. Il sourit, content de constater, grâce à cet indice, que la signorina Elettra consacrait au service du vice-questeur toute l'attention qu'elle estimait qu'il méritait.

13

Ce ne fut que le lendemain matin que Brunetti put commencer à satisfaire sa curiosité sur les flux d'argent transitant par le compte de Claudia Leonardo. La question fut rapidement réglée : il suffit d'un coup de téléphone à l'agence locale de la Banca di Perugia. Pendant des années, il avait été intrigué de constater que si, d'une manière générale, les gens étaient toujours nerveux quand la police les appelait, les banquiers étaient ceux à qui ses coups de fil donnaient le plus de vapeurs. Il en était venu à s'interroger sur ce qu'ils pouvaient bien dissimuler derrière leurs vastes bureaux ou le blindage de leur salle des coffres. Avant d'avoir pu pousser plus loin ces réflexions, il fut mis en contact avec le directeur, lequel confia à une employée le soin de lui répondre. Brunetti donna à celle-ci le numéro de compte et, au bout de quelques minutes, il apprenait que les transferts de fonds étaient effectués par une banque de Genève et tombaient régulièrement chaque mois depuis l'ouverture du compte, trois ans auparavant ; c'est-à-dire, pouvait-on supposer, depuis que Claudia était arrivée à Venise pour y poursuivre ses études.

Brunetti la remercia et lui demanda de lui faire parvenir par fax tous les relevés des trois ans précédents ; l'employée lui répondit que ce serait fait le matin même. Une fois de plus, il n'eut guère besoin d'un crayon et de papier pour calculer la somme : elle représentait presque deux millions d'euros. Or il ne restait que mille cinq cents euros sur le compte. Comment une jeune fille pouvait-elle dépenser plus d'un million et demi d'euros en trois ans ? Il évoqua l'appartement de Dorsoduro, mais il n'y avait rien vu, pour autant qu'il s'en souvenait, qui indiquait de grandes dépenses. En fait, il était prêt à parier que le trois-pièces était loué meublé, car les énormes armoires en acajou qu'il avait vues dans les deux chambres n'avaient pu être achetées que par une femme de la génération de la signora Gallante. Rizzardi lui aurait fait part, en la commentant, de toute trace de consommation de drogue ; or, en dehors de la drogue, comment pouvait-on dépenser de telles sommes d'argent ?

Il appela Bocchese pour avoir les noms des policiers qui avaient effectué la fouille de l'appartement ; mais ceux-ci lui dirent que la garde-robe de la jeune fille n'avait rien d'exceptionnel, tant en quantité qu'en qualité, et ne pouvait donc expliquer la disparition d'autant d'argent.

Un moment, il fut tenté d'appeler Rizzardi pour lui demander s'il avait bien vérifié que le corps ne présentait aucune trace suspecte de piqûres, mais y renonça en imaginant ce qu'allait être la réaction du médecin légiste. Si Rizzardi n'avait rien dit, c'est qu'il n'y avait rien.

Il appela Paola à la maison.

« C'est moi, dit-il bien inutilement.

– Et qu'est-ce que je peux faire pour toi ?

– Comment t'y prendrais-tu pour dépenser un million huit cent mille euros en trois ans ?

– Si c'était mon argent, ou de l'argent volé ? demanda-t-elle, montrant par là qu'elle supposait que la question lui était posée pour raison professionnelle.

– En quoi est-ce différent ?

– Je dépenserais l'argent volé différemment.

– Pourquoi ?

– Parce que c'est différent, c'est tout. Tu comprends, ce n'est pas comme si j'avais dû travailler et souffrir pour le gagner. C'est comme de l'argent trouvé dans la rue ou gagné à la loterie. On le dépense plus facilement... ou du moins, c'est ce que je ferais, je crois.

– Et comment le dépenserais-tu ?

– Veux-tu parler d'une manière générale, ou aimerais-tu savoir comment moi, en tant que personne, je le dépenserais ?

– Les deux.

– Personnellement, je m'offrirais les premières éditions de Henry James. »

Ne relevant pas cette référence à l'individu qu'il avait fini par considérer, au fil des années, comme l'autre homme dans la vie de sa femme, Guido demanda :

« Et de manière générale ?

– Ça doit dépendre de la personne, il me semble. Le plus évident, c'est la drogue ; mais si tu m'appelles pour me demander mon avis, tu as sans doute déjà exclu cette possibilité. Certains s'offriraient des voitures de luxe, des vêtements de grands couturiers, ou encore, je ne sais pas, moi, des vacances.

– Non. L'argent a été dépensé mois après mois, rarement par grosses sommes », dit-il, se souvenant de la manière dont l'argent circulait sur le compte de Claudia.

« Des grands restaurants ? Des filles ?

– C'est de Claudia Leonardo qu'il s'agit », dit-il d'un ton calme.

Du coup, Paola resta quelques instants silencieuse.

« Elle l'a probablement donné.

– Comment ça, donné ?

– Offert, si tu préfères.

– Qu'est-ce qui te fait dire ça ? »

Il y eut un nouveau silence, plus prolongé que le premier. « En réalité, je n'en sais rien. Je dois le reconnaître : j'ignore pourquoi j'ai dit ça. Sans doute ma réaction à ses rares interventions en cours ou à ce qu'elle écrivait dans ses dissertations… L'impression qu'elle avait une conscience sociale, ce qui est bien rare aujourd'hui, il me semble. »

Brunetti resta plongé dans ses réflexions jusqu'à ce que Paola l'en tire par une question :

« D'où venait l'argent ?

– D'une banque suisse.

– Je crois que c'est Alice qui dit quelque part *"De plus en plus curieux"*… »

Nouveau silence, puis elle demanda :

« C'est la somme, un million huit cent mille euros en trois ans ?

– Oui. D'autres idées ?

– Non. D'une certaine manière, c'est difficile de penser à elle en termes d'argent, ou comme à quelqu'un de fortuné. Elle était, comment dire… si simple. Non, ce n'est pas le bon mot. Elle avait un esprit complexe, au moins pour ce que je pouvais en savoir. Mais je ne l'aurais jamais associée à l'idée d'argent.

– Pourquoi ?

– Ça ne paraissait pas l'intéresser, pas du tout. En fait, je me souviens d'avoir remarqué, lorsqu'elle commentait les motivations de tel ou tel personnage de roman, qu'elle était toujours intriguée que l'on puisse être conduit à faire certaines choses par appât du gain, presque comme si elle ne le comprenait pas, ou comme si ça n'avait pas de sens pour elle, humainement. Si bien qu'à mon avis, elle n'aurait pas fait de grandes dépenses pour elle-même.

– Mais ce sont juste des livres, objecta Guido.

– Pardon ? dit Paola, sèchement

– Tu as dit toi-même que c'étaient des personnages

de roman. Comment peux-tu en déduire qu'elle se comportait de la même façon dans la vie ? »

Il l'entendit soupirer, mais elle lui répondit calmement :

« Quand nous racontons à des gens ce qui est arrivé à quelqu'un de notre famille ou à des amis, nous pouvons assez bien juger de leur valeur morale en observant leur manière de réagir, non ?

– Bien sûr.

– Eh bien, ce n'est pas différent parce que nous avons affaire à des personnages de roman, Guido. Tu devrais tout de même le savoir, si tu as prêté attention à tout ce que je t'ai dit depuis vingt ans. »

Ce qu'il avait fait, et elle avait raison, mais il lui répugnait d'en convenir.

« Réfléchis-y encore, veux-tu ? demanda-t-il. Qu'est-ce qu'elle aurait pu faire avec ?

– Très bien. Est-ce que tu rentres déjeuner ?

– Oui. Je devrais être à l'heure.

– Parfait. Je vais préparer quelque chose de spécial.

– Épouse-moi », implora-t-il.

Elle raccrocha sans répondre.

Il descendit dans le bureau de la signorina Elettra avec le relevé bancaire. Elle portait aujourd'hui un jean et une blouse blanche amidonnée avec, autour du cou, un foulard bleu clair, peut-être en cachemire, tellement aérien qu'il aurait pu être tissé en fils de la Vierge.

« Pashmina ? » demanda-t-il en indiquant le foulard.

Son regard trahit le mépris qu'elle éprouvait pour tant d'ignorance, mais elle répondit avec calme.

« Si vous me permettez de citer le dernier numéro du *Vogue* français, monsieur, le pashmina est *méga-out.* »

Il ne se laissa pas démonter par cette réplique.

« Et donc ?

– Cachemire et soie, dit-elle comme si elle parlait de ronces et d'orties.

– Au fond, ça ressemble beaucoup à ce que dit ma femme pour la littérature : on est toujours tranquille avec les classiques. »

Il posa le relevé bancaire sur le bureau de la secrétaire.

« Une banque de Genève virait cinq mille euros tous les mois sur le compte de Claudia Leonardo, reprit-il, sachant qu'il allait avoir toute son attention.

– Quelle banque ?

– Ça n'apparaît pas. Cela change-t-il quelque chose ? »

Du bout du doigt, elle fit glisser le relevé jusqu'à elle.

« Oui, si j'ai envie d'en savoir un peu plus. C'est beaucoup plus facile pour moi de faire des recherches auprès des banques privées.

– Des recherches ?

– Des recherches.

– Pourriez-vous trouver, pour celle-ci ?

– Trouver la banque, ou la source originale ?

– Les deux. »

Elle prit le document.

« Je vais essayer. Ça risque de me prendre un certain temps. Si c'est une banque privée, même une banque aussi difficile à pénétrer que la Hofmann, je devrais pouvoir trouver quelque chose, commissaire.

– Bien. Si seulement ça nous permettait d'y voir un peu plus clair…

– Vous croyez que grâce à ça… ?

– Non, pas vraiment », répondit-il en faisant demi-tour.

De retour dans son bureau, il décida de faire de nouveau appel à son beau-père, pour voir si celui-ci n'avait pas eu le temps d'apprendre quelque chose. On lui répondit que le comte était à Paris pour la journée, si bien qu'il n'eut pas d'autre choix que d'appeler Lele Bortoluzzi, au cas où d'autres souvenirs lui seraient revenus. Comme son atelier ne répondait pas, il appela à tout hasard au domicile du peintre, qui se trouvait chez lui.

Après l'échange de plaisanteries rituelles, Brunetti lui demanda s'il se souvenait d'une femme du nom de Hedi ou Hedwig Jacobs.

« Tu t'intéresses toujours à Guzzardi, hein ? l'interrompit Lele.

– Oui, et maintenant à *Frau* Jacobs.

– Je crois que le *Frau* est purement honorifique. Il n'y a jamais eu de *Herr* Jacobs, que je sache.

– L'as-tu connue, Lele ?

– Oui, mais pas bien. Nous échangions quelques mots, lors de nos rencontres occasionnelles. Je me souviens – parce que cela m'avait frappé – d'une question que je me posais à son propos : comment cette femme, aussi honnête et droite, a-t-elle pu s'enticher à ce point d'un individu comme Guzzardi. Tout ce qu'il disait était merveilleux, tout ce qu'il faisait, extraordinaire. » Le peintre devint pensif. « J'ai vu des tas de gens perdre la tête par amour, mais en général, ils conservent tout de même un minimum de bon sens. Elle, non. Elle serait descendue jusqu'en enfer s'il le lui avait demandé.

– Ils ne se sont jamais mariés ? demanda Brunetti.

– Il avait déjà une femme et était même papa d'un petit garçon, à l'époque. Il les menait toutes les deux par le bout du nez, sa femme et l'Autrichienne. Je suis sûr que chacune connaissait l'existence de l'autre, mais étant donné ce que je sais de Guzzardi, je dirais qu'elles n'avaient pas le choix et devaient accepter les choses telles qu'elles étaient.

– Tu les connaissais ?

– Qui, les femmes ou les Guzzardi ?

– Les uns et les autres.

– C'est sa femme que je connaissais le mieux. Elle était la cousine du fils de ma marraine. »

Brunetti ne savait trop à quel degré de parenté cela revenait, chez les Bortoluzzi, mais vu l'aisance et la familiarité avec lesquelles Lele en parlait, Brunetti pouvait en déduire qu'il n'était pas indifférent à ce lien.

« Comme était-elle ? demanda Brunetti.

– Pourquoi veux-tu savoir tout ça ? répliqua Lele sans chercher à cacher que la curiosité de Brunetti avait provoqué la sienne.

– Le nom de Guzzardi vient d'apparaître dans une affaire dont je m'occupe.

– Tu ne peux pas me dire laquelle ?

– C'est sans importance.

– Très bien, dit Lele, acceptant la réserve dont Brunetti faisait preuve. Comme je te l'ai expliqué, l'épouse tolérait la situation. Après tout, les temps étaient difficiles et Guzzardi était un personnage puissant.

– Et lorsqu'il n'a plus été puissant ?

– Après la guerre, tu veux dire ?

– Oui.

– Elle l'a laissé tomber, aussi vite qu'elle a pu. Je crois me rappeler qu'elle s'est mise avec un officier britannique, d'après ce qu'on m'a dit. Je ne me souviens plus très bien. Bref, elle a quitté la ville avec son fils et le militaire.

– Et ensuite ?

– Je n'ai plus jamais entendu parler d'elle ; mais si elle était revenue, je l'aurais su.

– Et l'Autrichienne ?

– N'oublie pas que j'étais encore un gamin, à l'époque, Guido. Voyons, j'avais quel âge à la fin de la guerre ? Dix-huit ans ? Dix-neuf ? Sans compter que beaucoup de temps a passé, si bien que ce qui me reste est un mélange de souvenirs personnels, ce que j'ai vu et entendu moi-même, et de choses qu'on m'a racontées au cours des années. Plus je vieillis, plus j'ai de mal à faire la différence. »

Brunetti craignit un instant d'avoir à subir une méditation sur l'âge et ses conséquences, mais Lele reprit finalement le cours de son récit.

« Je crois que la première fois que je l'ai vue, c'était pour l'inauguration d'une galerie. C'était même avant qu'elle le rencontre.

– Qu'est-ce qu'elle faisait à Venise ?

– Oh, j'ai oublié, mais je crois vaguement me rappeler que c'était en rapport avec l'activité de son père. Il travaillait ou avait un bureau ici. Quelque chose comme ça, je crois.

– Quel souvenir gardes-tu d'elle ?

– Elle était ravissante. Évidemment, j'avais dix ans de moins qu'elle, et à ses yeux, j'aurais pu tout aussi bien habiter sur la lune. Mais je me rappelle qu'elle était très belle.

– Et elle était attirée par son pouvoir, comme sa femme ? demanda Brunetti.

– Non, et c'est ça qui était bizarre. Elle l'aimait vraiment. En fait, j'ai toujours eu l'impression, ou en tout cas c'était le sentiment général, qu'elle avait des idées différentes des siennes, mais qu'elle y avait renoncé par amour.

– Et quand il a été arrêté ? Tu t'en souviens ?

– Non, ce n'est pas très clair. Je crois qu'elle a essayé de le tirer de là en échange de faveurs ou contre de l'argent. C'était du moins la rumeur qui courait.

– Mais pour qu'il se retrouve à San Servolo, c'est que ça n'avait pas très bien marché, non ?

– Il s'était fait trop d'ennemis, ce salopard, si bien que plus personne ne voulait l'aider, à la fin.

– Qu'est-ce qu'il avait fait de si terrible ? voulut savoir Brunetti, toujours amusé par la férocité des sentiments de Lele, et pensant aux énormités commises par tant d'hommes ayant presque tous réussi à s'en tirer, non seulement indemnes, mais sans la moindre trace de culpabilité.

– Il a volé à un tas de gens ce qu'ils avaient de plus précieux. »

Brunetti attendit, espérant que Lele comprendrait lui-même à quel point son argument était peu convaincant. Mais c'est finalement lui qui demanda :

« Il est mort, voyons… il y a une bonne quarantaine d'années, non ?

– Et alors ? Ça ne change rien au fait que c'était une ordure qui ne méritait que de crever dans un trou où les gens mangent leur propre merde. »

Une fois de plus estomaqué par la colère de Lele, Brunetti ne savait plus comment réagir ; le peintre, cependant, mit lui-même un terme à son malaise.

« Cela n'a rien à voir avec toi, Guido. Tu peux me poser toutes les questions que tu veux sur lui… C'est parce qu'il s'en est pris à ma famille.

– Je suis désolé de l'apprendre.

– Oui, bon, commença Lele, sans trouver comment finir sa phrase.

– Si tu penses à quelque chose d'autre concernant l'Autrichienne, tu m'appelles, d'accord ?

– Bien sûr. Et je demanderai autour de moi, histoire de voir ce dont les gens se souviennent.

– Merci.

– C'est rien, Guido. »

Un instant, Brunetti eut l'impression que Lele allait ajouter quelque chose, mais il se contenta de prendre congé avec quelques mots affectueux et raccrocha.

Le déjeuner, effectivement, fut exceptionnel. C'était peut-être d'avoir parlé de ces sommes faramineuses qui avait poussé Paola à faire des excès, car elle avait acheté un bar de ligne entier qu'elle avait préparé avec des artichauts frais, du citron et du romarin. Le poisson était accompagné d'un énorme plat de minuscules pommes de terre rôties, légèrement parfumées au romarin, elles aussi. Le tout, pour s'éclaircir la gorge, fut suivi d'une salade d'endives et de pommes au four au dessert.

« Heureusement que tu dois aller trois matins par semaine à l'université et que tu ne peux pas faire ça tous les jours, observa Brunetti en refusant l'offre d'une deuxième pomme.

– Dois-je prendre cette remarque comme un compliment ? » demanda Paola.

Avant que Guido ait pu répondre, Chiara tendit son assiette vers les pommes restantes avec assez d'enthousiasme pour confirmer qu'en effet, la remarque était un compliment.

Les enfants étonnèrent leurs parents en proposant de faire la vaisselle. Paola retourna dans son bureau et Brunetti la rejoignit après s'être servi un verre de grappa.

« On devrait s'offrir un nouveau canapé, tu ne crois pas ? »

Il se débarrassa de ses chaussures et s'allongea sur la ruine qu'il aurait bien vouée à la destruction.

« Si je pensais jamais pouvoir trouver quelque chose d'aussi confortable, répondit Paola, je crois que je l'achèterais tout de suite. »

Elle étudia le canapé et son mari allongé dessus.

« Je me demande s'il ne suffirait pas de le faire recouvrir.

– Hemm…, fit Brunetti qui, les yeux fermés, tenait son verre à deux mains.

– As-tu trouvé quelque chose ? voulut savoir Paola, manifestement peu intéressée par les travaux qui l'attendaient.

– Seulement l'argent. Et Rizzardi m'a dit qu'elle était vierge.

– Au troisième millénaire ! s'exclama Paola, incapable de cacher son étonnement. *Mirabile dictu*… Au

148

fond, reprit-elle au bout d'un instant, ce n'est peut-être pas si étonnant que ça.

– Pourquoi ? demanda Brunetti, les yeux toujours fermés.

– Il y avait chez elle une sorte de simplicité, un manque complet de sophistication. Tu peux appeler ça de l'ingénuité, voire même de l'innocence. Quelque chose comme ça.

– Ça paraît bien spéculatif, observa Guido.

– Je sais, admit Paola. C'est juste une impression.

– Est-ce que tu as encore ses dissertations ?

– Bien sûr. Tout est dans les archives.

– Penses-tu qu'il pourrait être utile d'y jeter un coup d'œil ? »

Paola prit cette idée en considération et mit longtemps avant de répondre.

« Probablement pas. Si je les relisais à présent, ou toi, on y chercherait des choses qui n'y sont pas forcément. Je crois que tu peux te fier à mon impression générale que c'était une jeune femme droite et généreuse, ayant tendance à croire en la bonté de la nature humaine.

– Et qui, par conséquent, a été poignardée à mort.

– Par conséquent ?

– Non, c'était juste une façon de parler, reconnut Brunetti. Je trouverais effrayant de me dire que l'un a été la conséquence de l'autre. »

Ils s'enorgueillissaient tous les deux de trouver ces mêmes qualités chez leur fille ; mais ni l'un ni l'autre, peut-être par modestie, plus probablement par superstition, n'osèrent le dire à voix haute. Brunetti posa son verre sur le sol et sombra dans le sommeil, tandis que Paola mettait ses lunettes et entrait dans l'état de transe particulier dans laquelle la lecture des dissertations d'étudiants plonge toujours un esprit adulte.

14

Il passa par le bureau de la signorina Elettra quand il revint à la questure ; la jeune femme parlait en français au téléphone. Elle leva une main pour lui faire signe d'attendre, dit quelque chose, rit et raccrocha.

S'interdisant de faire allusion à cet appel, il lui demanda si Bocchese lui avait fait parvenir les papiers.

« Oui, monsieur, et j'ai déjà des gens qui travaillent dessus.

– Ce qui veut dire ?

– Mon ami va jeter un coup d'œil, répondit-elle avec un signe de tête vers le téléphone, mais j'ai bien peur qu'il n'ait rien pour moi avant l'heure de fermeture des banques.

– Genève ?

– *Oui* », répondit-elle en français.

Il résista courageusement à la tentation de faire un commentaire ou de poser une question.

« Je serai dans mon bureau », dit-il en reprenant la direction de l'escalier.

Il se tenait à la fenêtre, contemplant les deux grues jaunes qui surplombaient l'église San Lorenzo. Elles se dressaient là depuis si longtemps qu'il avait fini par les considérer comme deux ailes d'ange s'élevant de part et d'autre de l'édifice. Il se demanda même si elles n'étaient pas déjà sur place quand il avait pris ses fonctions de commissaire à la questure, tout en se disant que des travaux de restauration ne pouvaient pas prendre autant de temps. Et d'ailleurs, les avait-il vues bouger, les avait-il vues dans une autre position que celle dans laquelle elles étaient immobilisées aujourd'hui ? Il consacra un bon moment à toutes ces considérations, tout en laissant le problème de Claudia Leonardo s'infiltrer clandestinement dans d'autres parties de son cerveau.

Ces ailes d'ange, se rendit-il compte, lui rappelaient l'ange qui figurait sur une peinture accrochée derrière le fauteuil de la signora Jacobs ; c'était un tableau de l'école flamande, et la silhouette séraphique bilieuse et maussade donnait l'impression qu'on lui avait confié pour mission de veiller sur un personnage d'une telle rectitude morale qu'il s'ennuyait à périr.

Il composa de nouveau le numéro de son ami peintre. Lorsque celui-ci décrocha, Brunetti lui dit, sans autre préambule :

« Dis-moi, Lele, est-ce que tu as entendu dire que l'Autrichienne possédait toutes ces peintures et ces dessins chez elle ? »

Il crut que Lele allait lui demander pourquoi il lui posait la question, mais pas du tout.

« Oui, c'est ce qui se dit. Personne, pour autant que je sache, n'est jamais entré chez elle et ce n'est donc qu'une rumeur, tu sais comment ça se passe. Les gens parlent toujours, même s'ils n'ont rien à dire, et bien entendu, ils exagèrent. »

Il y eut un long silence, pendant lequel Brunetti eut presque l'impression d'entendre Lele repasser tout ça dans son esprit.

« Sans compter qu'on peut parier que si quelqu'un y entrait et voyait quoi que ce soit, il n'en parlerait pas.

– Et pour quelle raison ? »

Lele se mit à rire, émettant ce même reniflement cynique que Guido lui connaissait depuis toujours.

« Dans l'espoir que s'il n'y faisait pas allusion, personne n'aurait l'idée de s'intéresser à ce qu'elle pourrait posséder.

– Je ne comprends toujours pas.

– Elle ne va pas vivre éternellement, Guido.

– Et alors ?

– Et alors, si elle possède certaines choses, elle pourrait vouloir en vendre quelques-unes avant de mourir.

– Les gens parlent-ils de la provenance de ces objets d'art ?

– Ahhh… »

Le long soupir du peintre pouvait être interprété comme sa satisfaction de voir que Brunetti avait enfin posé la bonne question, ou comme son ravissement devant cet exemple de faiblesse humaine.

« Cela exige de remonter fichtrement loin, non ? demanda Lele en guise de réponse.

– Guzzardi ?

– Tiens, pardi.

– D'après ce que tu m'as dit d'elle, elle ne me paraît pourtant pas du genre à tremper dans ce genre de combine.

– Voyons, Guido, dit Lele avec une sévérité inhabituelle, après toutes ces années dans la police, tu devrais tout de même savoir que les gens ont infiniment moins de scrupules à profiter d'un crime qu'à en commettre un. » Et sans laisser à Brunetti le temps de soulever une objection, il ajouta : « Dois-je te parler de ce bon cardinal et prince de l'Église qui fait actuellement l'objet d'une enquête pour collusion avec la Mafia ? »

Cela faisait des siècles que Brunetti avait droit aux tirades de Lele dans cette veine, et il perdit patience.

« D'accord, d'accord… Trouve-moi ce que tu peux. »

Ne lui tenant pas rigueur de cette brusque interruption, le peintre voulut savoir pourquoi Guido était aussi curieux.

Mais Brunetti lui-même ne le savait pas très bien.

« Parce que je n'ai pas la moindre piste à suivre, en dehors de celle-là, reconnut-il.

– Voilà le genre d'explication qui risque de me faire perdre confiance dans les représentants de l'État.

– As-tu jamais eu confiance en eux, par hasard ?

– Ça ne m'est même jamais venu à l'esprit. » Et il raccrocha.

Brunetti resta assis et essaya de trouver un moyen de pénétrer à nouveau dans l'appartement de la signora Jacobs. Il l'imagina, affaissée dans son fauteuil, s'enfumant les poumons à grandes bouffées désespérées. Il tenta de se représenter la scène le plus précisément possible, comme si c'était l'une des pièces d'un puzzle du genre *Qu'est-ce qui cloche dans ce tableau ?* Un tapis couvert de cendre de cigarette. Des fenêtres qui n'avaient pas été nettoyées depuis des lustres. Des céramiques d'Iznik. Un vase en céladon, sur la table. Le paquet bleu de Nazionali. Le briquet bon marché. La chaussure avec un trou au bout, pour laisser dépasser un oignon. Une danseuse de Degas… Qu'est-ce qui clochait dans ce tableau ?

C'était tellement évident qu'il se traita d'idiot de ne pas y avoir pensé avant : le décalage entre richesse et pauvreté. N'importe laquelle de ces céramiques, le plus modeste de ces dessins auraient suffi à payer non seulement le nettoyage, mais la restauration de tout l'appartement ; et quiconque aurait été en possession de ces gravures ne se serait certainement pas contenté des cigarettes les moins chères sur le marché. Il fouilla dans sa mémoire, essayant notamment de se souvenir de ce qu'elle portait, mais on ne fait pas attention à la manière dont s'habillent les personnes âgées. Il ne lui restait qu'une vague impression de foncé : gris, brun, noir – et d'une robe ou d'une jupe, un vêtement, en tout cas, qui lui descendait jusqu'aux chevilles. Il ne se rappelait même pas s'il était propre ou non, ou si elle portait des bijoux. Il se promit de ne pas oublier la faiblesse de sa propre mémoire, la prochaine fois qu'il s'impatienterait en interrogeant un témoin ayant des difficultés à lui décrire l'assassin.

Le téléphone le fit sursauter et l'arracha à sa rêverie.

« Oui.

– Je pense que si vous descendez, vous ne serez pas déçu, monsieur, lui dit la signorina Elettra.

– Oui », répéta-t-il sans perdre son temps à lui demander si elle avait une réponse de son ami de Genève.

Quand il arriva dans l'antichambre où officiait la jeune femme, celle-ci eut un sourire qui lui prouva que c'était le cas.

« L'argent vient d'une galerie de Lausanne du nom de Patmos, lui dit-elle dès qu'elle le vit. Il est déposé tous les mois sur un compte à Genève afin d'être viré ici, sur son compte.

– Des instructions ?

– Non, simplement un ordre de virement.

– Vous leur avez parlé ?

– À qui, à la banque ou à la galerie ?

– À la galerie.

– Non, monsieur. Je pensais que vous préféreriez vous en charger.

– Il vaudrait mieux s'adresser à eux en français. Les gens se sentent toujours plus en sécurité dans leur propre langue.

– Comment dois-je me présenter, monsieur ? » demanda-t-elle tandis qu'elle décrochait et composait le 9 pour avoir la ligne extérieure.

– Dites que vous appelez de la part du questeur. »

Ce qu'elle fit, mais cela ne servit à rien. Le directeur de

la galerie, qu'on finit par lui passer, refusa de divulguer la moindre information sur les paiements tant qu'il n'aurait pas reçu l'ordre de le faire de la part d'un tribunal suisse. À voir l'expression de la signorina Elettra, Brunetti conclut que l'homme lui avait répondu sans beaucoup de courtoisie.

« Et à présent ? » demanda-t-il quand elle lui eut livré la teneur de la réponse et la manière dont elle avait été donnée.

La signorina Elettra ferma les yeux et leva un instant les sourcils, comme pour souligner l'insignifiance du problème qu'on lui posait.

« C'est en gros comme dans les films policiers, quand on dit aux gens qu'il y a deux façons de procéder : celle qui est agréable et celle qui ne l'est pas. Monsieur Lablanche a choisi celle qui ne l'est pas.

– Pour lui, ou pour nous ?

– Pour nous, pour le moment. Mais peut-être pour lui aussi, en fonction de ce que nous trouverons.

– Puis-je savoir ce que vous comptez faire ?

– Étant donné que c'est à la limite de la légalité (Brunetti se douta que c'était un euphémisme), il vaudrait peut-être mieux que vous évitiez de poser la question.

– En effet. Cela prendra-t-il beaucoup de temps ?

– Juste celui qu'il vous faudra pour aller jusqu'à la *fondamenta* et y siroter un café. En fait, ajouta-t-elle en consultant sa montre, je vais m'y mettre tout de suite et vous rejoindrai dans quelques minutes. »

Tel Adam, il craqua. « C'est aussi facile que ça ? »

Sans doute la jeune femme était-elle d'humeur philosophique, car voici ce qu'elle lui dit en guise de réponse :

« Un jour, j'ai demandé à un plombier venu réparer mon chauffe-eau et qui avait terminé en moins de trente secondes comment il osait me réclamer cinquante euros pour tourner un petit bouton. Il m'a répondu qu'il lui avait fallu vingt ans pour apprendre quel bouton tourner. Et je suppose donc que c'est comme ça : ça ne me prendra peut-être que quelques minutes, mais il m'aura fallu des années d'apprentissage pour savoir quel bouton tourner.

– Je vois. »

Brunetti descendit jusqu'au bar du Ponte dei Greci et commanda un café. Il s'écoula cependant un peu plus de vingt minutes avant que la signorina Elettra ne le rejoigne.

Une fois un café posé devant elle, elle prit la parole :

« La galerie est dirigée par deux frères qui sont les petits-fils du fondateur. La police suisse s'intéresse beaucoup à certaines de leurs acquisitions récentes, en particulier à des pièces venues du Moyen-Orient, trois de celles figurant dans leur catalogue ayant été autrefois la propriété de riches Koweitiens. C'est du moins ce que prétendent les riches Koweitiens en question ; mais malheureusement, ils n'ont ni factures ni photos pour asseoir leurs prétentions, ce qui signifie qu'ils se sont sans doute eux-mêmes procuré ces œuvres illégalement. »

Elle prit une gorgée de café, y rajouta un soupçon de sucre, prit une deuxième gorgée et reposa la tasse.

« Le grand-père gérait la galerie pendant la guerre et semble avoir reçu pas mal de tableaux d'Allemagne, de France et d'Italie, à l'époque. Tous accompagnés d'un pedigree impeccable : factures détaillées et déclarations aux douanes. Il y a eu une enquête après la guerre, bien entendu, mais elle s'est terminée par un non-lieu. La galerie est très connue, fait de gros bénéfices et passe pour être des plus discrètes. »

Quand Brunetti eut l'impression qu'elle n'avait plus rien à dire sur la galerie, il la relança :

« Et les virements bancaires ?

– Comme vous l'avez dit : cinq mille euros par mois. Elle avait seize ans quand tout ça a commencé. »

Ce qui faisait, calcula rapidement Brunetti, plus de deux cent cinquante mille euros, dont il ne restait que mille cinq cents sur son compte.

« Comment est-il possible que tant d'argent entre dans le pays à partir de l'étranger et qu'il n'y ait aucune enquête ?

– Comment, vous ne savez pas, monsieur ? Peut-être que ces sommes étaient déclarées et qu'elle payait des impôts dessus, aussi invraisemblable que cela paraisse. À moins, bien sûr, que la banque n'ait bénéficié de quelque arrangement discret et que ces transferts n'aient pas été signalés. Ou que les rapports n'aient pas été lus.

– Mais… est-ce que le fisc ne doit pas être automatiquement mis au courant, quand autant d'argent entre dans le pays ?

– Si. Encore faut-il que les banques veuillent bien le leur dire, monsieur.

– Ça paraît difficile à avaler.

– Pas mal de choses que font les banques sont difficiles à avaler. »

Brunetti n'avait pas oublié qu'avant d'être engagée à la questure, la signorina Elettra avait travaillé pour la Banca d'Italia et devait donc savoir de quoi elle parlait.

« Comment pourrait-on découvrir où allait l'argent après avoir été déposé sur le compte de Claudia ?

– En le demandant à la banque ou en trouvant un moyen d'accéder au compte en question.

– Qu'est-ce qui est le plus simple ?

– Vous ont-ils facilement communiqué les informations, quand vous leur avez parlé ? Je suppose que vous leur avez dit qu'elle était décédée. »

Brunetti évoqua la courtoisie formelle avec laquelle le directeur l'avait accueilli.

« Non, je ne le lui ai pas dit. Il m'a tout de suite passé une employée et elle m'a envoyé par fax une copie des dépôts et des retraits effectués sur le compte. Mais cela n'expliquait pas les gros transferts.

– Dans ce cas, je crois qu'il serait plus sage d'aller voir par nous-mêmes », suggéra la signorina Elettra.

Que la procédure soit illégale ne faisait aucun doute dans l'esprit du commissaire, sans que cela le fasse hésiter un instant.

« On y retourne et on jette un coup d'œil ?

– Rien de plus facile, monsieur », dit-elle avant de vider sa tasse.

De retour dans le bureau de la jeune femme, ils étudièrent les informations que celle-ci fit apparaître à l'écran et découvrirent ainsi que Claudia Leonardo, au cours des dernières années, avait envoyé le gros de son argent à divers endroits dans le monde : la Thaïlande, le Brésil, l'Équateur et l'Indonésie n'étaient que quelques-uns des pays vers lesquels des transferts avaient eu lieu. Ceux-ci n'étaient pas effectués selon une procédure définie, et les sommes variaient de cinq cents euros à cinq mille euros. Le total, cependant, excédait largement les cent cinquante mille euros. D'autres sommes avaient été versées sous la forme d'*assegni circolari* à toutes sortes d'œuvres de bienfaisance : un orphelinat au Kerala, Médecins sans Frontières, Greenpeace, un hospice pour malades du sida à Nairobi.

« Paola avait raison, dit-il à haute voix. Elle a tout donné.

– C'est un comportement curieux pour quelqu'un de son âge, vous ne trouvez pas ? observa la signorina Elettra. Si les chiffres sont exacts, dit-elle en montrant du doigt l'addition qu'elle avait faite au bas de la page, on est proche de deux cent cinquante mille euros. »

Il acquiesça.

« Et sans impôts à payer, n'est-ce pas ? reprit-elle. Pas si ces sommes allaient à des organisations caritatives. »

Ils étudièrent encore les chiffres pendant un moment, ni l'un ni l'autre ne comprenant ce qu'ils signifiaient, sinon que la somme totale était importante et qu'elle avait été dispersée un peu partout dans le monde.

« N'avez-vous trouvé aucune mention d'un notaire ou d'un homme de loi ? demanda soudain Brunetti.

– Là-dedans, vous voulez dire ? répondit-elle avec un geste vers les papiers de la jeune fille, encore éparpillés sur le bureau.

– Oui.

– Non. Mais je n'ai pas vérifié tous les numéros de téléphone, dans son carnet d'adresses. Voulez-vous que je le fasse ?

– Comment ? En les appelant les uns après les autres ? » dit-il, prenant le carnet qu'il ouvrit à la lettre A.

N'eut-il pas l'impression qu'elle avait fermé les yeux pendant une fraction de seconde ? Peut-être. Pendant qu'il réfléchissait, elle lui prit le carnet des mains.

« Non, monsieur, les télécoms ont un programme qui permet de retrouver un nom et une adresse à partir d'un numéro de téléphone. Il suffit de le composer et on obtient l'information instantanément.

– Et si on les appelle, ils nous renseigneront ?

– Dans d'autres pays, c'est un service public. Mais en Italie, les seuls à disposer de ce service sont les télécoms eux-mêmes, et je doute fort qu'ils vous en livrent l'accès sans un mandat formel d'un tribunal… Mais Giorgio m'a donné une copie de ce programme.

– Parfait. Voulez-vous, dans ce cas, vérifier si certains numéros ne correspondent pas à un notaire ou à un avocat ?

– Et ensuite ?

– Ensuite, j'irai leur parler.

« – Voulez-vous que je prenne les rendez-vous ?

– Non, je préfère débarquer sans m'être annoncé.

– Comme un cambrioleur ?

– *Comme un fauve se jetant sur sa proie* serait une manière plus flatteuse de dire les choses, signorina, mais votre image est peut-être plus proche de la réalité. »

15

Ce ne fut qu'après dix-huit heures que la signorina Elettra lui apporta le fruit des travaux qu'elle avait effectués grâce au programme piraté par Giorgio. Elle ne put empêcher un sourire satisfait de venir éclairer son visage en posant la feuille devant Brunetti. « C'est là, monsieur. Seul le numéro figurait dans le carnet, aucun nom. Mais c'est un notaire. »

Le commissaire jeta un coup d'œil au document.

« Vraiment ? demanda-t-il en voyant un patronyme qu'il connaissait depuis toujours. Je croyais qu'il était mort il y a des années.

– Non monsieur, c'est le fils Filipetto qui est mort, d'un cancer du pancréas. Il doit y avoir six ou sept ans. Il avait repris l'étude de son père, mais il a eu le temps, avant de mourir, de la transmettre à son neveu, le fils de sa sœur.

– Celui qui a eu cet accident de bateau, il y a un ou deux ans ? demanda Brunetti.

– Oui. Massimo.

– Le grand-père travaille encore ?

– Il ne peut pas exercer, s'il a transféré son étude à son fils ; de plus, l'adresse est différente de celle du bureau de San Polo. »

Brunetti se leva, plia la feuille en quatre et la glissa dans la poche intérieure de sa veste.

« Le connaissez-vous, monsieur ?

– Je l'ai rencontré une fois, il y a bien longtemps, alors qu'il exerçait encore. Et vous ?

– Mon père a eu affaire à lui, il y a longtemps aussi. Ça s'est très mal passé.

– Pour qui ? Pour votre père, ou pour le dottor Filipetto ?

– Je crois qu'on aurait du mal à trouver une affaire ayant tourné au désavantage d'un Filipetto, que ce soit le père ou le fils… mis à part cette histoire de pancréas, bien entendu, ajouta-t-elle d'un ton acide.

– Qu'est-ce qui est arrivé ? »

Elle réfléchit quelques instants avant de répondre.

« Mon père détenait des parts dans un restaurant situé le long d'un canal. Le dottor Filipetto habitait au-dessus du restaurant, au troisième étage, et prétendait que les tables de la terrasse gênaient la vue qu'il avait sur le canal.

– Depuis le troisième étage ?

– Oui.

– Et comment ça a tourné ?

– Filipetto était l'ami de toujours du juge chargé de l'affaire. Tout d'abord, mon père et son associé ne se sont pas trop inquiétés, tant ses prétentions étaient absurdes. Puis il a appris que Filipetto et le juge étaient francs-maçons, membres de la même loge. Il a alors compris qu'il valait mieux régler les choses à l'amiable.

– Et comment ça s'est soldé ?

– Mon père a été contraint de lui verser un million de lires par mois, c'est-à-dire à peu près cinq cents euros d'aujourd'hui, en échange de sa promesse de ne pas porter plainte.

– Ça se passait quand ?

– Il y a vingt ans, environ.

– Un million de lires ! C'était une fortune, à l'époque.

162

– Mon père a vendu sa part dans le restaurant peu après ça. Il n'en parle jamais, mais je me souviens des épithètes avec lesquelles il accompagnait le nom de Filipetto, à l'époque. »

Cette histoire lui en rappelait beaucoup d'autres qu'il avait entendues, dans la même veine, concernant le *notaio* Filipetto.

« Je crois que je vais aller voir s'il est chez lui. »

En chemin, il s'arrêta dans la salle commune des officiers de police, où il trouva Vianello. Le lieutenant Scarpa s'était arrangé pour obliger le nouveau promu à rester là, sous prétexte qu'il n'y avait pas de bureau libre dans la salle des inspecteurs.

« Je vais jusqu'à Castello pour parler à quelqu'un. Ça te dirait de m'accompagner ?

– C'est à propos de la jeune fille ?

– Oui.

– Avec plaisir », dit-il. Il se leva et prit le veston posé sur le dossier de sa chaise. Une fois dehors, sur les marches de la questure, il demanda :

« Qui allons-nous voir ?

– Le *notaio* Gianpaolo Filipetto. »

Vianello ne s'immobilisa pas, mais son pas hésita un instant.

« Filipetto ? Il vit encore ?

– Il semblerait, répondit Brunetti. Claudia Leonardo avait son numéro de téléphone dans son calepin. »

Arrivés à la *riva*, ils tournèrent à droite et prirent la direction de la *piazza*, pendant que Brunetti expliquait à l'inspecteur le système des transferts de fonds, lui indiquant leurs destinataires ultimes.

« Je vois mal un Filipetto impliqué dans ce genre de choses, observa Vianello.

– Quoi ? Donner autant d'argent à des organisations caritatives ?

– Donner quoi que ce soit à des organisations caritatives.

– Nous ne savons pas s'il y a un rapport entre lui et l'argent de Claudia.» Brunetti, cependant, ne croyait pas un mot de ce qu'il venait de dire.

« Quand il y a Filipetto d'un côté et de l'argent de l'autre, il y a toujours un rapport », déclara Vianello comme s'il énonçait une vérité ancrée dans le patrimoine culturel vénitien depuis des générations.

« Tu as une idée de l'âge qu'il pourrait avoir ? demanda Brunetti.

– Non… pas loin de quatre-vingt-dix, je dirais.

– Un âge bien avancé pour s'intéresser à l'argent, non ?

– C'est un Filipetto. » Avec cette remarque, Vianello réduisit Brunetti au silence, anéantissant toute spéculation qu'il aurait pu être tenté de faire.

L'appartement se trouvait à Campo Bandiera e Moro, dans un bâtiment situé juste à la droite de l'église où Vivaldi avait été baptisé et d'où, d'après des rumeurs persistantes, nombre de peintures et de statues avaient disparu vers des collections privées pendant la période où avait sévi l'ancien curé. Ils durent sonner à plusieurs reprises avant qu'une voix de femme leur demande de s'identifier par l'interphone. Lorsque Brunetti eut répondu qu'ils étaient de la police et qu'ils venaient rendre visite au *notaio* Filipetto, la porte s'ouvrit avec un claquement et la voix leur dit « premier étage ».

La femme qui les attendait à la porte avait une étrange silhouette anguleuse : ses mâchoires, ses coudes, l'axe de ses yeux, tout semblait fait de lignes droites se croisant parfois selon des triangulations bizarres. Rien de courbe, rien d'arqué : sa bouche elle-même était une ligne droite.

« Oui ? dit-elle sans bouger d'une embrasure de porte aussi rectangulaire qu'elle.

– J'aimerais parler au *notaio* Filipetto », répondit Brunetti en tendant sa carte d'identité.

Elle ne prit pas la peine de l'étudier.

« À propos de quoi ?

– De quelque chose qui pourrait le concerner.

– Quoi ?

– C'est une affaire de police, signora, observa patiemment Brunetti, et j'ai bien peur de ne pouvoir en discuter qu'avec le notaire. »

Soit ses émotions étaient faciles à déchiffrer, ce dont Brunetti était loin d'être convaincu, soit elle voulait leur faire savoir à quel point elle désapprouvait une telle intransigeance.

« C'est un vieil homme. Il pourrait être perturbé par vos questions. »

De derrière elle, une voix haut perchée lança : « Qui c'est, Eleonora ? »

Elle ne répondit pas, et la voix reposa la même question, une première, puis une deuxième fois.

« Il vaut mieux entrer. Vous avez réussi à le mettre dans tous ses états, à présent », dit-elle en reculant dans l'appartement tout en leur tenant la porte. De l'intérieur, la voix continuait à répéter sa question ; Brunetti comprit qu'elle ne s'arrêterait pas avant d'avoir entendu une réponse.

Les lèvres de la femme se serrèrent, et le commissaire ressentit de la sympathie pour elle. Cette scène lui rappelait quelque chose, mais il ne savait quoi au juste, sinon que c'était un épisode de roman.

En silence, elle les précéda vers le fond de l'appartement. Vue de dos, elle était toujours aussi anguleuse ; ses maigres épaules étaient parallèles au sol, et ses cheveux, striés de blanc, étaient coupés au carré juste au-dessus de son col.

« J'arrive, j'arrive ! » dit-elle pour prévenir le vieillard. Soit en réaction à cette information, soit comme un mécanisme en fin de course, la voix s'arrêta.

Ils arrivèrent à hauteur d'une arche monumentale, contenant une porte en bois sculptée à double battant qui était grande ouverte.

« Il est là », dit-elle en les précédant dans la pièce.

Un homme très âgé était assis derrière un vaste bureau de bois, un demi-cercle de papiers étalés devant lui. La petite lampe de table, à sa gauche, ne diffusait qu'une faible lumière sur les documents et laissait le haut de son visage dans l'ombre.

Il avait des lèvres fines, étirées sur un dentier devenu trop grand avec l'amaigrissement des chairs. Des bajoues flasques pendaient sur ses fanons, lesquels étaient affaissés en plis sur son col, ce qui lui donnait un air de basset de dessin animé.

Brunetti se rendait compte qu'il les regardait, mais les yeux de Filipetto étant plongés dans la pénombre, son expression était impossible à déchiffrer.

« Oui ? dit le vieillard de la même voix grêle.

– Maître, commença Brunetti en s'avançant d'un pas pour tenter de mieux distinguer le visage de son interlocuteur, je suis le commissaire Guido Brunetti.

– Je sais qui vous êtes. J'ai connu votre père », le coupa Filipetto.

Le commissaire fut tellement surpris qu'il lui fallut un instant pour se remettre ; il crut alors remarquer un léger frémissement aux commissures des lèvres du vieillard. Filipetto avait un visage long et émacié à la peau cireuse. Des touffes de cheveux blancs adhéraient encore à son crâne tavelé, comme des restes de duvet sur la carcasse d'un poulet malade. Ses yeux commençant à s'ajuster à la pénombre, Brunetti vit que ceux du vieil homme, sous de lourdes paupières tombantes, avaient des iris couleur de vieux parchemin. Ils lui firent penser à des yeux de renard.

« C'est un homme qui a fait son devoir », reprit Filipetto d'un ton qui se voulait clairement admiratif. Il n'ajouta rien, mais ses lèvres continuèrent de bouger : il ne cessait de les aspirer contre ses fausses dents avec un bruit de succion.

Ce commentaire confirma les souvenirs que Brunetti avait de l'homme. C'était tout ce dont il avait besoin.

« Oui, c'est vrai, monsieur. C'est l'une des choses qu'il a essayé de nous enseigner.

– Vous avez un frère, il me semble ?

– Oui, monsieur.

– Bien. Un homme doit avoir des fils. » Avant que Brunetti ait pu répondre quelque chose – il n'aurait d'ailleurs pas su quoi dire –, Filipetto lui demanda :

« Et que vous a-t-il appris d'autre ? »

Le policier avait vaguement conscience que la femme se tenait toujours sur le seuil de la porte et que Vianello s'était automatiquement redressé, pour être aussi proche du garde-à-vous qu'on pouvait l'être en portant une cravate jaune.

« Devoir, honneur, dévotion au drapeau, discipline », récita Brunetti, s'efforçant de se remémorer les mots d'ordre prônés par le fascisme ; il les avait toujours trouvés grotesques, mais les déclina du ton le plus sérieux. Il sentit Vianello qui se raidissait encore plus à ses côtés, comme fouetté par la force dynamisante de ces idées.

« Asseyez-vous, commissaire », dit Filipetto qui, ignorant Vianello, demanda à Eleonora d'apporter une chaise au commissaire. Elle s'avança et Brunetti se força à attendre, comme s'il était habitué à être servi par une femme. Elle plaça la chaise juste en face du vieillard, et Brunetti s'assit sans la remercier.

« Pour quel motif êtes-vous venu me voir ? demanda Filipetto.

– Votre nom est apparu, monsieur, au cours d'une

enquête que nous dirigeons. Quand je l'ai vu, je...»
Brunetti partit d'un petit rire nerveux semblable à une
toux, puis leva les yeux sur le notaire. «Eh bien, je me
suis souvenu de la manière dont mon père parlait de
vous, monsieur. Et, pour être franc, je n'ai pu résister à
cette occasion de vous rencontrer enfin.»

Pour autant qu'il s'en souvenait, la seule fois où il
avait entendu son père mentionner le nom de Filipetto
remontait à l'une de ses rares diatribes contre ceux qui
avaient bassement profité de la guerre pour piller les
coffres de l'État. Si ce nom n'était pas en tête de liste
(place occupée par l'homme qui avait vendu à l'armée
les godillots en carton bouilli ayant coûté la perte de
six orteils au père de Brunetti), il figurait dans le palmarès de ceux qui étaient passés sans effort du racket
du temps de guerre à la notoriété du temps de paix.

Le vieil homme regarda un instant Vianello et,
voyant l'expression approbatrice avec laquelle celui-ci
avait accueilli la dernière remarque de son supérieur,
lui dit qu'il pouvait aussi s'asseoir.

«Merci, monsieur», dit l'inspecteur, s'installant aussitôt sur une chaise, mais en prenant garde de rester bien
droit, comme s'il tenait à écouter avec un respect attentif les vérités qui, savait-on jamais, lui seraient peut-être
révélées dans la suite de cette conversation entre deux
hommes qui épousaient si étroitement ses opinions politiques.

«Et de quelle enquête s'agit-il? demanda Filipetto.

– Votre nom, répondit Brunetti – partant du principe
que nom ou numéro de téléphone, peu importait –, a
été trouvé parmi les papiers d'une personne récemment
décédée, et j'aurais aimé savoir si vous avez été en
relation avec elle.

– Il s'agit de qui?

– De Claudia Leonardo.»

Rien, dans l'expression du vieillard, n'indiqua que ce

nom lui était familier, mais à la manière dont il se mit à regarder les papiers posés devant lui, Brunetti, dont l'expérience en la matière était longue, comprit qu'il ne lui était pas étranger. De plus, étant donné que tous les journaux avaient parlé de l'assassinat, il était peu probable qu'il y ait encore des Vénitiens ignorant le crime.

« Qui ça ? demanda le notaire, la tête toujours inclinée.

– Claudia Leonardo. Elle est morte ici, à Venise. Assassinée.

– Et comment se fait-il que mon nom se soit retrouvé parmi ses affaires ? demanda Filipetto, levant de nouveau les yeux sur Brunetti, mais nullement curieux de savoir pourquoi et comment la jeune fille avait été tuée.

– C'est sans importance, monsieur. Si vous n'avez jamais entendu parler d'elle, cet entretien n'a pas lieu d'être.

– Faut-il que je vous signe une déclaration quelconque ?

– Monsieur, répondit Brunetti d'un ton presque outré, comme s'il était incapable de cacher sa surprise, votre parole est plus que suffisante. »

Filipetto redressa encore un peu la tête, ses lèvres s'étirant sur un sourire d'authentique satisfaction.

« Et votre mère ? Est-elle encore des nôtres ? »

Brunetti n'aurait su dire ce que le vieux notaire entendait par là : voulait-il savoir si sa mère était encore vivante ? C'était le cas. Si elle était encore saine d'esprit ? Malheureusement non. Ou si elle était restée fidèle aux idées politiques qui avaient coûté à son mari sa jeunesse et la paix de son esprit ? Étant donné qu'elle n'avait manifesté que du mépris pour les idées en question, de toute façon, Brunetti se sentit autorisé à ne répondre qu'à la première de ces hypothèses.

« Oui, monsieur, toujours.

– Bien, bien. Même si de plus en plus de gens commencent à reconnaître tout l'intérêt de ce que nous avons essayé de faire, il est réconfortant de savoir qu'il y a encore des gens fidèles aux anciennes valeurs.

– Je suis sûr qu'il y en aura toujours », répondit Brunetti sans trahir le dégoût que lui inspirait cette seule idée. Il se leva, laissant sa chaise là où elle était, et se pencha sur le bureau pour serrer la main du vieillard, une main froide et fragile.

« Ce fut un honneur, monsieur. »

Vianello s'inclina profondément, seul signe d'approbation qui lui vint à l'esprit.

Filipetto adressa un signe de la main à la femme, qui avait repris sa place dans l'embrasure de la porte.

« Rends-toi utile, Eleonora. Raccompagne le commissaire. » Il adressa un sourire d'adieu à Brunetti et se pencha de nouveau sur ses papiers.

Eleonora, dont le lien avec le vieil homme était toujours aussi flou, se tourna et reconduisit les deux visiteurs. Brunetti ne fit aucune tentative pour percer le voile de ressentiment silencieux dans lequel la femme s'était étroitement drapée pendant l'entretien, et se contenta donc de marmonner un remerciement avant de précéder Vianello dans l'escalier et de sortir sur le *campo*.

16

«Vraiment répugnant», fut le seul commentaire de Vianello, lorsqu'ils sortirent dans l'air frais du soir.

«Ah, mais grâce à eux, les trains n'avaient jamais de retard, objecta Brunetti.

– Oui, évidemment. Et en fin de compte, que représentent deux millions de morts et un pays en ruines, si les trains arrivent à l'heure ?

– Exactement.

– Seigneur ! Dire qu'on les pense tous morts et qu'il suffit de retourner une pierre pour en trouver un qui se terre dessous… »

Brunetti approuva d'un grognement.

«On peut comprendre pourquoi les jeunes croient à toutes ces conneries. Les écoles ne leur apprennent rien de ce qui s'est réellement passé. Mais on pourrait supposer que ceux qui ont vécu cette époque, qui étaient alors adultes et qui ont vu ce qui se passait, on pourrait supposer qu'ils en ont pris conscience.

– J'ai bien peur qu'il leur en coûte trop de renoncer à leurs convictions, proposa Brunetti en guise d'explication. Si on adopte sincèrement certaines idées, si on s'y voue corps et âme, j'imagine qu'il doit être à peu près impossible d'admettre que ce n'était que de la folie.

– Sans doute », concéda Vianello, qui n'avait cependant pas l'air tout à fait persuadé. Côte à côte, ils atteignirent la *riva* et tournèrent vers la Piazza San Marco.

« C'est étrange, monsieur, reprit l'inspecteur, mais depuis quelques années – et j'ai l'impression que ça se produit de plus en plus souvent –, il m'arrive de discuter avec quelqu'un et de repartir en me disant qu'il est cinglé. Vraiment cinglé. »

Brunetti, qui avait connu des expériences similaires, voulut savoir quelles étaient ces choses dont il parlait.

Vianello resta un bon moment songeur, donnant l'impression que c'était la première fois qu'il faisait part de cette impression à quelqu'un.

« Eh bien, je parle à des gens qui me disent qu'ils sont inquiets à cause du trou dans la couche d'ozone et de ce qui va arriver à leurs enfants et aux générations futures, et ils m'apprennent la minute suivante qu'ils ont acheté une de ces bagnoles monstrueuses comme les Américains les adorent. » Il fit quelques pas, au même rythme que Brunetti, réfléchissant à ce qu'il allait ajouter.

« Sans même parler de la religion, avec cette histoire de *padre* Pio guéri par une statue qui serait passée au-dessus du monastère, dans un avion.

– Quoi ? s'étonna Brunetti, ayant toujours cru que c'était une invention née de l'imagination de Fellini.

– Ce que je veux dire, c'est que peu importe l'histoire qu'ils racontent sur lui. Ce type-là était cinglé, et ils veulent en faire un saint. Oui, ajouta-t-il, sentant ses idées s'éclaircir, ce sont des choses comme ça, le fait que les gens peuvent les avaler, qui me fait me demander si le monde n'est pas fou.

– Ma femme affirme qu'il est plus facile d'accepter les aberrations du comportement humain si on se dit que nous sommes des sauvages équipés de portables, dit Brunetti.

– Elle est sérieuse ? demanda Vianello du ton de la curiosité plutôt que du scepticisme.

– Voilà quelque chose de très difficile à apprécier chez elle, Vianello. »

Puis ramenant la conversation sur le sujet de leur visite à Filipetto, il demanda :

« Qu'est-ce que tu en penses, toi ?

– Le nom lui disait quelque chose, c'est certain. » Brunetti fut satisfait de voir son intuition confirmée.

« Et la femme, qu'est-ce qu'elle t'inspire ?

– J'ai davantage fait attention au vieux bonhomme.

– Quel âge a-t-elle à ton avis ?

– Cinquante, soixante ans ? Pourquoi cette question ?

– Cela pourrait nous aider à comprendre quel est son lien avec lui.

– Vous pensez à un lien de parenté ?

– Oui. Il ne la traitait pas comme une domestique.

– Il lui a ordonné de vous apporter une chaise, lui rappela Vianello.

– Je sais. C'est ce que j'ai pensé, tout d'abord. Mais ce n'est pas de cette façon que les gens s'adressent aux domestiques ; ils sont plus polis avec eux qu'avec les membres de leur famille. » Brunetti le savait d'autant mieux qu'il avait pu observer, pendant des années, la manière dont la famille de Paola traitait ses employés de maison, mais il ne tenait pas à l'expliquer à l'inspecteur.

« Son nom n'était pas inscrit dans le carnet d'adresses, n'est-ce pas ?

– Non. Seulement son numéro de téléphone.

– Est-ce que la signorina Elettra a vérifié combien de fois la jeune fille l'a appelé ?

– C'est ce qu'elle fait en ce moment.

– Ce serait intéressant de savoir pour quelle raison elle a voulu le contacter, non ?

– D'autant plus qu'il prétend ne pas la connaître. »

C'est seulement en arrivant sur la Piazza San Marco

que Brunetti se rendit compte qu'il éloignait l'inspecteur de son domicile. Il s'arrêta.

« Je vais aller prendre le vaporetto. Ça te dirait de boire un verre, avant ?

– Non, pas dans ce quartier, dit-il en parcourant des yeux la place, avec ses nuées de pigeons et de touristes, les seconds tout aussi importuns que les premiers. Le prochain coup, vous allez m'inviter au Harry's Bar !

– Je crois qu'ils ne laissent entrer que les touristes », répondit Brunetti du ton le plus sérieux.

Vianello s'esclaffa, comme le font les Vénitiens à la seule idée d'aller au Harry's Bar, et déclara qu'il rentrerait chez lui à pied.

Brunetti, qui devait se rendre plus loin, alla jusqu'à l'arrêt du vaporetto et prit le numéro 1 en direction de San Silvestro. Il passa le temps du voyage à regarder sans vraiment les voir les façades des palazzi, repensant à leur visite chez Filipetto. La pièce était tellement plongée dans la pénombre qu'il n'avait pu distinguer grand-chose, mais rien ne suggérait l'opulence. Les notaires passaient pour les personnes les plus riches du pays et cela faisait des générations qu'on était notaire, chez les Filipetto, lesquels avaient toujours eu un fils pour reprendre l'étude et la clientèle du père. Cependant, ni le mobilier ni la décoration n'auraient pu laisser soupçonner la fortune de l'occupant des lieux.

Le veston que portait le vieillard était usé jusqu'à la trame à hauteur des poignets ; quant aux vêtements de la femme, la seule épithète qui leur convenait était celle de terne. Comme elle les avait conduits directement dans le bureau de Filipetto, il n'avait pu se faire une idée précise de la taille de l'appartement, mais ce qu'il avait aperçu du corridor central laissait supposer l'existence de nombreuses pièces. Sans compter qu'un notaire pauvre était aussi inconcevable qu'un prêtre pratiquant le célibat.

Une fois chez lui, même si Paola se garda bien de lui

demander si l'enquête progressait, il n'eut pas de mal à sentir sa curiosité. Il lui raconta donc l'entrevue avec Filipetto pendant qu'elle jetait les pâtes dans l'eau bouillante. À la gauche de la casserole mijotaient des tomates agrémentées, pour autant qu'il pouvait en juger, d'olives noires et de câpres.

« Où en as-tu trouvé d'aussi grosses ? demanda-t-il avant qu'elle puisse commenter l'épisode Filipetto.

– Les parents de Sara ont passé une semaine sur Salina et ils nous en ont ramené cinq cents grammes.

– Un demi-kilo de câpres ? demanda-t-il. Il va nous falloir un an pour manger tout ça.

– Elles sont salées. Elles pourront se conserver. Tu devrais peut-être demander à mon père ce qu'il pense de lui, ajouta-t-elle, changeant de sujet.

– De Filipetto ?

– Oui.

– Et qu'est-ce qu'il sait ?

– Demande-le-lui.

– Combien de temps pour la cuisson des…

– Appelle-le après le repas, le coupa-t-elle. Ça prendra peut-être un certain temps. »

Il tardait tellement à Guido de donner ce coup de téléphone que les câpres, sans même parler des pâtes, ne furent pas aussi appréciées qu'elles l'auraient été en temps ordinaire. Après avoir fini son dessert dont il avait à peine remarqué le goût, il retourna dans le séjour pour téléphoner.

À la mention du nom de Filipetto, le comte surprit Brunetti en lui disant qu'il préférait en parler autrement que par téléphone.

Le commissaire n'hésita pas.

« Quand ?

– Je dois partir demain pour Berlin et je ne serai de retour qu'à la fin de la semaine. »

Avant que le comte ne suggère une date plus tardive, Brunetti demanda :

« Et ce soir, vous auriez le temps ?

– Il est neuf heures passées, observa Falier, sur le ton de la simple constatation.

– Je peux être sur place dans un quart d'heure, insista Guido.

– Très bien, si tu préfères », répondit le comte en raccrochant.

Il fallut moins de quinze minutes à Brunetti pour se rendre au palazzo Falier, même s'il dut expliquer ce qu'il en était à Paola, qui le chargea de saluer ses parents et de les embrasser de sa part, alors qu'elle leur parlait en moyenne une fois par jour au téléphone.

Le comte l'attendait dans son bureau, en costume foncé et cravate sobre assortie. Brunetti s'était parfois demandé si la sage-femme qui avait mis au monde l'héritier des Falier n'avait pas vu émerger, à sa grande stupéfaction, un minuscule bébé portant déjà un costume trois pièces – fantaisie dont il n'avait jamais osé faire part à Paola.

Guido accepta la grappa que lui offrit le comte, eut un hochement de tête approbateur pour montrer qu'il en appréciait la qualité et s'installa dans un des canapés.

« Filipetto ?

– Que veux-tu savoir sur lui ?

– Son numéro de téléphone se trouvait dans le carnet d'adresses de la jeune femme assassinée la semaine dernière. Tu as dû voir ça dans les journaux. »

Le comte acquiesça.

« La police ne soupçonne tout de même pas le *notaio* Filipetto d'être l'auteur du crime ? dit-il avec un sourire.

– Non, d'ailleurs, je doute qu'il soit seulement capable de quitter son appartement. Je lui ai parlé en fin d'après-midi et il a nié connaître la jeune fille quand je lui ai dit que son nom figurait dans le carnet.

– Son nom ?

– Oui, j'ai un peu arrangé les choses, avoua Guido. J'ai pourtant eu l'impression qu'il la connaissait, ajouta-t-il, quand il vit que le comte gardait le silence.

– C'est bien le genre des Filipetto. Ils mentent par impulsion et par inclination, tous. Toute la famille. Depuis toujours.

– C'est une condamnation sans appel, pour le moins.

– Mais parfaitement justifiée.

– Depuis quand les connais-tu ? demanda Brunetti, tout autant intéressé par les faits que par les opinions de son beau-père.

– Depuis toujours, probablement, au moins de réputation. J'étais trop jeune pour avoir affaire directement à lui pendant la guerre et tout de suite après, mais ma famille a traité avec lui à l'occasion d'achats de propriétés.

– Il travaillait pour elle ?

– Non, répondit le comte comme s'il s'en défendait. Pour les vendeurs.

– Ils n'ont donc jamais travaillé pour vous ?

– Si, une fois, au tout début.

– Qu'est-ce qui s'est passé ? »

Le comte attendit un long moment avant de répondre, sirota un peu de grappa, savoura la gorgée et reprit :

« Tu comprendras que je ne te donne pas tous les détails », dit-il, préambule équivalent à une génuflexion devant l'opinion répandue qu'en matière financière, on doit se contenter d'explications minimales. Brunetti repensa au refus catégorique de Lele de discuter de quoi que ce soit d'important au téléphone, et se demanda si la suspicion n'était pas un trait génétique propre aux Italiens.

« Nous voulions acheter un bien immobilier et Filipetto devait établir l'origine de propriété. Il nous assura que le bien en question appartenait à l'un des héritiers. Mon père décida donc de conclure la transaction et versa une certaine somme à cet héritier. » Le comte marqua une pause, de façon que son gendre puisse en déduire que ce paiement avait été fait en liquide, sans reçu, c'est-à-dire illégalement – ce qui expliquait qu'il n'ait pas voulu en parler par téléphone.

« Mais au moment où l'affaire dut être tranchée devant le tribunal, il s'avéra que non seulement cette personne n'avait aucun titre légal de propriété, mais que Filipetto le savait et l'avait probablement toujours su. Je n'ai jamais pu découvrir de qui venait l'idée du dessous-de-table, de lui ou de l'héritier, mais je suis certain qu'ils se le sont partagé. »

Brunetti fut étonné du calme avec lequel le comte lui racontait cette arnaque. Peut-être que lorsqu'on avait passé toute une vie à patrouiller dans les eaux dangereuses du monde des affaires, un requin n'était plus qu'un poisson comme un autre.

« Depuis cette histoire, je n'ai plus jamais traité aucune affaire avec lui. »

Guido consulta sa montre et vit qu'il était déjà dix heures passées.

« À quelle heure dois-tu partir, demain matin ?

– C'est sans importance. Je n'ai plus tellement besoin de sommeil. Comme tant d'autres besoins et désirs, celui-là semble avoir tendance à décroître avec l'âge. »

Cette référence au vieillissement renvoya Brunetti à la signora Jacobs.

« Il y a aussi une Autrichienne très âgée plus ou moins impliquée là-dedans. Hedwig Jacobs. Est-ce que tu la connais ?

– Ce nom me dit quelque chose… mais je n'arrive pas à me souvenir dans quel contexte je l'ai entendu. Quel est son rapport avec l'affaire ?

– Elle était la maîtresse de Guzzardi.

– Pauvre femme – même si c'est une Autrichienne.

– Autrichienne ou pas, elle lui est restée fidèle », observa Guido, lui-même surpris d'avoir pris aussi vite la défense de la vieille dame. Comme le comte ne réagissait pas, il ajouta : « C'était il y a cinquante ans. »

Orazio Falier resta quelques instants songeur avant de soupirer :

« Oui… »

Il se leva et alla chercher la bouteille de grappa. Il remplit leurs deux verres, posa la bouteille sur la table et reprit place dans son fauteuil.

« Cinquante ans… », répéta-t-il avec une tristesse dans la voix qui étonna Brunetti.

Peut-être était-ce ce tête-à-tête, joint à l'étrange intimité que créait l'heure, dans le palazzo silencieux, peut-être n'était-ce rien de plus que l'effet de la grappa, mais Guido se sentit déborder d'affection pour cet homme qu'il fréquentait depuis des dizaines d'années sans vraiment le connaître.

« Es-tu fier de ce que vous avez fait pendant la guerre ? » demanda-t-il impulsivement, aussi surpris d'avoir posé la question que le comte le fut de l'entendre.

S'il avait cru que son beau-père allait réfléchir avant de répondre, Guido s'était lourdement trompé, car la réaction d'Orazio Falier fut instantanée :

« Non, je n'en suis pas fier. Je l'étais sans doute au début, j'imagine. Il faut dire que j'étais très jeune, je sortais à peine de l'enfance. Quand les hostilités ont pris fin, je n'avais même pas dix-huit ans, mais j'avais vécu et agi comme un homme, ou comme je pensais qu'un homme devait vivre et agir, pendant plus de deux ans. Sur un plan moral, cependant, ajouta le comte avec un sourire qui parut étrangement doux à Guido, je n'étais qu'un gamin, un simple gamin. »

Il baissa les yeux et étudia les motifs du tapis, remettant machinalement en place, du bout du pied, une frange déplacée. Cela rappela à Brunetti Claudia Leonardo et les circonstances de sa mort. La voix du comte le tira de ses réflexions.

« On ne devrait jamais être fier d'avoir tué d'autres hommes, en particulier des hommes comme ceux que nous avons tués, vers la fin. » Il regarda Brunetti dans les yeux, désireux de bien se faire comprendre. « Tout le monde a dans la tête, j'imagine, ce même cliché du soldat allemand : un géant blond avec l'insigne à tête de mort des SS sur les revers, essuyant le sang de sa baïonnette après l'avoir enfoncée dans la gorge de… je ne sais pas, d'une religieuse ou de la mère d'un gamin. Les hommes avec lesquels j'étais m'ont dit en avoir vu, au début ; mais à la fin, ce n'étaient que des gosses terrifiés habillés de tenues dépareillées qu'on baptisait du nom d'uniforme, auxquels on avait donné des fusils et qui espéraient former, grâce à ça, une véritable armée.

« Mais ce n'étaient en fin de compte que des gamins, terrifiés à l'idée de la mort, comme nous l'étions nous-mêmes. » Il prit une gorgée de grappa et garda le verre dans le creux de la main pour le chauffer.

« Je me souviens du dernier que nous avons tué. » Sa voix était toujours aussi calme et dépourvue d'émotion, comme s'il se sentait très loin des événements qu'il décrivait.

« Il devait avoir seize ans, tout au plus. Nous lui avons fait un procès, ou plutôt ce que nous avons appelé un procès. Mais ça se rapprochait davantage de la méthode classique des westerns américains : qu'il ait un procès équitable et qu'on le pende. Sauf que nous l'avons fusillé. Oh, nous nous croyions importants, nous nous prenions pour des héros, à jouer ainsi les procureurs et les juges. Lui, c'était un gosse, totalement à notre merci, et il n'y avait aucune raison de ne pas le garder comme prisonnier. Ils se sont rendus une semaine plus tard. Mais lui, à ce moment-là, était mort. »

Le comte détourna la tête et regarda par la fenêtre. Et c'est en contemplant les lumières qui brillaient de l'autre côté du canal qu'il poursuivit.

« Je ne faisais pas partie du peloton qui l'a exécuté, mais j'ai dû le conduire jusqu'au mur et lui bander les yeux. Je suis sûr que l'un de nous avait dû lire ça dans un roman, ou le voir dans un film. Il me semblait déjà, et il me semble encore, qu'il vaudrait mieux voir qui vous tue. Un condamné devrait au moins avoir droit à ça. Au moins. Mais c'est peut-être pour cette raison que nous l'avons fait, pour qu'il ne puisse pas nous voir. »

Le comte resta longtemps silencieux, réfléchissant peut-être à ce qu'il venait de dire.

« Il était terrifié. Juste au moment où j'allais lui bander les yeux, il a mouillé son pantalon. Mais je n'ai éprouvé aucune pitié pour lui ; sans doute étais-je content d'avoir réduit cet Allemand à ressentir une terreur aussi abjecte. Il aurait été charitable de l'ignorer, mais il n'y avait aucune bonté ni charité en moi, à cette époque, ni en aucun de nous. J'ai regardé la tache sur son pantalon, et il a suivi mon regard. Alors il s'est mis à pleurer, et le peu d'allemand que je connaissais suffisait pour comprendre ce qu'il disait. "Je veux ma maman… je veux ma maman…" Ensuite il ne pouvait plus s'arrêter de sangloter. Il avait le menton sur la poitrine et je n'arrivais pas à lui attacher le bandeau autour des yeux. Alors je me suis éloigné, et ils l'ont abattu. J'aurais pu me servir du mouchoir pour sécher ses larmes, sans doute, mais comme je te l'ai dit, j'étais jeune et sans pitié. »

Le comte se détourna des lumières et revint à Brunetti.

« Ensuite, je l'ai regardé. Il avait le visage couvert de morve, et la poitrine de sang. Et c'est à cet instant précis que la guerre s'est arrêtée pour moi. Je n'y ai pas pensé, sur le moment, en tout cas pas avec des grands mots, et certainement pas, comme je le dirais aujourd'hui, en termes moraux ; mais j'avais l'intime conviction que ce que nous venions de faire était mal et que nous l'avions assassiné, exactement comme si nous l'avions trouvé endormi dans son lit, chez sa mère, et lui avions tranché la gorge. Il n'y avait rien de glorieux dans cet acte, aucune finalité, aucun but. Le lendemain, nous en avons tué trois de plus. J'avais été d'accord pour le premier et pensais que nous avions eu raison, mais après ça, j'ai pris conscience de ce que nous faisions ; pourtant, je n'avais pas le courage d'essayer d'arrêter les autres, car je craignais pour moi, au cas où je m'y opposerais. Si bien que, pour répondre une fois de plus à ta question, non, je ne suis pas fier de ce que j'ai fait pendant la guerre. »

Le comte vida son verre et le posa sur la table, puis se leva.

« Je crois que je n'ai pas envie d'en dire davantage. »

Brunetti se leva à son tour, et une fois de plus sous l'effet d'une impulsion qui le surprit lui-même, s'avança jusqu'au comte et le serra dans ses bras, le tenant un long moment contre lui. Puis il fit demi-tour et quitta le bureau sans un mot.

17

Paola dormait quand il se glissa dans la chambre ; elle refit surface pour lui demander comment l'entrevue s'était passée avec son père, mais il la sentit si ensommeillée qu'il se contenta de lui dire qu'ils avaient parlé. Il l'embrassa et alla voir si les enfants étaient couchés. Il ouvrit la porte de Raffi après avoir frappé deux coups légers et le trouva étalé à plat ventre, membres en croix, un pied et une main dépassant du lit. Brunetti pensa à l'ascendance masculine de son fils : un grand-père revenu de la campagne de Russie avec seulement quatre orteils, et l'autre, bourreau volontaire de gamins sans armes. Il referma la porte et alla voir Chiara qui, elle, dormait paisiblement dans des draps sans un pli. Une fois au lit, il pensa un moment à sa famille avant de sombrer dans un sommeil profond.

Le lendemain, il passa voir la signorina Elettra et la trouva assiégée par les piles de papiers qui avaient envahi son bureau.

« Serait-il possible que je trouve des choses prometteuses là-dedans ? demanda-t-il.

– N'est-ce pas Harold Carter qui a dit, lorsqu'il est finalement entré dans la tombe : "Je vois des choses, des choses merveilleuses" ?

– Je suppose que vous ne faites pas allusion à des

masques en or et à des momies, signorina », répliqua Brunetti.

Tel un croupier, elle ratissa un certain nombre de documents et les empila à sa droite.

« Tenez, jetez un coup d'œil là-dessus. J'ai imprimé les dossiers de son ordinateur.

– Et les comptes bancaires ? » demanda-t-il, tirant une chaise pour s'asseoir à côté d'elle.

« Oh, c'était ce que j'avais prévu ! répondit-elle du ton désinvolte avec lequel on mentionne l'évidence. La banque n'a jamais signalé les dépôts au fisc, et le fisc n'a jamais rien demandé à la banque.

– Qu'est-ce qu'on peut en déduire ? demanda-t-il, même s'il avait sa petite idée.

– Le plus probable est que le fisc n'a jamais pris la peine de comparer ses déclarations fiscales avec les avis de transferts de l'étranger.

– Ce qui signifie ?

– Négligence ou pots-de-vin, je dirais.

– Est-ce possible ?

– Comme je vous l'ai déjà dit à plusieurs reprises, monsieur, quand on a affaire à une banque, tout est possible. »

Brunetti s'inclina devant cette manifestation de sagesse et voulut savoir si la jeune secrétaire avait eu des difficultés à réunir ces informations.

« Étant donné les réticences bien compréhensibles des banques suisses et la propension au mensonge des nôtres, j'ai eu un peu plus de mal que d'habitude. »

Brunetti commençait à savoir jusqu'où il pouvait aller avec elle et n'en demanda pas davantage, toujours mal à l'aise à l'idée des informations qu'on pourrait demander à la jeune femme en échange.

« Voici son courrier, dit la signorina Elettra en lui tendant une pile de papiers. Les dates et les sommes mentionnées correspondent aux transferts bancaires effectués depuis son compte. »

La première lettre qu'il lut accompagnait un virement destiné à un orphelinat en Inde : la jeune fille espérait que sa contribution aiderait les enfants à vivre mieux ; la suivante était adressée à un foyer pour femmes battues à Pavie, dans laquelle elle déclarait en gros la même chose. Chacune des lettres mentionnait néanmoins que ce don était fait à la mémoire de son grand-père, mais sans en donner le nom – pas plus qu'elle ne donnait le sien, d'ailleurs.

« Elles sont toutes comme ça ? demanda-t-il.

– Toutes, à de rares détails près. Elle ne donne ni son nom ni celui de son grand-père et dit qu'elle espère aider les gens à avoir une vie meilleure. »

Brunetti soupesa la pile de papiers.

« Il y en a combien ?

– Plus de quarante, toutes pratiquement identiques.

– Et la somme, c'est toujours la même ?

– Non, elle varie, bien qu'elle paraisse avoir eu un faible pour cinq mille euros. Le total n'est pas loin de la somme d'argent provenant de Suisse. »

Il songea qu'un tel montant devait représenter une fortune pour un orphelinat indien, ou même pour un refuge pour femmes battues.

« En a-t-elle envoyé plusieurs fois au même endroit ?

– Oui, à l'orphelinat du Kerala et à l'hospice pour les malades du sida. Ces deux-là sont ses préférés, si je puis dire, mais sinon, tous les autres sont différents.

– Autre chose ? »

Elle montra la pile de documents la plus proche.

« Les dissertations qu'elle a faites pour ses cours de littérature. Je n'ai pas eu le temps de les lire toutes, mais je peux d'ores et déjà vous dire qu'elle déteste Gilbert Osmond. »

Paola, à qui il arrivait de citer ce nom, partageait, se

souvenait-il, le mépris de l'étudiante pour cet écrivain. « C'est tout ? »

Lui indiquant une autre pile, à gauche de l'ordinateur, elle lui dit que c'était de la correspondance personnelle sans intérêt.

« Et ça ? demanda-t-il avec un geste vers une dernière feuille de papier solitaire.

– Elle ferait pleurer des pierres, répondit-elle en la lui tendant.

– *Moi, Claudia Leonardo,* lut-il, *déclare que tous les biens que je possède doivent être vendus, à ma mort, et les profits distribués aux organismes charitables dont la liste figure ci-dessous. C'est loin de compenser une vie d'acquisitions malhonnêtes, mais au moins est-ce un effort dans cette direction.* » En dessous se trouvaient les noms et adresses de seize organisations charitables différentes, dont l'orphelinat indien et le foyer pour femmes battues de Pavie.

« Acquisitions malhonnêtes ?

– Elle avait mille six cent cinquante euros sur son compte au moment de sa mort », fut la seule réponse de la signorina Elettra.

Brunetti relut le testament, s'arrêtant à *acquisitions malhonnêtes.*

« Elle veut parler de son grand-père », dit-il, comprenant tout à coup ce qui était évident.

La signorina Elettra, qui avait appris, dans ses grandes lignes, l'histoire de la famille Guzzardi de la bouche de Vianello, approuva tout de suite.

Il remarqua que le document n'était pas signé.

« C'est le tirage que vous avez fait ? demanda-t-il.

– Oui. Mais il n'y en avait pas d'exemplaire signé parmi ses papiers, dit-elle avant qu'il ait le temps de poser la question.

– Ça se comprend. À cet âge, on ne pense pas que l'on va mourir.

« – Et en général, on ne meurt pas aussi jeune », commenta la jeune femme.

Brunetti posa le testament sur le bureau.

« Et dans sa correspondance privée, qu'avez-vous trouvé ?

– Des lettres à des amies et à d'anciennes camarades de classe, ainsi qu'à une tante qui habite en Angleterre. Elles étaient en anglais et Claudia y racontait ce qu'elle faisait, parlait de ses études, demandait des nouvelles des enfants de la tante et de celles des animaux de la ferme. Sincèrement, je ne pense pas qu'il y ait quoi que ce soit d'intéressant là-dedans pour nous, mais vous pouvez y jeter un coup d'œil, si vous voulez.

– Non, non, ça ira. Je vous fais confiance. Sinon, pas d'autre correspondance ?

– Seulement les choses courantes : l'université, le brouillon de ce qui semble être une lettre de candidature, mais elle ne comporte pas d'adresse.

– Une lettre de candidature ? s'étonna Brunetti, interrompant la secrétaire. Elle touchait plus de cinquante mille euros par an, pourquoi aurait-elle voulu travailler ?

– Les gens ne travaillent pas que pour l'argent, monsieur, lui rappela la signorina Elettra avec beaucoup de conviction.

– Oui, mais elle était étudiante.

– Que voulez-vous dire ?

– Qu'elle n'avait pas le temps de travailler, en tout cas, pas pendant l'année scolaire.

– Peut-être », concéda la signorina Elettra, avec un scepticisme qui laissait entendre qu'elle connaissait assez bien les exigences de l'université. Elle repoussa la pile de lettres et prit les relevés de compte de Claudia Leonardo.

« Ce qui est sûr, c'est qu'il n'y a eu aucun changement dans ses rentrées d'argent pouvant indiquer une autre source de revenus. Autrement dit, elle n'a touché aucun salaire.

– Évidemment, elle a pu travailler gratuitement, comme bénévole ou apprentie, observa Brunetti. C'est toujours une possibilité.

– Vous venez de dire vous-même qu'elle était étudiante, monsieur, et qu'elle n'aurait pas eu le temps.

– Il s'agissait peut-être d'un emploi à temps partiel, insista le commissaire. N'avez-vous rien trouvé, dans son courrier, suggérant qu'elle ait pu travailler ? »

La jeune femme réfléchit quelques instants avant de répondre.

« Non, mais je ne cherchais rien de spécial quand j'ai lu ces lettres. »

Sans lui poser la question, elle sépara en deux la pile du courrier de Claudia et en tendit une moitié à Brunetti.

Il recula sa chaise pour étendre ses jambes et commença à lire. Au fur et à mesure qu'il progressait parmi ces bribes d'une vie trop tôt fauchée, une image se forma, qui lui rappelait le cadeau de Noël qu'une de ses tantes lui avait fait, alors qu'il était encore enfant. Il avait été déçu lorsque, en ouvrant le minuscule paquet, il avait découvert ce qui paraissait être un haricot ou une fève en papier. Incapable de cacher sa déception, il avait demandé à sa tante à quoi ça servait. Au lieu de lui répondre, elle avait rempli une casserole d'eau et lui avait dit d'y mettre le haricot.

Celui-ci remonta comme par magie jusqu'à la surface et là, sous ses yeux émerveillés, se mit à se déployer dans tous les sens sous l'effet de l'eau qui défaisait ce qui paraissait être des milliers de plis minuscules, se dégageant les uns des autres. Lorsque l'objet s'immobilisa, il avait devant lui un œillet blanc parfait de la taille d'une pomme. Avant que l'eau ne l'imbibe complètement et ne le détruise, sa tante l'avait sorti et disposé sur le rebord de la fenêtre, dans le pâle soleil d'hiver. Il y était resté plusieurs jours. Chaque fois que Guido le regardait, il repensait à l'effet magique qui avait transformé une insignifiante boulette de papier en cette chose magnifique.

C'est un processus très voisin qui se passa, tandis qu'il lisait les mots de Claudia, croyant entendre sa voix. « *Ces pauvres Albanais ! Les gens les haïssent dès qu'ils apprennent d'où ils viennent, comme si leur passeport – en admettant que ces pauvres diables en aient – étaient les cornes du diable.* » « *Je ne supporte pas d'entendre mes amies se plaindre du peu qu'elles ont. Nous vivons, tous, mieux que les empereurs romains.* » « *Comme j'aimerais avoir un chien, mais comment avoir un chien dans une ville pareille ? On devrait prendre un touriste comme animal familier, à la place.* »

Rien de ce qu'il lut ne lui parut particulièrement profond et son langage était simple, mais si cette pile de papiers avait au premier abord paru dénuée de tout intérêt, elle venait cependant de fleurir.

Au bout de dix minutes, il leva les yeux et dit : « Trouvé quelque chose ? »

La signorina Elettra secoua la tête et poursuivit sa lecture.

Il s'écoula encore une dizaine de minutes.

« Elle passait beaucoup de temps à la bibliothèque, non ? observa-t-il.

– Elle était étudiante, lui fit remarquer la signorina Elettra, levant les yeux. Mais c'est vrai, elle y passait beaucoup de temps.

– Sans compter qu'on n'a pas l'impression qu'elle y faisait des recherches. »

Brunetti revint à la page précédente et lut : « *Il faut que je sois à neuf heures à la bibliothèque, et tu sais à quel point je suis affreuse à cette heure-là – de quoi faire peur à tout le monde !* »

Brunetti reposa la feuille.

« Voilà une considération qui paraît bizarre, non ? Faire peur à tout le monde ?

– En particulier si elle y va pour lire et étudier. Qu'est-ce que ça peut faire ? »

La question avait beau être rhétorique, ils la méditèrent tous les deux quelques instants.

« Combien de bibliothèques avons-nous à Venise ? demanda soudain Brunetti.

– Il y a la Marciana, la Querini Stampalia, celle de l'université elle-même, les bibliothèques de quartier et peut-être encore quatre ou cinq autres.

– Essayons ça », dit Brunetti, tendant déjà la main vers le téléphone.

Tout aussi rapidement, la signorina Elettra sortit l'annuaire d'un tiroir de son bureau et tourna les pages jusqu'à *Comune di Venezia*. L'une après l'autre, Brunetti appela les bibliothèques de Castello, de Cannaregio, de San Polo et de la Giudecca, mais aucune d'entre elles n'avait d'employée ou de bénévole du nom de Claudia Leonardo, pas plus que n'en avaient la Marciana, la Querini Stampalia ou la bibliothèque de l'université.

« Bon, et maintenant ? » demanda la secrétaire en refermant l'annuaire.

Brunetti le lui prit des mains et regarda à la lettre B.

« Jamais entendu parler de la Biblioteca della Patria ? demanda-t-il.

– De quoi ?

– Della Patria, répéta-t-il. M'a l'air de se trouver à l'autre bout de Castello. »

La jeune femme serra les lèvres et fit non de la tête.

Il composa le numéro ; il demanda à l'homme qui répondit si quelqu'un du nom de Claudia Leonardo avait travaillé à la bibliothèque. L'homme, qui avait un léger accent, lui fit répéter le nom, lui dit de rester en ligne et posa le téléphone. Quelques instants plus

tard, il le reprit pour demander qui était son interlocuteur.

« Le commissaire Guido Brunetti. Alors, Claudia
Leonardo ?

– Oui, elle a travaillé ici, répondit l'homme sans
faire allusion à son décès.

– Et vous êtes ?

– Maxwell Ford. »

La douceur tout italienne de sa voix avait disparu pour
laisser place aux rudes intonations anglo-saxonnes. En
réaction au silence pressant de Brunetti, il ajouta :

« Je suis le codirecteur de la bibliothèque.

– Et où se trouve exactement cette bibliothèque ?

– Tout au bout de la via Garibaldi, de l'autre côté du
Canal, devant Sant'Anna. »

Brunetti visualisait l'endroit, mais il n'avait aucun
souvenir d'avoir remarqué une bibliothèque dans ce
secteur.

« Je souhaiterais vous parler.

– Bien entendu, répondit Maxwell Ford, d'un ton
soudain plus chaleureux. C'est à propos de sa mort ?

– En effet.

– Une chose terrible. Nous avons été très choqués.

– *Nous ?* »

Il y eut un bref silence, et l'homme s'expliqua :

« Oui, ici, l'équipe de la bibliothèque. » Quand Ford
s'exprimait en italien, son accent était si léger qu'il en
devenait presque imperceptible.

« Je devrais être sur place d'ici une vingtaine de
minutes », dit Brunetti avant de raccrocher.

« Alors ? demanda la signorina Elettra.

– Le signor Ford est codirecteur de la bibliothèque,
mais il n'a pas paru très bien savoir, au début, si Claudia
y avait travaillé ou non.

– Ça rend toujours nerveux, d'être interrogé à propos
de quelqu'un qui a été assassiné.

191

– Peut-être. Je vais aller lui parler. Qu'avez-vous trouvé sur Guzzardi ?

– Deux ou trois choses. J'essaie de savoir ce qu'il est advenu des maisons qu'il possédait au moment de sa mort. »

Brunetti, qui se dirigeait déjà vers la porte, fit demi-tour.

« Il en avait beaucoup ?

– Trois ou quatre.

– Et vous essayez de savoir ce qu'elles sont devenues…

– En effet.

– Comment avez-vous appris leur existence ?

– J'ai demandé à mon père. »

Elle attendit la réaction de Brunetti, mais il n'avait pas le temps de lui parler de ça pour le moment – il tenait à voir le signor Ford le plus vite possible. En fait, il regrettait même d'avoir appelé la bibliothèque et dit et annoncé sa venue : la réaction des gens face à l'arrivée inopinée de la police chez eux était souvent aussi révélatrice que tout ce qu'ils pouvaient déclarer par la suite.

Brunetti repartit en direction de l'Arsenal, tournant à droite et à gauche et empruntant tel ou tel pont à l'instinct, tout en laissant l'histoire compliquée de Claudia Leonardo et de son grand-père prendre une forme puis une autre dans son esprit. Faits, dates, bribes d'informations, fragments de rumeurs, tout cela tourbillonnait sous son crâne, au point que ce fut seulement lorsqu'il se trouva devant l'entrée de l'Arsenal, avec la rangée de lions à l'air idiot sur sa gauche, qu'il se réveilla. Au milieu du pont de bois, il s'accorda quelques instants pour admirer, à travers la vaste entrée, l'intérieur de ce qui avait été jadis la source de la puissance de Venise et l'origine première de sa richesse et de son influence.

Avec de la main-d'œuvre qualifiée, des scies, des marteaux et tous ces outils aux noms bizarres qu'utilisent les charpentiers de marine, ils avaient réussi à construire un bateau par jour et à établir une domination incontestée sur les mers. Et aujourd'hui, alors qu'on disposait de grues, de perceuses et de la puissance quasi sans limite de l'électricité, rien n'indiquait que la Fenice renaîtrait un jour de ses cendres.

Il se détourna de ces réflexions ainsi que de l'entrée monumentale de l'Arsenal pour gagner la via Garibaldi, et de là, longeant le canal sur sa gauche, l'église Sant'Anna. En regardant la façade, il se rendit compte qu'il n'était jamais entré à l'intérieur ; peut-être était-elle désaffectée, comme nombre d'autres églises de la ville. Il se demanda pendant combien de temps tous ces monuments allaient continuer de servir de lieu de culte, à présent qu'il y avait si peu de pratiquants et que les jeunes, ses enfants y compris, ne trouvaient qu'ennui dans les discours de l'Église. Brunetti ne regrettait pas spécialement cette perte d'influence, mais l'idée que rien n'était venu la remplacer le mettait mal à l'aise. Une fois de plus, il dut chasser ces pensées de son esprit.

Il franchit le petit pont à sa gauche et se retrouva devant une imposante porte cochère verte. À sa droite, deux sonnettes : Ford, lisait-on sur la première, Biblioteca della Patria, sur la seconde. Il appuya sur celle de la bibliothèque.

Il y eut un claquement métallique et un battant s'ouvrit. Brunetti s'avança dans un hall d'entrée qui devait bien faire cinq mètres sous plafond. Les cinq fenêtres condamnées donnant sur le canal laissaient filtrer suffisamment de lumière pour illuminer les énormes poutres, presque de la taille de celles du Palazzo Ducale, qui soutenaient l'étage supérieur. Le sol était en briques disposées selon un simple motif en chevron. Il remarqua que, vers la porte du fond et les marches qui menaient vers la grille donnant sur le canal, une mousse sombre et luisante recouvrait les briques.

Il n'y avait qu'un escalier. Arrivé au premier palier, il se trouva en face d'un homme de petite taille, corpulent, habillé d'un costume trois pièces gris foncé ayant dû coûter une fortune, qui l'attendait devant une porte. Un peu plus jeune que Brunetti, il avait des cheveux roux clairsemés qui commençaient à prendre cette nuance étrange que présente ce type de cheveux en blanchissant.

« Commissaire Brunetti ? demanda-t-il en tendant la main.

– Oui. Signor Ford ? »

Les deux hommes échangèrent une poignée de main.

« Entrez, je vous en prie », dit Ford en s'effaçant pour laisser passer son visiteur, lui tenant la porte.

Brunetti franchit le seuil et regarda autour de lui. Une rangée de fenêtres donnait sur le canal, en direction de l'un des flancs de l'église. À sa gauche, à l'autre bout, d'autres fenêtres donnaient sur ce qui ne pouvait être que l'île toute proche de San Pietro.

Quatre ou cinq longues tables, toutes équipées de lampes de lecture à abat-jour vert, étaient disposées dans la salle ; des bibliothèques vitrées s'alignaient le long des murs, entre les fenêtres. Les murs libres étaient décorés de photos et d'autres documents encadrés, et une vitrine à trois étagères exposait des objets que Brunetti ne put identifier, d'où il se tenait.

Le plafond de la salle était aussi haut que celui de l'entrée, mais le policier fut incapable de reconnaître les drapeaux et les oriflammes qui pendaient des solives. À sa gauche, un long présentoir vitré, comme on en trouve dans les musées, contenait un certain nombre de carnets, tous ouverts pour qu'on puisse lire l'une de leurs pages.

« Je suis content que vous soyez venu, déclara Ford,

faisant un pas en direction d'une porte, sur la droite. Passons dans mon bureau, si vous le voulez bien. Nous serons mieux pour parler. »

Comme il n'y avait pas un seul lecteur dans la salle, Brunetti ne comprit pas pourquoi cela était nécessaire, mais il suivit Ford sans rien dire. La pièce était située à l'opposé de la vue sur San Pietro, et avait des fenêtres sur deux murs, l'une d'elles donnant sur une maison, de l'autre côté de la ruelle.

Là aussi, des étagères remplies moitié de livres et moitié de classeurs couvraient les murs situés entre les fenêtres.

S'installant dans le siège qui lui était offert, Brunetti commença par demander :

« Vous m'avez bien dit que Claudia Leonardo a travaillé ici ?

– Oui, en effet. »

Ford s'était assis en face de Brunetti et non à son bureau, refusant ainsi implicitement de prendre une position d'autorité. Il avait des yeux brun clair, un nez droit et, son embonpoint mis à part, il était plutôt bel homme – selon des critères anglais.

« Pendant combien de temps ?

– Environ trois mois, peut-être un peu moins.

– Quel était son rôle ?

– Elle remplissait les fiches des ouvrages entrants, aidait les lecteurs dans leurs recherches… bref, tout ce que fait habituellement une bibliothécaire. »

Ford avait répondu d'une voix calme aux questions de Brunetti, comme pour suggérer qu'il trouvait celles-ci justifiées et qu'il s'y attendait.

« Elle était étudiante, et n'avait pas suivi de formation de bibliothécaire, je suppose. Comment savait-elle faire tout cela ?

– Claudia était une jeune personne très brillante », répondit Ford en souriant pour la première fois de l'entretien. Ses yeux se remplirent de tristesse, tandis qu'il chantait les louanges de la jeune fille.

« Et pour tout dire, une fois qu'on a compris les principes de base d'une recherche, c'est pratiquement toujours pareil.

– Internet n'a-t-il pas changé tout ça ?

– Bien sûr, dans certains domaines. Mais pour ce qui est des informations dont nous disposons ici, à la bibliothèque, et le genre de renseignements que recherchent nos visiteurs, j'ai bien peur que ce ne soit pas accessible par Internet.

– Quel genre de renseignements ?

– Les récits personnels d'hommes ayant servi pendant la guerre et ayant fait partie de la résistance. Les noms des gens qui ont été tués. Les endroits où ont eu lieu de petits affrontements ou des escarmouches. Ce genre de détails.

– Et qui sont les personnes intéressées par ces informations ? »

La voix de Ford se fit plus animée, maintenant qu'on l'interrogeait sur le domaine qui lui était familier, à savoir la mort de jeunes gens intervenue un demi-siècle auparavant, loin de celle d'une jeune fille assassinée l'avant-veille.

« Très souvent, nous avons des demandes d'information de la part de parents pour des hommes déclarés disparus, ou faits prisonniers. Parfois, dans les journaux intimes ou les lettres de ceux qui ont combattu à leurs côtés, ou qui ont été capturés à la même époque, il est fait mention de ces disparus. Étant donné que l'essentiel des informations que nous détenons n'est pas publié, la bibliothèque est le seul endroit où l'on peut les trouver. Et où l'on a une chance de découvrir ce qui est arrivé à un parent…

– Les archives d'État ne permettent-elles pas d'obtenir ces renseignements ?

– Je doute que les Archives fournissent beaucoup d'informations de ce genre. Et c'est intentionnellement que j'ai employé le terme "fournir". Car bien sûr, elles détiennent ces renseignements, mais elles semblent répugner à les communiquer. Du moins dans des délais raisonnables.

– Pourquoi ? s'étonna Brunetti.

– Dieu seul le sait, répondit Ford sans chercher à cacher son exaspération. Je ne peux que vous dire comment elles fonctionnent – ou plus exactement, comment elles ne fonctionnent pas. » Comme toujours, lorsqu'un spécialiste s'échauffe en traitant son sujet favori, Ford parlait avec conviction et animation. « La procédure à suivre pour déposer une requête est inutilement compliquée et, pour le dire diplomatiquement, les Archives avancent à leur propre rythme. »

Brunetti ne demanda pas d'éclaircissement sur ce dernier point, mais y eut droit tout de même.

« Certaines personnes venues se renseigner ici avaient parfois déposé leur demande aux Archives trente ans auparavant ! Trente ans ! Un homme m'a même montré le dossier de sa correspondance concernant le sort de son frère, aperçu vivant pour la dernière fois en 1945. Il y avait je ne sais combien de lettres des Archives disant que sa requête suivait la procédure normale. »

Brunetti émit un bruit pouvant passer pour de l'intérêt, et Ford poursuivit :

« Le plus affreux, dans ce dossier, était que les premières lettres adressées par la famille du disparu à l'administration étaient signées par son père. Mais celui-ci était mort au bout de quinze ans sans avoir jamais eu la moindre information sur son fils disparu. C'était donc le frère qui avait repris le flambeau.

– Et pourquoi est-il venu vous voir ? »

Ford parut mal à l'aise.

« Ce n'est peut-être pas correct de se vanter de ce

que l'on fait et j'essaie de ne pas tomber dans ce travers, mais nous avons trouvé des informations pour de nombreuses personnes qui n'avaient pu les obtenir des Archives ; ainsi, le bouche à oreille a fonctionné et les gens savent que nous pouvons les aider.

– Vos services sont-ils payants ? »

Ford parut sincèrement surpris par la question.

« Non, absolument pas. La bibliothèque reçoit une petite subvention de l'État, mais l'essentiel de nos fonds provient de contributions privées et d'une fondation privée. »

Il hésita, puis se lança :

« Je trouve cette question offensante, commissaire. Excusez-moi de vous le dire, mais elle l'est.

– Je comprends, signore, dit Brunetti avec un petit signe de tête conciliant, mais je vous demande de tenir compte du fait que moi aussi je suis ici, en un sens, pour effectuer des recherches : je me dois donc de poser toutes les questions qui me viennent à l'esprit. Soyez assuré que je n'avais nulle intention de vous offenser. »

Ford accepta cette explication d'un signe de tête identique et l'atmosphère redevint plus chaleureuse.

« Et Claudia Leonardo ? s'enquit Brunetti. Comment se fait-il qu'elle soit venue travailler ici ?

– Au départ, c'était pour faire des recherches à titre personnel, mais quand elle a vu comment ça se passait, elle m'a demandé si elle pouvait venir travailler comme bénévole. En fait, elle n'était là que quelques heures par semaine. Je peux consulter mes registres, si vous voulez », ajouta Ford, faisant mine de se lever.

Brunetti l'arrêta d'un geste de la main.

« Elle s'est rapidement familiarisée avec notre fonds, reprit l'Anglais, et nos visiteurs l'appréciaient beaucoup. » Ford regarda ses mains, comme s'il cherchait les mots justes. « Voyez-vous, ils sont souvent très âgés, et je crois que cela leur faisait beaucoup de bien d'avoir quelqu'un qui non seulement les aidait mais qui était…

– Je crois que je comprends, dit Brunetti, lui-même incapable d'utiliser, sans en être affecté, les termes qui auraient rendu justice à la jeunesse et à la détermination de la jeune fille. Savez-vous par hasard comment elle avait appris l'existence de la bibliothèque ?

– Non, pas du tout. Elle est arrivée un jour et nous a demandé si elle pouvait consulter nos archives et, comme ce qu'elle avait trouvé l'intéressait, elle est revenue souvent et nous a bientôt demandé, comme je vous l'ai dit, si elle pouvait donner un coup de main. »

On voyait qu'il se remémorait la jeune fille et sa requête.

« La subvention que nous touchons de l'État n'est pas bien élevée, voyez-vous, et nos visiteurs n'ont souvent que peu de moyens, si bien que nous avons été très heureux d'accepter son offre.

– Pour en revenir à Claudia, vous a-t-elle parlé de ses amis, ou d'un petit ami, peut-être ? »

Ford réfléchit.

« Non… Rien dont je me souvienne en particulier. Elle a peut-être parlé d'un garçon – j'imagine que c'est un sujet de conversation passionnant pour les jeunes filles –, mais honnêtement, je ne me rappelle rien de précis.

– Sa famille, alors ? D'autres amies ?

– Non, rien du tout. Je suis vraiment désolé, commissaire. Mais elle était très jeune, vous comprenez, et je dois avouer que, sauf s'il s'agit d'histoire ou de tout autre sujet qui m'intéresse, je ne prête pas trop attention à ce que disent les jeunes gens. »

Il affichait un sourire gêné, presque contrit. Brunetti, qui partageait les vues de Ford sur la conversation des jeunes gens, ne comprit pas pourquoi celui-ci se sentait autant embarrassé.

N'ayant plus aucune question en tête, il se leva et tendit la main au codirecteur.

« Je vous remercie pour le temps et l'aide que vous m'avez accordés, signor Ford.

– Avez-vous une idée… ? demanda l'homme, sans pouvoir achever sa phrase.

– Nous poursuivons notre enquête, signore, fut la réponse toute faite que lui donna Brunetti.

– Bien. C'est terrible. C'était une jeune fille adorable. Nous l'aimions tous beaucoup. »

Ne voyant pas quoi ajouter à cette conclusion, Brunetti garda le silence et suivit Ford dans la salle de lecture toujours vide. Le codirecteur s'offrit à le raccompagner jusqu'à la porte, mais Brunetti refusa poliment. Quand il se retrouva dans la pâle lumière de cette journée d'automne, il ne lui resta plus grand-chose d'autre à faire que de retourner déjeuner chez lui, encore sous l'emprise du sentiment de perte absurde que Ford avait si vivement ravivé en lui.

18

À la maison, Paola l'accueillit en lui disant que Marco Erizzo l'avait appelé à deux reprises, pour lui demander de le contacter dès qu'il le pourrait. À côté du téléphone, elle avait noté le numéro du portable de Marco. Brunetti le rappela donc sur-le-champ, même s'il pouvait voir, par la porte entrouverte, sa femme et ses deux enfants déjà assis autour de la table.

Marco répondit dès la deuxième sonnerie en déclinant son nom.

« Marco, c'est Guido. Qu'est-ce qui se passe ?

– J'ai tes hommes après moi, répondit le commerçant d'une voix agitée. Mais je préférerais que tu viennes et que tu t'en occupes en personne. »

Se demandant si Marco n'avait pas trop regardé de séries télévisées, Brunetti lui demanda de s'expliquer.

« Quels hommes, Marco ? Qu'est-ce que tu as fait ?

– Je t'ai raconté ce qui m'arrivait, n'est-ce pas ?

– À propos du permis ? Oui, bien sûr. C'est à cause de ça ?

– Oui. »

Il y eut des bruits, en fond sonore, en plus du grésillement continu sur la ligne. Quand le niveau sonore baissa, Brunetti demanda :

« Qu'est-ce qui s'est passé ?

– C'était l'architecte. Ce salopard ! C'était lui. Les

autorisations sont délivrées depuis trois mois, mais il me disait le contraire, m'assurant que si nous faisions quelques changements mineurs aux plans, on aurait le permis ! Sur quoi, comme je te l'ai dit, il m'a raconté qu'un type de la *comune* voulait mille cinq cents euros. Et pendant ce temps, je le payais pour tous les nouveaux plans qu'il faisait et le temps qu'il consacrait, soi-disant, à mes affaires ! » Sa voix s'étrangla de rage, et il s'arrêta.

« Comment t'en es-tu aperçu ?

– Par hasard. Je prenais un verre avec Angelo Costantini, hier, et un ami à lui est arrivé. Quand il nous a présentés, le type a reconnu mon nom ; il m'a dit qu'il travaillait au bureau des plans du service d'urbanisme, et il m'a demandé quand j'allais venir chercher mon permis de construire. »

Il marqua un temps d'arrêt pour permettre à Guido d'exprimer sa désapprobation scandalisée, mais l'attention de celui-ci se portait sur son assiette de tagliatelles, à présent recouverte d'une autre assiette placée à l'envers dans l'espoir de les garder au chaud.

« Et qu'est-ce que tu as fait, Marco ? dit-il, lorgnant toujours son déjeuner qui refroidissait.

– Je lui ai demandé des précisions et c'est là que j'ai appris que mon architecte leur avait affirmé, il y a bien deux mois de ça, que je voulais modifier les plans et qu'il devait en discuter avec moi avant de leur présenter la version finale.

– Mais si les premiers étaient déjà approuvés, pourquoi n'ont-ils pas cherché à te joindre ?

– Parce qu'ils ont appelé l'architecte. Ce salaud a de la chance que je ne l'aie pas tué. »

Brunetti comprit soudain les raisons de cet appel urgent. « Qu'est-ce qui s'est passé ensuite ?

– Je suis allé ce matin à son bureau, répondit Marco, mais sans en dire davantage.

– Et tu as fait quoi ?

– Je lui ai dit ce que je venais d'apprendre.

– Et alors ?

– Il m'a répondu que j'avais dû mal comprendre et qu'il allait passer tout de suite au bureau des plans pour arranger l'affaire. » Il entendit Marco respirer profondément pour essayer de contrôler sa colère.

« Là-dessus, je lui ai dit que je savais très bien ce qui s'était passé et qu'il était viré.

– Et alors ?

– Alors, il a eu le culot de me répondre que je ne pouvais pas le virer tant que le travail n'était pas terminé, et que sinon il me poursuivrait pour rupture de contrat.

– Et alors ? »

Le silence qui suivit était de même nature que celui de ses enfants devant une question embarrassante, et il attendit donc.

« Je l'ai frappé… Il était là, assis derrière son grand bureau avec des plans étalés devant lui, et il me disait qu'il me ferait un procès si je le virais ! Je me suis énervé.

– Ça s'est passé comment, exactement ?

– J'ai fait le tour de son bureau. Je voulais juste le secouer par le colback… » Brunetti imagina Marco déclarant cela devant un juge et se sentit pris d'une sueur froide. « Il s'est levé et s'est dirigé vers moi… »

Quand il devint clair que ce serait la seule explication que Marco donnerait de son plein gré, Guido exigea de savoir ce qu'il avait fait exactement, du même ton qu'il employait avec ses enfants quand ils revenaient de l'école avec une punition.

« Je te l'ai dit, je l'ai frappé… pas très fort, ajouta-t-il avant de se faire à nouveau houspiller par son ami. Je ne l'ai même pas fait tomber. Disons que je l'ai bousculé.

– Lui as-tu donné un coup de poing ? » demanda Guido, désireux de savoir ce que *bousculer* voulait dire, au juste.

Il fallut un bon moment à Marco pour répondre.

« En quelque sorte, oui.

– Où ça ?

– À la mâchoire ou au nez.

– Et alors ?

– Il est retombé dans son fauteuil.

– Il saignait ?

– Je ne sais pas.

– Comment ça, tu ne sais pas ?

– Je suis parti. Je l'ai vu se rasseoir et je suis parti.

– Mais qu'est-ce qui te fait dire que mes hommes sont après toi, dans ce cas ?

– Parce que c'est son genre, à ce type. Il a dû appeler la police et leur dire que j'avais essayé de le tuer. Je voulais que tu saches ce qui s'est vraiment passé.

– Et c'est vraiment ce qui s'est passé, Marco ?

– Oui. Je te le jure sur la tête de ma mère.

– Très bien. Que veux-tu que je fasse ? »

Il y avait un étonnement authentique dans la voix de Marco quand il répondit :

« Mais… rien. Pourquoi je voudrais que tu fasses quelque chose ? Je voulais simplement que tu sois au courant.

– Où es-tu, en ce moment ?

– Dans un restaurant.

– Celui à côté du Rialto ?

– Oui. Pourquoi ?

– J'arrive dans cinq minutes. Attends-moi là. Ne fais rien et ne parle à personne. Tu m'as bien entendu, Marco ? Ne parle à personne ! Et n'appelle pas ton avocat.

– D'accord, répondit le commerçant d'un ton boudeur.

– J'arrive. »

Brunetti reposa le téléphone, retourna à la table de la cuisine, souleva l'assiette qui protégeait ses tagliatelles et huma les savoureux arômes de ricotta et d'aubergine qui en montaient. Il reposa le couvercle improvisé, embrassa Paola sur les cheveux et dit :

« Il faut que j'aille voir Marco. »

Au moment où il ouvrait la porte palière, il entendit Chiara dire à son frère :

« Bon, d'accord, la moitié chacun. »

Le restaurant était plein et les tables regorgeaient de mets merveilleux : un couple était attablé devant des homards gigantesques, tandis qu'un groupe d'hommes d'affaires faisaient un sort à un plateau de fruits de mer qui aurait nourri un village du Sri Lanka pendant une semaine.

Brunetti se rendit tout droit dans la cuisine, où il trouva Marco en train de parler avec la signora Maria, la cuisinière.

« Veux-tu manger ? » demanda Marco quand il vit son ami.

Ils se trouvaient dans l'un des meilleurs restaurants de la ville et la signora Maria était un génie qui lui avait procuré des plaisirs innombrables, au cours des années.

« Merci, Marco, mais j'ai déjà déjeuné à la maison », dit-il en entraînant le commerçant par le bras, en dépit de la déception qu'il lut dans le regard de Maria, pour le conduire à l'écart de serveurs qui passaient avec des plateaux chargés d'assiettes à hauteur de l'épaule. Ils se tinrent juste devant l'entrée de la réserve contenant le linge propre et les boîtes de tomates.

« Comment s'appelle ton architecte ? demanda Brunetti.

– Pourquoi veux-tu le savoir ? » répliqua Marco de son ton boudeur.

Guido envisagea un instant de ne pas le lui dire, puis

décida de s'expliquer, ne serait-ce que pour que son ami arrête de parler sur ce ton geignard.

« Parce que je vais retourner à la questure, voir ce que je peux trouver sur lui, et si jamais il a eu maille à partir avec nous, ou s'il a une affaire pas nette sur le dos, je vais mettre mon job en péril en le menaçant d'abuser de mon pouvoir jusqu'à ce qu'il renonce à te poursuivre. Voilà pourquoi. »

Il avait élevé le ton en parlant, et il se rendit compte à quel point la colère qu'il éprouvait vis-à-vis de Marco ressemblait à celle qu'il ressentait parfois contre ses enfants.

« Ça répond à ta question ? Alors, ce nom ?

– Piero Sbrissa. Son atelier est à San Marco.

– Merci, dit Brunetti, s'éloignant déjà vers la salle de restaurant. Je t'appellerai, lança-t-il par-dessus son épaule. D'ici là, ne parle à personne. »

À la questure, Vianello passa une heure devant l'ordinateur et Brunetti, deux heures au téléphone, mais au bout de ce temps, ils avaient trouvé suffisamment de choses pour espérer pouvoir convaincre l'architecte Piero Sbrissa qu'il serait peut-être mieux avisé de ne pas porter officiellement plainte contre son client Marco Erizzo. Cet architecte, semblait-il, était le spécialiste des longs délais, quand il s'agissait d'obtenir un permis de construire – c'est du moins ce que dirent trois de ses clients à Brunetti. Chaque fois, ceux-ci s'étaient pliés à la suggestion de Sbrissa : utiliser des moyens à la légalité plus que douteuse, quoique fort courants, pour résoudre leur problème ; aucun d'eux, cependant, n'avait voulu lui révéler la somme qu'ils avaient dû payer. Vianello, pour sa part, avait découvert que Sbrissa, dans sa déclaration fiscale de l'année précédente, prétendait n'avoir reçu de Marco Erizzo que huit mille euros, alors que le comptable de Marco, que Vianello avait également appelé, disposait de reçus signés en bonne et due forme pour un total de plus de vingt mille euros.

Muni de ces renseignements, Brunetti appela un de ses amis chez les carabiniers du poste de San Zaccaria ; il apprit que Sbrissa les avait contactés par téléphone le matin même pour signaler qu'il avait été agressé, et qu'il devait passer en fin de journée déposer plainte, après avoir été consulter un médecin. Il ne fallut que quelques minutes à Brunetti pour expliquer la façon dont l'architecte remplissait ses déclarations de revenus et demander à son ami si Sbrissa ne pourrait pas se laisser persuader d'y réfléchir à deux fois avant de faire sa déclaration officielle. Le carabinier promit d'en discuter avec l'architecte, et dit que celui-ci comprendrait certainement où se trouvait son intérêt.

Marco, lorsque Guido lui téléphona pour l'informer de la situation, refusa tout d'abord de le croire. Il voulut savoir comment son ami s'y était pris, puis, devant le refus de Brunetti de s'expliquer, garda quelques instants le silence avant de lâcher qu'il avait été déshonoré… parce qu'il avait dû faire appel à la police.

Guido dut faire de gros efforts pour retenir un commentaire bien senti, et se contenta de lui faire remarquer qu'il était son ami, et que ça s'arrêtait là.

« Mais il faut que tu me laisses faire quelque chose pour toi, Guido.

– D'accord, répondit Brunetti du tac au tac.

– Bien ! Quoi ? Tout ce que tu veux.

– La prochaine fois que nous irons au restaurant, tu demanderas à la signora Maria de donner à Paola la recette de la farce qu'elle met dans ses moules. »

Il y eut un long silence avant que Marco réponde, aussi désolé que sérieux :

« Mais c'est du chantage, Guido ! Jamais elle ne voudra.

– Quel dommage que ce ne soit pas la signora Maria qui ait flanqué une claque à Sbrissa…

– Même là, tu ne l'aurais pas, dit Marco, résigné. Elle préférerait aller en prison plutôt que de te donner sa recette de moules farcies.

– C'est bien ce que je craignais », répondit Guido avant d'assurer son ami qu'il trouverait autre chose pour lui permettre de rembourser sa dette, puis de raccrocher.

Si tout cela était gratifiant pour Brunetti, à titre personnel, il n'en était pas plus avancé pour autant dans la compréhension de ce qu'il en venait à appeler « le triangle Leonardo-Guzzardi-Filipetto ». Il descendit jusqu'au bureau de la signorina Elettra, pour découvrir qu'elle avait terminé sa journée, ce qui n'était guère surprenant à l'approche de dix-sept heures : elle se plaignait régulièrement de s'ennuyer ferme pendant ses deux dernières heures de service. Alors qu'il s'apprêtait à repartir, la porte du vice-questeur Patta s'ouvrit et le *cavaliere* lui-même en émergea, un manteau gris perle replié sur le bras et tenant à la main gauche un portedocuments flambant neuf sortant tout droit (Brunetti en était sûr) de la *Bottega Veneta*.

« Ah, Brunetti, dit-il aussitôt, j'ai rendez-vous avec le préfet dans vingt minutes. »

Brunetti, qui se moquait bien que Patta vienne ou non à la questure, ou du temps qu'il y passait, trouva intéressant que sa réaction soit constamment une sorte de mensonge pavlovien : il se demanda si Patta n'envisageait pas d'entamer une carrière politique après avoir pris sa retraite de la police.

« Alors je ne vous retiendrai pas, monsieur, dit Brunetti, s'effaçant pour laisser passer son supérieur.

– Est-ce que vous avez fait des progrès dans l'affaire…, commença Patta, qui avait manifestement oublié le nom de Claudia Leonardo... l'affaire du meurtre de cette jeune fille ?

– Je commence à rassembler des informations, monsieur. »

Patta jeta un coup d'œil rapide à sa montre, répondit :

« Bien, bien », dit au revoir au commissaire et partit.

Brunetti était curieux de savoir si la secrétaire avait pu découvrir quelque chose, mais il hésita à s'approcher de l'ordinateur ; si elle avait trouvé des éléments importants, elle lui en aurait certainement fait part. Et les informations qui se trouvaient dans son disque dur, étant donné la méfiance qu'elle éprouvait pour certaines des personnes travaillant à la questure, devaient être suffisamment protégées par toutes sortes de barrières, douves et labyrinthes, pour décourager toute tentative d'y accéder.

Il retourna donc dans son bureau, où il feuilleta le dossier de Claudia Leonardo jusqu'à ce qu'il ait trouvé le numéro de téléphone de sa colocataire à Milan. Il appela et se trouva peu après en ligne avec la mère de Lucia, qui accepta que celle-ci vienne lui répondre au téléphone ; toutefois elle avertit Brunetti qu'il devait éviter de heurter sa fille et qu'elle suivrait la conversation sur un autre poste.

Ce coup de fil ne servit cependant à rien, car Lucia ne se souvenait pas d'avoir entendu Claudia mentionner le nom de Filipetto, ni même parler d'un notaire. Savoir que la mère de la jeune fille écoutait en silence empêcha Brunetti de s'enquérir de son état de santé, et quand Lucia lui demanda où en était l'enquête, il ne put que lui répondre qu'ils suivaient toutes les pistes possibles et pensaient avoir bientôt des résultats. Il trouva désolant de s'entendre débiter de telles platitudes.

Il fut incapable de se mettre à autre chose après ça, tant la futilité de ses efforts tintait encore à ses oreilles, et il quitta donc la questure pour prendre la direction du Rialto et de son domicile. Mais devant Piero, le fromager, où il aurait dû tourner à gauche, il continua tout droit et s'enfonça dans le quartier de Santa Croce, en direction du Campo San Boldo, pour s'arrêter à la hauteur de l'immeuble où habitait la signora Jacobs. Il sonna.

Il dut attendre longtemps avant que la voix grave de la fumeuse ne demande qui c'était.

« Le commissaire Brunetti.

– Je vous ai déjà dit que je n'avais plus rien à vous dire, répondit-elle avec plus de fatigue que de colère dans la voix.

– Mais il faut que je vous parle, signora.

– À quel propos ?

– Du *notaio* Filipetto.

– De qui ? demanda-t-elle au bout d'un long moment.

– Du *notaio* Filipetto », répéta Brunetti sans offrir davantage d'explications.

La porte s'ouvrit, à la surprise de Brunetti. Il entra et monta rapidement au premier, où il trouva la vieille dame appuyée contre le chambranle, comme si elle était ivre.

« Merci, signora », dit-il en la prenant par le bras pour la raccompagner à l'intérieur.

Il se força cette fois à ne pas faire attention aux trésors qui l'entouraient et la conduisit lentement jusqu'à son fauteuil, frappé par la légèreté de ce corps frêle. Dès qu'elle fut assise, elle tendit la main vers ses cigarettes, mais elle tremblait tellement qu'elle en fit tomber trois à ses pieds avant de réussir à en agripper une et à l'allumer.

« Signora, commença-t-il, le nom du dottor Filipetto est apparu dans l'enquête. »

Il attendit, pour voir si elle allait l'interroger sur le notaire ou réagir à ce nom, mais elle resta silencieuse.

« C'est pourquoi je suis revenu, reprit-il, pour vous demander si Claudia aurait eu des raisons de vouloir lui parler.

– Claudia, maintenant ?

– Je vous demande pardon ? dit Brunetti, désarçonné.

– Vous en parlez comme d'une amie, dit la vieille dame avec colère. Claudia ! »

Les pensées de Brunetti allèrent à la jeune fille morte.

Quel geste était le plus intime, se demanda-t-il, de prendre quelqu'un par surprise tout de suite après l'amour ou tout de suite après la mort ? Sans doute le second, car les morts sont dépouillés de tout faux-semblant et de tout moyen de tromper. Ils gisent là, au bout du rouleau et l'air douloureusement vulnérables, alors que plus rien ne peut les atteindre, la souffrance encore moins que le reste. Les personnes désespérées peuvent encore être aidées, mais les morts sont au-delà de ça, au-delà de toute aide, au-delà de tout espoir.

« J'aurais aimé qu'elle le soit, dit Brunetti.

– Pourquoi ? voulut savoir la signora Jacobs. Pour pouvoir lui poser des questions et découvrir ses secrets ?

– Non, signora, parce que nous aurions pu parler des livres que nous aimions tous les deux. »

La signora Jacobs eut un reniflement de dégoût et d'incrédulité mêlés.

Offensé, bien qu'aussi intrigué à l'idée que Claudia avait peut-être eu des secrets, Brunetti se défendit :

« Mon épouse l'avait comme étudiante et nous avions déjà parlé livre ensemble.

– Des livres ! »

Cette fois, c'était le dégoût qui triomphait dans sa voix. Sa colère la fit respirer plus fort, ce qui provoqua une violente quinte de toux. Une toux grasse et profonde de fumeuse, qui dura tellement longtemps que le commissaire se rendit finalement dans la cuisine pour lui ramener un verre d'eau. Il le lui tendit jusqu'à ce qu'elle le tienne bien, attendant qu'elle force de minuscules gorgées à passer entre ses lèvres. Sa toux finit par s'arrêter.

« Merci, dit-elle d'un ton parfaitement naturel en lui rendant le verre.

– Il n'y a pas de quoi », répondit Brunetti avec la même aisance. Il posa le verre sur la table et tira une chaise de manière à pouvoir s'asseoir en face d'elle.

« Signora, je ne sais pas ce que vous pensez de la police, ou ce que vous pensez de moi, mais vous devez me croire quand je vous dis que tout ce que je veux, c'est trouver la personne qui l'a tuée. Je n'ai aucune envie de connaître ses secrets, sauf si c'est pour m'aider dans mon enquête. Si une telle chose est possible, je n'ai qu'un désir, qu'elle repose en paix. » Il la regarda pendant tout le temps qu'il parla pour l'obliger à le croire.

La signora Jacobs prit une nouvelle cigarette et l'alluma. Elle inhala une fois de plus profondément et Brunetti se tendit, s'attendant à une nouvelle quinte de toux. Mais ce ne fut pas le cas. Quand le mégot fumant se retrouva dans le cendrier, elle dit :

« Ce n'est pas le style de sa famille.

– Le style de sa famille ? répéta Brunetti, perplexe.

– De reposer en paix. De faire quoi que ce soit en paix.

– Je suis désolé, mais je ne connais aucun autre membre de sa famille. Je ne connaissais qu'elle. »

Il réfléchit à la manière de formuler sa question suivante, puis, abandonnant toute prudence, demanda simplement :

« Pouvez-vous me parler d'eux ? »

Elle porta les mains, jointes par le bout des doigts, à hauteur de ses lèvres. Une attitude qui évoque normalement la prière, même si Brunetti soupçonnait qu'il y avait longtemps que cette femme n'avait pas prié pour quoi que ce soit.

« Vous savez qui était son grand-père ? » Brunetti acquiesça.

« Et son père ? »

Brunetti fit *non* de la tête.

« Il est né durant la guerre et, bien entendu, son père l'a baptisé Benito. »

Elle le regarda et sourit, comme si elle venait de faire une plaisanterie, mais Brunetti ne lui rendit pas son sourire et attendit qu'elle continue.

« Il était comme ça, Luca. »

Pour Brunetti, Luca Guzzardi était un opportuniste politique, mort dans un asile de fous ; il préféra donc garder le silence.

« Il y croyait vraiment, vous savez. Les parades, les uniformes, le retour à la gloire de l'Empire romain… » Elle secoua la tête mais ne sourit pas, cette fois.

« En tout cas, il y croyait au début. »

Brunetti n'avait jamais su si son père y avait cru ; ses parents ne lui en avaient jamais parlé. Il ne voyait pas très bien ce que cela aurait changé, de toute façon. Il attendait en silence, sachant que les vieilles personnes reviennent toujours à leur sujet.

« Il était très bel homme. » La signora Jacobs se tourna vers un panneau placé contre le mur, où était épinglée, n'importe comment, une série de photos jaunies. Ayant compris ce qu'on attendait de lui, Brunetti se leva et alla les examiner. La première était le portrait d'un jeune homme, dont une partie du visage disparaissait dans l'ombre du casque à panache des *bersaglieri*, couvre-chef que, depuis qu'il était adulte, Brunetti trouvait particulièrement grotesque. Sur une autre photo, le jeune homme tenait un fusil ; sur la suivante, une épée, et il avait le corps enfoui dans un long manteau sombre. Sur chacune, il prenait une pose volontairement belliqueuse, menton relevé, regard sévère et impavide, afin d'immortaliser au mieux ce moment d'intense patriotisme. Brunetti trouva ces poses aussi ridicules que les plumets du casque, ou les fourragères et les épaulettes dont était chamarré l'uniforme du jeune homme. Il était tellement peu réceptif au charme des tenues militaires qu'il ne résistait jamais à la tentation de superposer sur de telles images celles des natifs de la Nouvelle-Guinée – os dans le nez, corps nus peints en blanc, pénis haubané dans un étui en calebasse séchée d'un mètre de long. Les cérémonies officielles et les parades étaient pour lui des corvées particulièrement pénibles.

Il continua de regarder les photos, le temps qu'il estima nécessaire pour ne pas froisser la vieille dame, puis retourna s'asseoir en face d'elle.

« Parlez-moi encore de lui, signora. »

Elle le fixa droit dans les yeux, l'intensité de son regard à peine voilée par un début de cataracte.

« Que voulez-vous que je vous dise ? Nous étions jeunes, j'étais amoureuse et l'avenir nous appartenait. »

Brunetti se permit de réagir à ce que cette remarque avait d'intime.

« Étiez-vous la seule à être amoureuse ? »

Son sourire était celui d'une personne âgée, d'une personne qui a pratiquement tout laissé derrière elle.

« Je vous l'ai dit : il était beau. Les hommes comme ça, au bout du compte, n'aiment qu'eux-mêmes. Mais à l'époque, ajouta-t-elle avant que le commissaire puisse dire quelque chose, je ne le savais pas. Ou ne voulais pas le savoir. »

Elle prit une autre cigarette et l'alluma. Soufflant un long filet de fumée, elle reprit :

« Ce qui revient au même, au fond, non ? » Elle tourna l'extrémité allumée de la cigarette vers elle et la contempla un instant.

« Le plus étrange est que malgré cela, je l'aimais quand même. Et je l'aime encore. »

Elle jeta un coup d'œil à Brunetti, puis baissa la tête.

« C'est pour ça, dit-elle alors d'une voix douce, que je voulais lui rendre sa réputation. »

Brunetti garda le silence, ne voulant pas l'interrompre. Elle le sentit et reprit :

« C'était tellement excitant ! Ce sentiment d'espoir que tout allait changer… Je l'avais connu aussi en Autriche, des années auparavant, et il ne m'est jamais venu à l'esprit de le mettre en doute. Et quand j'ai vu ce sentiment ici, chez des hommes comme Luca et ses amis, je ne pouvais pas deviner ce que c'était en réalité, ce qu'ils étaient vraiment, ni ce qui allait se passer pour nous… Comprendre que ce régime ne nous apporterait, à tous, que mort et souffrance. » Elle poussa un soupir. « Luca non plus, ne l'avait pas vu venir. »

Quand il eut l'impression qu'elle n'allait rien ajouter, cette fois, il demanda :

« Combien de temps l'avez-vous connu ?

– Six années, répondit-elle après avoir réfléchi quelques instants, depuis le début de la guerre jusqu'à son procès et… »

Sa voix faiblit, et Brunetti se demanda comment elle allait pouvoir formuler la suite.

« Et ce qui est arrivé après.

– Êtes-vous allée le voir à San Servolo ? »

Elle s'éclaircit la gorge, émettant un bruit râpeux et humide à la fois qui fit grincer des dents Brunetti, tant il était évocateur de maladie et de glaires noirâtres.

« Oui. J'y allais une fois par semaine, jusqu'au jour où on ne m'a plus laissé le voir.

– Pour quelle raison ?

– Je crois qu'ils n'avaient pas envie que les gens sachent comment on traitait les malades.

– Mais pourquoi ce changement ? Dans la mesure où ils vous avaient laissé venir, au début ?

– Parce que son état a empiré après son internement. Lorsqu'il a compris qu'il n'allait jamais sortir de là.

– Pourquoi, il aurait dû ? Ou si vous préférez, quand il est entré à San Servolo, avait-il, ou aviez-vous, une raison de croire qu'il pourrait en ressortir ?

– C'était l'accord qui avait été conclu.

– Avec qui ?

– Pourquoi me posez-vous toutes ces questions ? s'étonna la vieille dame.

– Parce que je désire comprendre comment ça s'est passé pour lui, comprendre le passé.

– Pourquoi ? »

Il se dit que la réponse aurait dû être évidente pour elle.

« Parce que cela pourrait m'aider.

– Pour Claudia ? »

Il aurait aimé sentir ne fût-ce qu'un soupçon d'espoir dans la voix de la signora Jacobs, mais il savait qu'à son âge avancé, tout espoir de consolation était vain après la perte d'un être proche.

Il décida de lui dire la vérité, plutôt que ce qu'il aurait préféré répondre.

« Peut-être bien, dit-il, avant de revenir à sa précédente question. Quel était cet accord ? »

Elle alluma une cigarette et en fuma la moitié avant de se décider à répondre.

« Avec les juges. Il devait tout avouer et, quand il aurait sa crise, ils l'enverraient à San Servolo, où il resterait un an ou deux, le temps qu'on l'oublie, après quoi on le relâcherait. »

Elle termina sa cigarette et l'écrasa au milieu des autres mégots, dans le cendrier.

« Et il serait revenu avec moi. »

Elle garda longtemps le silence avant d'ajouter :

« C'est tout ce que je voulais.

– Mais qu'est-ce qui s'est passé ? »

Elle étudia le visage de Brunetti avant de répondre.

« Vous êtes trop jeune pour avoir connu San Servolo, pour savoir ce qui s'y passait réellement. »

Il acquiesça.

« On ne m'a jamais rien dit. J'y suis allée, un samedi matin. J'y allais toutes les semaines, même quand ils ont commencé à m'empêcher de le voir et à me renvoyer chez moi. Cette fois-là, ils m'ont annoncé qu'il était mort. »

Sa voix s'éteignit et elle se mit à contempler ses mains posées sur ses genoux. Elle les retourna, en étudia la paume lisse, frottant la gauche avec le bout des doigts de la droite dans un geste qui fit penser à Brunctti à une tentative pour effacer la ligne de vie.

« C'est tout ce qu'ils m'ont dit, reprit-elle. Aucune explication. Ça pouvait être n'importe quoi, vous comprenez. Il avait peut-être été tué par un des autres internés. Ce genre d'événements était toujours étouffé. Ou c'était peut-être l'un des gardiens. Ou encore le typhus. Ils étaient traités comme des animaux, dès qu'on ne venait plus les voir. »

Elle serra les poings et les pressa contre ses cuisses.

« Mais… l'accord avec les juges ? » s'étonna Brunetti.

Elle sourit, puis se mit à rire, comme si elle trouvait la question sincèrement amusante.

« Quelqu'un comme vous, commissaire, devrait pourtant savoir qu'il ne faut jamais croire aux promesses d'un juge. » Comme Brunetti ne se défendit pas, elle poursuivit. « Deux d'entre eux étaient communistes et voulaient donc le punir ; quant au troisième, il était le fils d'un chef du parti fasciste de Mestre et il devait donc prouver qu'il était blanc comme neige et nullement influencé par les opinions politiques de son père.

– Il y a eu l'amnistie, pourtant ? » lui fit remarquer

Brunetti, faisant allusion à la mesure de pardon général orchestrée par Togliatti, juste après la fin de la guerre, pour tous les crimes commis des deux côtés pendant la période fasciste. Il ne comprenait pas comment Guzzardi avait pu être condamné, alors que des milliers d'autres avaient été libérés après avoir fait la même chose que lui, et parfois bien pire.

« Les juges ont déclaré que le crime avait été commis en territoire suisse, dit-elle simplement. L'amnistie n'était pas valable dans ce cas.

– Je ne comprends pas.

– À cause de ce qui s'était passé chez un de ses clients, qui était consul suisse. Ils ont prétendu que les faits s'étaient déroulés en territoire suisse. »

Brunetti se garda bien de lui dire qu'il était déjà au courant, grâce à Lele, des détails de l'histoire.

« Mais c'est absurde !

– Ce n'était pourtant pas le point de vue des juges. Et la cour d'appel l'a confirmé. J'ai fait toutes les démarches légales que je pouvais. » Elle avait pris le ton agressif et dur avec lequel on a tendance à défendre une croyance plutôt qu'un fait.

Brunetti avait suffisamment entendu les amis de son père raconter ce qui s'était passé juste à la fin de la guerre, pour croire sans peine que Guzzardi avait pu être condamné sur la base d'un détail technique inventé de toutes pièces. Nombre de griefs plus ou moins graves s'étaient accumulés pendant la guerre, et les actes de vengeance se multiplièrent après la reddition des Allemands. Les juges avaient très bien pu convaincre Guzzardi, ou son avocat, d'accepter leur proposition, et revenir sur leur parole dès la condamnation acquise et le prévenu envoyé à San Servolo.

Il leva les yeux sur la signora Jacobs et vit qu'elle avait porté un poing à ses lèvres.

« Quand Claudia est venue me voir, dit-il, elle voulait

savoir s'il était possible de faire annuler une condamnation prononcée après la guerre ; et lorsque je lui ai demandé plus de détails, elle m'a simplement dit que c'était pour son grand-père, sans me donner d'informations précises. »

Il se tut, mais, voyant qu'elle ne réagissait pas, reprit aussitôt :

« Avec ce que vous venez de m'expliquer, je commence à y voir plus clair. Mes études de droit remontent à loin, signora, mais je ne pense pas que ce soit une affaire très compliquée. On pourrait vraisemblablement obtenir une annulation de ce jugement, à mon avis, mais je ne crois pas, en revanche, qu'elle serait assortie d'une proclamation d'innocence. »

Elle l'avait regardé pendant qu'il prononçait ces deux dernières phrases ; Brunetti la regarda alors pendant qu'elle faisait ses propres calculs ou se rappelait d'autres termes. Un long moment s'écoula avant qu'elle ne reprenne la parole.

« Vous en êtes sûr ? Il n'y aurait aucune déclaration officielle, une sorte de cérémonie qui rétablirait son honneur et blanchirait son nom ? »

D'après ce que Brunetti avait entendu dire de Guzzardi, celui-ci n'avait jamais eu grand-chose à sauver en matière d'honneur, mais la signora Jacobs était trop âgée et fragile pour qu'il puisse le lui dire.

« Signora, pour autant que je sache, il n'existe aucun mécanisme, aucune procédure légale de ce type. Quiconque vous a dit qu'une telle possibilité existait était mal informé, ou bien vous cachait intentionnellement la vérité. »

Brunetti s'arrêta ici, préférant ne pas envisager, et encore moins mentionner, le temps qu'il faudrait, très certainement, pour annuler une condamnation faite un demi-siècle plus tôt ; il était clair que la procédure ne pourrait aboutir du vivant de la signora Jacobs. Si le rétablissement de la réputation de son grand-père était quelque chose que Claudia avait désiré offrir à sa grand-mère, sa visite au bureau de Brunetti avait été bien inutile. Ce n'était pas indispensable, cependant, de le dire à la vieille dame.

Elle tourna la tête vers la rangée de photos et la contempla longtemps, ignorant la présence de Brunetti. Elle pinça ses lèvres fines, ferma les yeux et baissa la tête, l'air fatiguée. Brunetti décida néanmoins de l'interroger sur les événements qui avaient précipité la chute luciférienne de Guzzardi, passé d'une situation élevée aux noires oubliettes de San Servolo.

« Qu'est-il arrivé aux dessins ? » demanda-t-il quand il la vit lever la main.

Son geste était destiné à attraper une nouvelle cigarette ; elle hésita un instant, adressa un regard surpris au policier, puis baissa les yeux sur sa main et se servit.

« Quels dessins ? demanda-t-elle à un Brunetti déjà préparé à entendre des protestations d'innocence.

– On m'a dit que le consul de Suisse avait donné un certain nombre de dessins aux Guzzardi.

– *Vendu*, vous voulez dire, rétorqua-t-elle en soulignant le premier mot.

– Comme vous voudrez, concéda prudemment Brunetti.

– Encore autre chose qui est arrivé pendant la guerre, dit-elle d'une voix fatiguée. Les gens qui avaient vendu des objets de valeur essayaient de les récupérer en disant qu'ils avaient été forcés de les vendre. Des collections entières ont été rendues par des gens qui les avaient achetées de bonne foi. » Elle réussit à paraître indignée.

Brunetti ne doutait pas que des coups fourrés de ce genre se soient produits, mais il était suffisamment renseigné pour savoir que ceux qui avaient subi le plus d'injustices, et de loin, étaient les gens qui, intimidés ou carrément menacés, avaient été obligés de vendre leurs trésors, ou de se défaire d'une manière ou d'une autre de leurs biens. Il ne voyait pas la nécessité, néanmoins, d'en disputer avec la signora Jacobs.

« *Certo, certo* », marmonna-t-il.

Soudain, la main de la vieille dame lui emprisonna le poignet.

« C'est la vérité », souffla-t-elle. La voix était faible, mais tendue et passionnée.

« Pendant le procès, ils ont tous pris contact avec les juges, ils ont prétendu qu'il les avait volés, ils ont exigé que leurs affaires leur soient restituées. »

Elle lui tira sauvagement la main, l'attirant à elle jusqu'à ce qu'il soit à moins de vingt centimètres de son visage.

« Tout ça, c'est des mensonges. Hier comme aujourd'hui. Tout lui appartient, tout. Légalement. Personne ne viendra me prouver le contraire. »

Brunetti, qui ne sentait que trop son haleine empestant le tabac et les dents gâtées, vit une lueur féroce s'allumer dans les yeux de la signora Jacobs.

« Jamais Luca n'aurait pu faire de pareilles choses. Il n'aurait jamais rien fait de déshonorant. »

Elle avait prononcé ces mots de manière mécanique, comme si c'étaient deux phrases qu'elle avait souvent répétées, croyant que cette répétition incantatoire pouvait les valider.

Il n'y avait plus rien à dire, et il attendit donc, tout en s'éloignant lentement d'elle et de son haleine, se demandant ce que serait sa prochaine ligne de défense.

Mais apparemment, la signora Jacobs avait dit tout ce qu'elle avait à dire ; elle reprit une cigarette, l'alluma et se mit à tirer dessus comme si c'était la seule chose ayant le moindre intérêt dans la pièce. Finalement, une fois la cigarette consumée et le mégot tombé sur la pile de ses prédécesseurs, elle lui lança, sans même le regarder :

« Vous pouvez partir, maintenant. »

19

En rentrant chez lui, Brunetti repassa dans sa tête la conversation qu'il venait d'avoir avec la signora Jacobs. Il était intrigué par ce qu'il y avait de paradoxal à admettre, non sans amertume, que Guzzardi ne pouvait que s'aimer lui-même tout en continuant à l'aimer aussi profondément. Il n'ignorait pas que l'amour fait faire des folies, parfois même de grandes folies, mais d'ordinaire, il s'accompagnait d'un aveuglement qui permettait à ses victimes de ne pas voir les contradictions de leur comportement. Ce n'était pas le cas de la signora Jacobs, qui paraissait ne se faire aucune illusion sur son ancien amant. Qu'il était triste, pensa-t-il, de se montrer aussi clairvoyante sur ses propres faiblesses, tout en étant incapable de les surmonter. Guzzardi avait été bel homme, certes, mais dans le genre don Juan de bal musette, dans ce style douteux que l'on associe aujourd'hui aux souteneurs et aux garçons coiffeurs, plutôt que dans celui des hommes que le goût actuel trouve beaux, et dont la plupart faisaient à Brunetti l'effet de mannequins de cire en costume ou de blondinets à la puberté à jamais inachevée.

Les signes d'un amour durable étaient là, cependant. Elle avait été heureuse de parler de Guzzardi ; elle avait voulu que Brunetti admire sa photo, aussi étrange qu'il soit de demander à un homme de faire des compliments sur un autre. Elle avait visiblement souffert, en parlant du procès et de son séjour – une période qui avait dû être terrible – à San Servolo, et elle n'avait pas dissimulé l'effet que lui faisait encore, après tout ce temps, l'évocation de sa mort.

Elle lui avait dit que les Guzzardi n'avaient pas l'art de reposer en paix. Se souvenant de cette remarque, il se rendit compte qu'elle avait fait allusion au fils de Luca Guzzardi, Benito ; puis la conversation avait dévié de lui, si bien que Brunetti n'avait pas pu savoir pour quelle raison il n'avait pu trouver la paix. Et puisqu'il y avait eu un fils et Claudia, il y avait donc eu une mère. Claudia lui avait dit que sa grand-mère maternelle était allemande et en avait parlé au passé ; Lucia avait déclaré que le père de Claudia était mort ; pour la signora Gallante, même si Claudia parlait de sa mère comme d'une personne absente, elle n'avait pas l'impression que cela signifiait que celle-ci était morte. La mère de Claudia pouvait avoir entre un peu moins de quarante ans et plus de cinquante ans, et se trouver n'importe où dans le monde ; il ne savait qu'une chose, qu'elle s'appelait Leonardo, ce qui n'avait rien de typiquement allemand.

Il réfléchit aux différentes sources de renseignement dont il disposait. Avec la date de naissance de Claudia, ils pourraient trouver la ville où résidait sa mère à ce moment-là. La jeune fille, cependant, n'avait pas l'accent vénitien et elle était peut-être née sur le continent, voire à l'étranger. Progressant au rythme de ses pas, ses réflexions l'amenèrent à se dire que ces informations devaient figurer au bureau des inscriptions de l'université ou au rectorat, où elle avait forcément un dossier. Elle était tellement jeune que le dossier en question serait sur ordinateur et que la signorina Elettra y aurait facilement accès. Il leva la tête et sourit intérieurement, ravi d'avoir trouvé de quoi occuper la jeune secrétaire et lui rappeler ainsi à quel point elle était indispensable à la bonne marche de la questure.

La grand-mère de Claudia avait suivi un soldat britannique après la guerre, emmenant avec elle Benito, le futur père de Claudia. Dans ces conditions, par quels détours la jeune fille avait-elle atterri à Venise, parlant l'italien sans accent, et comment en était-elle arrivée à voir dans la signora Jacobs une grand-mère adoptive ? Il avait beau se dire que toutes ces spéculations étaient futiles, Brunetti ne pouvait empêcher son imagination de les tourner en tous sens.

Ces pensées l'accompagnèrent jusque chez lui et, une fois abordée la dernière volée de marches avant l'appartement, il dut faire un effort conscient pour les laisser sur le palier jusqu'au moment où, le lendemain matin, il reprendrait ses incursions dans le monde des morts.

Décision qui se révéla judicieuse, car il n'y aurait pas eu de place pour les personnes qui lui emplissaient l'esprit à une table autour de laquelle étaient déjà assis non seulement sa femme et ses enfants, mais Sara Paganuzzi, la petite amie de Raffi, et Michela Fabris, une amie de Chiara venue passer la nuit à la maison.

Ayant dû sauter le déjeuner à cause de Marco, Guido se sentit en droit d'accepter une deuxième assiette de crêpes aux épinards et à la ricotta, l'entrée que Paola avait préparée. Il était trop occupé à satisfaire sa faim et laissa la conversation se scinder en deux chœurs, comme dans un oratorio de Scarlatti : Paola parlait avec les deux amies d'un acteur de cinéma dont le nom lui était inconnu mais dont sa seule et unique fille semblait complètement entichée ; Raffi et Sara, de leur côté, communiquaient dans le code impénétrable des jeunes amoureux. Guido se rappela avoir été capable de l'employer, jadis.

Commençant à être un peu rassasié, il se trouva davantage disposé à faire attention à ce qui se passait autour de lui, comme s'il montait le volume d'une radio. «Je trouve qu'il est merveilleux», soupirait Michela, ce qui encouragea Guido à changer de station pour se brancher sur Sara. Mais la conversation qui se déroulait entre elle et Raffi était du même niveau, mis à part que l'objet de l'adoration de Sara était son seul et unique fils.

Paola le tira de là en apportant sur la table, dans une énorme poêle, un sauté de lapin accompagné de ce qui lui parut être des olives.

«Et des noix ? demanda-t-il avec un geste vers les brisures ocre dispersées sur le plat.

– Oui », répondit Paola en tendant la main vers l'assiette de Michela.

La jeune fille la lui fit passer mais demanda, d'une voix plutôt nerveuse :

«Est-ce que c'est du lapin, signora Brunetti ?

– Non, du poulet, Michela », répondit Paola sans se démonter, déposant une cuisse dans l'assiette.

Chiara commença à dire quelque chose, mais Brunetti la fit taire en tendant brusquement la main vers l'assiette de sa fille pour la présenter à Paola.

«Et qu'est-ce qu'il y a d'autre dedans ? demanda-t-il.

– Oh, du céleri, pour parfumer, et les épices habituelles. »

Rendant à Chiara son assiette, il demanda à Michela de quel film elles parlaient.

Tandis qu'elle lui répondait, sans omettre de célébrer les nombreux mérites de la jeune vedette masculine sous le charme duquel elle était également tombée, Guido se délecta de son morceau de lapin, hochant la tête à ce que lui disait Michela tout en essayant de déterminer si Paola n'avait pas ajouté aussi une ou deux feuilles de laurier et du romarin. Elle était revenue à table, cette fois avec de petites pommes de terre nouvelles rôties et des *zucchini* accompagnés d'amandes effilées. Michela parla alors des deux films précédents qui avaient propulsé le jeune acteur parmi les étoiles, et Brunetti reprit du lapin. Raffi et Sara, pendant tout ce temps, avaient poursuivi à voix basse leurs échanges codés.

Parler n'empêchait pas Michela de manger, et elle nettoya consciencieusement son assiette, ne marquant une pause que lorsque Paola lui servit un deuxième morceau accompagné de sauce.

« Ce poulet est délicieux, signora », dit-elle alors.

Paola la remercia d'un sourire.

Après le repas, alors que Chiara et Michela étaient allées s'enfermer dans la chambre, pouffant de rire à un niveau de stridence que seules des adolescentes peuvent atteindre, Guido tint compagnie à Paola pendant qu'elle faisait la vaisselle puis disposait les assiettes dans l'égouttoir, au-dessus de l'évier ; lui se contenta de siroter une goutte de mirabelle en la regardant.

« À ton avis, pourquoi ne voulait-elle pas manger de lapin ? demanda-t-il finalement.

– C'est souvent comme ça, avec les enfants. Ils n'aiment pas manger les animaux qu'ils trouvent mignons, expliqua Paola avec l'air d'éprouver de la sympathie pour cette idée.

– Oui, mais ça n'empêche pas Chiara de manger du veau.

– Ni de l'agneau, du reste.

– Dans ce cas, pourquoi Michela aurait refusé du lapin ? insista-t-il.

– Parce qu'un lapin lui rappelle une peluche, un petit animal tout doux qu'un enfant des villes a pu voir et toucher, ne serait-ce que dans une animalerie. Pour approcher les autres, il faudrait aller dans une ferme, ils n'ont pas autant de réalité.

– Et tu penses que c'est pour ça que nous ne mangeons ni les chiens ni les chats ? Parce que ce sont des animaux familiers, qu'ils deviennent des amis ?

– Tu sais, on ne mange pas non plus de serpents.

– Oui, mais ça, c'est la faute d'Adam et Ève. Des tas de gens n'ont aucun problème à en manger. Les Chinois, par exemple.

– Et nous, nous mangeons de l'anguille. »

Elle s'approcha de lui, s'empara du verre qu'il tenait et en but une gorgée.

« Pourquoi lui as-tu menti ? demanda-t-il finalement.

– Parce que c'est une gentille petite et que je ne voulais pas l'obliger à manger quelque chose qui lui répugnait, ou la mettre dans l'embarras en l'obligeant à avouer qu'elle ne voulait pas en manger.

– Pourtant, c'était délicieux.

– Si c'est un compliment, merci, dit Paola en lui rendant son verre. Sans compter qu'elle finira par surmonter son dégoût ou l'oubliera même complètement en grandissant.

– Et qu'elle mangera du lapin ?

– Il y a des chances.

– Je crois que je ne me sens pas très attiré par les jeunes filles.

– Sentiment qui devrait me remplir de gratitude, je suppose », conclut-elle.

Le lendemain matin, il se rendit directement dans le bureau de la signorina Elettra, où il la trouva en pleine discussion avec le lieutenant Scarpa. Comme ce dernier ne manquait jamais de pousser la secrétaire de leur supérieur à se montrer venimeuse, Brunetti se contenta d'un « Bonjour » général et alla se placer près de la fenêtre en attendant que leur entretien soit terminé.

« Je ne suis pas sûr que vous ayez autorité pour prendre des documents dans les archives, disait Scarpa.

– Vous préféreriez que je demande votre autorisation chaque fois que je dois consulter un dossier, lieutenant ? répliqua-t-elle avec le plus dangereux des sourires.

– Bien sûr que non. Mais vous devez respecter la procédure.

– Et quelle est la procédure, lieutenant ? demanda la signorina Elettra en prenant un crayon et un carnet.

– Vous devez demander l'autorisation.

– Bien. À qui ?

– À la personne autorisée à la donner, dit-il d'un ton qui n'avait rien d'agréable.

– Certes, mais pouvez-vous me dire qui est cette personne ?

– Toutes celles qui figurent sur la liste, dans la directive concernant le personnel, classé selon l'ordre hiérarchique et les responsabilités.

– Et où puis-je trouver une copie de cette directive ? demanda-t-elle en donnant un léger coup sur le papier du bout de son crayon.

– Dans le dossier des directives, dit le lieutenant, sur le point de perdre patience.

– Ah, répondit la signorina Elettra avec un sourire joyeux, et qui peut m'autoriser à consulter ce dossier ? »

Scarpa fit demi-tour et quitta le bureau, s'arrêtant un instant à la porte comme s'il le démangeait de la claquer ; mais, conscient de la présence neutre de Brunetti, il se contint.

Le commissaire s'approcha de la secrétaire.

« Je vous ai déjà mise en garde contre lui, signorina, dit-il en évitant toute note réprobatrice dans le ton de sa voix.

– Je sais, je sais, admit-elle, mettant la bouche en cul de poule pour laisser échapper un soupir d'exaspération. Mais la tentation était trop grande. Chaque fois qu'il vient ici me dire ce que je dois faire, je ne peux pas résister à l'envie de lui sauter à la gorge.

–Cela ne vous vaudra que des désagréments, vous savez. »

Elle haussa les épaules.

« C'est comme reprendre du dessert, j'imagine. On sait qu'on ne devrait pas, mais c'est tellement bon qu'on ne peut pas résister. »

Brunetti, qui avait eu sa part d'ennuis avec le lieutenant, n'aurait certainement pas affiché ce sourire ironique mais, n'étant pas de nature aussi combative que la signorina Elettra, il n'insista pas. Sans compter que ces manifestations d'agressivité de la part de la jeune femme étaient le signe incontestable du retour de sa bonne humeur, aussi paradoxal que cela aurait pu paraître à qui ne l'aurait pas connue. Soulagé, Brunetti lui demanda simplement ce qu'elle avait appris sur Guzzardi.

« Je vous parlais de mes recherches sur les maisons qu'il possédait, la dernière fois, non ? »

Il acquiesça.

« Sauf qu'il ne les possédait plus au moment de sa mort. Elles sont devenues la propriété de Hedi Jacobs pendant qu'il attendait son procès en prison.

–De plus en plus intéressant. Et comment ce transfert a-t-il eu lieu ?

–Il les lui a vendues. Tout est parfaitement légal ; les papiers sont en ordre.

–Il avait fait un testament ?

–J'en ai trouvé une copie à la chambre des notaires.

–Comment avez-vous su où chercher ? »

Elle lui adressa son sourire le plus séraphique.

« Il n'y a qu'un seul notaire dont le nom apparaît dans toute cette affaire, fit-elle remarquer d'un ton modeste.

–Filipetto ? »

Elle répondit par un nouveau sourire.

« Il était le notaire de Guzzardi ?

–Le testament a été enregistré chez lui peu de temps après la mort de Guzzardi, dit-elle sans pouvoir s'empêcher de manifester sa satisfaction par le ton de sa voix. Et lorsque Filipetto a pris sa retraite, tous ses dossiers ont été archivés à la chambre des notaires. C'est là que je les ai trouvés. »

Elle ouvrit le tiroir du haut de son bureau et en retira la photocopie d'un document dont l'aspect archaïque sautait aux yeux : il avait été tapé sur une machine à écrire manuelle.

Brunetti le prit et s'avança près de la fenêtre pour le lire à la lumière du jour. Guzzardi déclarait que tous ses biens devaient aller à son fils Benito et, au cas où ce dernier mourrait avant lui, aux héritiers de celui-ci. Il n'aurait pu faire plus simple. Il n'y avait rien concernant la signora Jacobs, ni aucune indication sur ce qu'étaient les biens en question.

« Et sa femme ? Pas de traces d'une contestation ? demanda-t-il en se retournant vers la signorina Elettra.

– En tout cas, rien n'indique, dans le dossier de Filipetto, qu'elle aurait attaqué le testament. Ce qui signifie probablement, ajouta-t-elle avant que Brunetti ne le demande, qu'elle avait divorcé avant la mort de son mari ou encore qu'elle ignorait qu'il était mort. Ou qu'elle s'en moquait éperdument. »

Brunetti se rapprocha du bureau.

« Et le fils ?

– Le seul élément que nous ayons est celui que vous avez trouvé, monsieur : sa mère l'a amené avec elle en Angleterre, après la guerre.

– C'est tout ? » Il ne pouvait cacher son irritation à l'idée qu'on puisse disparaître aussi facilement.

« J'ai bien envoyé une requête à Rome, mais je n'ai pu leur donner que ses nom et prénom, même pas une date de naissance. »

À l'expression qu'ils affichaient l'un et l'autre, il était clair que Brunetti comme la secrétaire n'étaient guère optimistes sur les chances d'obtenir quoi que ce soit par cette voie.

« J'ai aussi contacté un ami à Londres, reprit-elle, pour lui demander d'aller jeter un coup d'œil dans leurs archives. Il semble que le système des Anglais marche mieux que le nôtre.

– Et quand pensez-vous obtenir une réponse ?

– Bien avant que Rome ne réagisse, en tout cas.

– J'aimerais que vous contactiez l'université et le rectorat pour voir s'ils n'ont pas des informations sur Claudia Leonardo. On trouvera peut-être des renseignements sur ses parents, comme leurs dates de naissance. Vous pourriez les envoyer à Londres, ça leur donnerait un coup de main. »

Il pensa un instant à la grand-mère allemande, mais avant de demander à la secrétaire de se lancer sur cette piste, il préféra attendre de voir ce que donneraient ses recherches sur place et à Londres.

En remontant à l'étage supérieur, il se souvint d'un ancien poème que Paola avait tenu à lui lire, il y avait des années de cela. Il décrivait, si sa mémoire ne le trahissait pas, un dragon couvant jalousement un trésor et qui crachait le feu et la destruction sur quiconque tentait de s'en approcher. Il ne savait pas très bien pourquoi cette image lui venait à l'esprit, mais toujours est-il qu'il eut l'étrange vision de la signora Jacobs couvant son propre trésor, et punissant de mort quiconque essayait de s'emparer d'une part de son butin.

Il n'avait pas atteint son bureau qu'il avait changé d'avis et rebroussait chemin pour quitter la questure. Il savait parfaitement que c'était un geste inconsidéré et qu'il n'aurait pas dû retourner chez la signora Jacobs si peu de temps après la fin de non-recevoir qu'elle lui avait opposée, mais elle était la seule personne à pouvoir l'éclairer sur les trésors qui l'entouraient. Il aurait dû aussi dire où il allait ; ou rester à son bureau à faire passer des papiers de la file de gauche à celle de droite après les avoir paraphés ; et tant qu'à faire, il aurait dû réprimander la signorina Elettra pour son manque de respect vis-à-vis du lieutenant Scarpa.

Étant donné l'heure et les hordes de touristes qui se lançaient à l'assaut des vaporettos, il décida de s'y rendre à pied, sûr de pouvoir éviter leur cohue et que leur nombre décroîtrait de nouveau après la traversée du pont du Rialto, dès qu'il aurait dépassé le marché aux poissons. Il en fut exactement ainsi, mais les quelques minutes qu'il passa à jouer des coudes dans la bousculade, entre San Lio et le marché, suffirent à assombrir son humeur et à aviver sa haine des touristes déjà bien installée. Pourquoi étaient-ils si lents, si gros, si léthargiques ? Pourquoi se trouvaient-ils toujours sur son chemin ? Pourquoi n'étaient-ils pas fichus, bon sang, de marcher comme on doit marcher dans une ville, au lieu de rester plantés là comme les jurés chargés d'élire le plus beau cochon d'une foire campagnarde ?

Mais il retrouva de meilleures dispositions dès qu'il atteignit les rues désertes conduisant vers le Campo San Boldo. Il sonna, sans obtenir de réaction. Empruntant la technique de Vianello quand il voulait réveiller des gens endormis devant une télévision avec le son monté à fond, il garda le doigt sur la sonnette et compta jusqu'à cent. En plus, il compta lentement. Toujours aucune réaction.

Il se souvint du buraliste qui montait ses cigarettes à la vieille dame ; il retourna le voir, lui montra sa carte et lui demanda si, par hasard, il n'avait pas une clef de l'appartement.

Le buraliste ne parut nullement ému que la police veuille parler avec la signora Jacobs. Il ouvrit son tiroir-caisse et en sortit une unique clef.

« Je n'ai que celle de la porte donnant sur la rue. C'est toujours elle qui m'ouvre celle de l'appartement. »

Brunetti le remercia et lui dit qu'il la lui ramènerait. Il

ouvrit donc le lourd battant de la porte cochère et monta l'escalier jusqu'au premier. Il sonna, sans obtenir de réponse. Il cogna à la porte et n'obtint pas davantage de résultats ; aucun son ne lui parvenait de l'intérieur. Il employa de nouveau la technique de Vianello.

Puis l'évidence s'imposa à lui, dans le silence qui se prolongea sur le palier, lorsqu'il retira finalement le doigt de la sonnette : la porte n'était pas verrouillée et s'ouvrirait en maniant la poignée ; et sans doute la trouverait-il morte, tombée de sa chaise ou jetée à terre, un filet de sang coulant de son nez. Si quelque chose le surprit, ce fut de découvrir qu'il avait raison sur toute la ligne ; et quand il se rendit compte qu'il n'éprouvait rien de particulier, il essaya de comprendre pourquoi. Il dut accepter l'idée qu'il n'avait pas aimé cette vieille femme, même si l'habitude d'éprouver de la compassion pour les personnes âgées était si bien ancrée en lui qu'elle lui avait dissimulé ses sentiments et l'avait convaincu qu'il ressentait, comme toujours, de la pitié et de la sympathie.

Il se tira de ses réflexions et appela la questure, demandant Vianello. Il lui expliqua en quelques mots ce qu'il venait de découvrir et lui demanda de réunir une équipe et de venir à l'appartement.

Lorsqu'il eut raccroché, Brunetti croisa les mains dans son dos, quelque peu gêné d'avoir emprunté à un film policier cette technique pour ne rien toucher sur la scène du crime, et entreprit de parcourir l'appartement. Outre la pièce dans laquelle elle l'avait reçu et la cuisine, qu'il connaissait déjà, celui-ci ne comportait qu'une chambre et une salle de bains. Il s'étonna de trouver la cuisine et la salle de bains, en particulier, d'une propreté immaculée ; quelqu'un devait venir faire le ménage.

Les murs de la chambre disparaissaient presque complètement derrière des dizaines de cartes du ciel, de toutes les tailles, systématiquement encadrées de noir comme si elles provenaient de la même collection ou avaient été montées par le même encadreur. Certaines étaient en couleurs, dans des tons pastel, d'autres en noir et blanc. Il alluma pour mieux les voir. Elles s'alignaient en rangées désordonnées qui partaient presque du sol pour s'arrêter à un mètre du plafond. Il reconnut ce qui devait être une carte céleste de Cellarius, compta celles qui étaient dessus et dessous et se rendit compte qu'il avait devant lui deux jeux complets. Seul un expert aurait pu en évaluer le prix, mais Brunetti était sûr qu'elles valaient plusieurs dizaines de milliers d'euros chacune. En dehors de ce trésor, la pièce comprenait une haute armoire et un lit étroit, monacal, avec à côté une table de nuit sur laquelle était posée une lampe de chevet, quelques flacons de médicaments, un verre d'eau sur un plateau et une Bible en allemand. Un tapis de soie usé jusqu'à la trame servait de descente de lit, sur laquelle une paire de pantoufles était soigneusement alignée. Rien n'indiquait, même pas l'odeur, que la signora Jacobs fumait dans cette pièce. L'armoire ne contenait que deux robes longues et un deuxième châle en laine.

De retour dans le séjour, il se servit de sa carte de crédit pour ouvrir le tiroir du bas du bureau. Puis, partant de celui-ci, il les ouvrit les uns après les autres et étudia, sans le toucher, leur contenu. Il vit des factures proprement rangées dans l'un, ce qui lui parut être des albums photographiques dans l'autre, empilés par ordre croissant de taille. Quant au tiroir du haut, il contenait d'autres factures et quelques coupures de presse.

Faisant le tour de la pièce des yeux, Brunetti se demanda s'il fallait parler d'un lieu spartiate ou monacal.

Il retourna dans la cuisine et ouvrit le réfrigérateur. Un litre de lait, un peu de beurre dans un plat en verre avec couvercle, l'extrémité d'une miche de pain. Les placards n'étaient guère mieux pourvus : un pot de miel, du sel, encore du beurre, des sachets de thé et une boîte de café moulu. Soit la vieille dame ne mangeait pas, soit on lui apportait ses repas comme on le faisait pour ses cigarettes.

Il trouva dans la salle de bains une boîte en plastique pour dentier, une chemise de nuit en flanelle accrochée derrière la porte, quelques objets de toilette et quatre flacons de pilules dans l'armoire à pharmacie. Retournant dans le séjour, il fit de son mieux pour ne pas regarder le cadavre, sachant qu'il serait bien obligé de le faire quand l'équipe de la police criminelle serait sur place.

Il alla se placer dos à la fenêtre et regarda autour de lui pour essayer de comprendre ce qu'il voyait. Cette pièce contenait, à n'en pas douter, des millions d'euros en œuvres d'art : le Cézanne placé à côté de la porte, à lui seul, en valait déjà peut-être plusieurs. Il étudia les murs, à la recherche d'un rectangle plus pâle indiquant qu'un tableau aurait été enlevé récemment. Le plus ignare des cambrioleurs n'aurait pas manqué de se dire qu'il y avait des choses de valeur dans cette pièce ; cependant, rien ne laissait soupçonner la disparition de quoi que ce soit, de même que rien ne permettait de dire, pour l'instant, que la signora Jacobs était morte d'autre chose que d'une crise cardiaque.

Il n'ignorait pas, pour l'avoir expérimenté depuis longtemps, qu'il était risqué d'aborder une enquête avec des préjugés ; c'était même l'une des choses contre lesquelles il mettait les jeunes inspecteurs en garde. Et cependant, il ne pouvait s'empêcher de rejeter d'avance toute preuve, aussi convaincante fût-elle, que la vieille dame était morte de mort naturelle ou purement accidentelle. Il était intimement persuadé, jusqu'aux tréfonds de lui-même, que la signora Jacobs avait été assassinée, et bien qu'il n'y eût pas de traces de violence, il était à peu près sûr que le tueur était le même que celui de sa petite-fille adoptive. Il se souvint de Galilée et des menaces qui pesaient sur lui. « *Eppure, si muove...* », murmura-t-il en allant jusqu'à la porte accueillir Vianello et les autres policiers.

La logique voudrait qu'on exécute d'autant plus vite et plus facilement une tâche qu'on l'effectue souvent. L'examen du lieu du crime devait donc être particulièrement rapide dans un cas comme celui-ci, où une vieille dame gît sur le sol à côté de son fauteuil, sans qu'on voie de signes de violence ni d'effraction. Ou peut-être, songea Brunetti, le passage du temps est-il une expérience purement subjective ; à moins que les photographes et ceux qui relevaient les empreintes aient agi avec une célérité particulière. Il avait sans aucun doute conscience de leur scepticisme non formulé sur le fait qu'en leur demandant de relever les empreintes et de tout photographier, il traitait l'affaire comme une scène de crime. Pourtant, rien de plus facile à décrypter, rien de plus évident, non ? Une vieille dame allongée sur le sol, une bouteille de pilules ayant roulé à quelques pas…

Rizzardi, quand il arriva, parut intrigué que Brunetti n'ait pas fait venir le médecin de la morte, mais il avait trop d'amitié pour le commissaire pour remettre son jugement en question. Il se contenta donc de la déclarer décédée, puis de l'examiner superficiellement avant d'ajouter qu'elle avait dû mourir la veille au soir. Il ne manifesta pas d'étonnement devant la requête d'autopsie de Brunetti.

« Et si je dois la justifier ? demanda-t-il en se relevant.

– J'aurai un mandat d'un magistrat, ne t'inquiète pas.

– Je te passerai un coup de fil, promit Rizzardi en se penchant pour chasser la poussière de ses genoux.

– Merci. » Brunetti était soulagé de l'absence de curiosité, même passive, de la part du médecin légiste. Il se rendait compte qu'il n'aurait su trouver les mots pour décrire ce que lui faisait éprouver la mort de la signora Jacobs, et il était conscient que toute tentative d'explication serait vaine.

Brunetti avait l'impression que cela faisait des heures qu'il était dans l'appartement, lorsqu'il s'y retrouva seul avec Vianello ; mais la lumière qui tombait des fenêtres lui disait qu'on était seulement en fin de matinée. Il consulta sa montre et constata avec étonnement qu'il n'était même pas treize heures, alors que, dans sa perception, tous ces événements avaient duré une éternité.

« Tu n'as pas envie d'aller manger un morceau ? » demanda Brunetti à l'inspecteur, conscient du plaisir qu'il avait à le tutoyer. Rares étaient ceux, à la questure, avec lesquels il employait ce mode plus familier ; par politesse, peut-être aussi parce qu'elle était officiellement la secrétaire du questeur, il avait vouvoyé la signorina Elettra la première fois qu'il l'avait vue, et avait été incapable de la tutoyer depuis – même l'appeler par son prénom sans lui donner du « signorina » lui était difficile.

« Ce n'est pas avec ce qu'il y a dans la cuisine qu'on va se caler, n'est-ce pas ? répondit Vianello avec un sourire, avant d'ajouter, plus sérieux : finissons de voir ce qu'il y a ici avant, si vous voulez bien. »

Brunetti répondit par un monosyllabe mais resta planté où il était, étudiant la pièce tout en réfléchissant.

« Qu'est-ce que vous cherchez, au juste ? demanda Vianello.

– Aucune idée. Quelque chose qui concerne les peintures et les autres objets, répondit-il avec un geste large qui engloba tout ce qui se trouvait autour de lui. Un exemplaire de son testament, ou une indication sur l'endroit où il a été déposé, éventuellement. Le nom d'un notaire, ou un accusé de réception.

– Des papiers, autrement dit ? » dit Vianello en allumant la lumière du couloir et en se mettant face à l'une des étagères de livres. Dès que Brunetti eut répondu par un *oui* marmonné, l'inspecteur tendit la main vers le premier livre sur l'étagère du haut, l'ouvrit et fit défiler les pages du bout des doigts, tout d'abord en utilisant la main droite, puis à l'envers, avec la gauche. Assuré que rien ne se dissimulait entre les pages, il se pencha, posa le livre au sol et recommença l'opération avec le suivant.

Brunetti, de son côté, prit les papiers du premier tiroir du bureau et les emporta dans la cuisine, où il les posa sur la table. Installé sur une chaise, il commença à les trier.

Un bon moment plus tard – Brunetti ne prit même pas la peine de consulter sa montre –, Vianello revint dans la cuisine, alla se débarrasser de la poussière déposée sur ses mains sous l'eau du robinet, la laissa couler encore un peu pour qu'elle soit bien fraîche et but deux verres coup sur coup.

Aucun des deux ne parla. Brunetti entendit Vianello aller dans les toilettes et se soulager. Mécaniquement, il continua à lire les reçus et les papiers, les plaçant de côté au fur et à mesure. Le premier tiroir terminé, il alla remettre les papiers en place et prit ceux du second. Rigoureusement rangés dans leur ordre chronologique, ces documents rapportaient la vente occasionnelle d'un des appartements qui appartenaient à la signora Jacobs ; la première remontait à plus de quarante ans et les suivantes avaient eu lieu environ tous les douze ans. Aucun relevé bancaire n'y était joint, et Brunetti supposa que les règlements avaient été effectués en liquide et qu'elle avait conservé l'argent dans l'appartement. Il prit une facture de gaz et l'examina. En supposant que le prix déclaré d'un bien immobilier était, comme toujours, environ la moitié de la somme réellement versée, il calcula rapidement que l'argent qu'avait rapporté la vente de chacun de ces appartements aurait dû lui permettre de vivre pendant sept à huit ans, en moyenne, en tenant compte du montant estimé de ses dépenses à partir de ses différentes factures et de son loyer. Il trouvait d'ailleurs étrange qu'ayant possédé plusieurs appartements, la signora Jacobs ait choisi de vivre en location, mais c'était pourtant ce que prouvait une pile de récépissés en bonne et due forme.

Il tomba bientôt sur une liasse de reçus, tous en provenance de la galerie Patmos à Lausanne ; ils portaient les initiales EL et avaient trait à ce qui était décrit comme des « objets de valeur ».

Il se leva et alla dans le couloir, où Vianello était sur le point d'en finir avec les étagères de livres du mur opposé. Des termitières de bouquins se dressaient dans le passage, et l'une d'elles s'était effondrée en son milieu.

« Rien là-dedans, dit Vianello en le voyant arriver. Pas même un vieux ticket de vaporetto comme marque-page.

– J'ai trouvé l'origine de la rente versée à Claudia Leonardo. »

Vianello lui adressa un regard plein de curiosité.

« Des reçus en provenance de la galerie Patmos pour des *objets de valeur*, selon leurs termes.

– Vous êtes sûr ? demanda Vianello, qui avait déjà entendu prononcer le nom de la galerie.

– Le plus ancien de ces reçus date d'un mois avant le premier dépôt effectué sur le compte de Claudia. »

Vianello hocha la tête.

« Je vais te donner un coup de main », dit Brunetti en enjambant la pile effondrée pour venir s'accroupir auprès de l'inspecteur. Côte à côte, ils feuilletèrent les livres restants, dans l'étagère du bas, mais ne trouvèrent rien d'autre que ce que les auteurs y avaient mis.

Refermant le dernier et le déposant à plat sur l'étagère vide, Brunetti déclara que ça suffisait.

« Allons manger. »

Vianello était entièrement d'accord ; il avait trouvé, dans l'entrée, un jeu de clefs pour la porte blindée et il se chargea de la verrouiller soigneusement. Mais quand ils quittèrent l'immeuble, le commissaire tira simplement la porte cochère derrière lui, sans plus y penser.

20

Après avoir expédié un repas décevant, les deux hommes revinrent à pied à la questure, se faisant part mutuellement, de temps en temps, d'une piste éventuelle à explorer, ou d'une question restée sans réponse. Rizzardi aurait beau examiner la signora Jacobs sous toutes les coutures, en l'absence de preuves matérielles indiquant qu'elle avait été victime de violence, aucun juge n'autoriserait une enquête sur sa mort ; et encore moins Patta qui, pour sa part, aurait eu besoin que la malheureuse prononce le nom de son assassin en mourant pour en lancer une.

Ils se séparèrent en arrivant à la questure, et Brunetti monta jusqu'au bureau de la signorina Elettra. La jeune femme leva la tête en l'entendant arriver et lui dit aussitôt :

« Je suis au courant.

— D'après Rizzardi, il pourrait s'agir d'une crise cardiaque.

— Moi non plus, je n'y crois pas, observa-t-elle, certaine que le commissaire partageait cette opinion. Et maintenant ?

— Nous devons attendre les résultats de l'autopsie, puis mettre un nom sur l'héritier des objets d'art qui se trouvent dans l'appartement.

— Ils sont vraiment si remarquables que ça ?

demanda-t-elle, se souvenant des allusions qu'il y avait faites.

– C'est à ne pas y croire. Si ces pièces sont authentiques, il s'agit d'une des plus belles collections de la ville.

– C'est absurde, non ? Vivre comme elle vivait, au milieu de toute cette richesse…

– Mis à part la cendre sur le tapis, l'appartement était propre et on lui apportait ses cigarettes et ses repas. On ne peut pas dire qu'elle habitait dans un taudis.

– Non, sans doute. Mais on a tendance à penser, comment dire… à penser que les gens vivent différemment, quand ils en ont les moyens.

– Qui sait si ce n'est pas ainsi qu'elle avait envie de vivre ?

– C'est possible, admit la jeune femme, mais sans conviction.

– Il lui suffisait peut-être de pouvoir contempler toutes ces choses, proposa-t-il.

– Cela vous suffirait-il, à vous ?

– Je n'ai pas quatre-vingt-trois ans, répondit Brunetti avant de changer de sujet. Des nouvelles de Londres ? »

Elle lui tendit une unique feuille de papier.

« Comme je vous le disais, les Anglais se débrouillent mieux que nous. »

Parcourant rapidement le document, Brunetti apprit que Benito Guzzardi, né à Venise en 1942, était mort d'un cancer du poumon à Manchester, en 1995. La naissance de Claudia avait eu lieu à Londres vingt et un ans auparavant, mais elle avait été enregistrée sous le nom de sa mère, Petra Leonhard ; il n'y avait rien sur le mariage de Petra ni sur sa mort éventuelle.

« Voilà au moins qui explique son nom, n'est-ce pas ? »

La secrétaire lui tendit un double de la demande d'inscription de Claudia à l'université.

« La simplicité même. Elle avait des papiers au nom de Leonhard, mais elle a écrit *Leonardo* en remplissant les formulaires. Le nom de la personne à contacter en cas d'accident, ajouta-t-elle, précédant encore une fois la question de Brunetti, était sa tante.

– Celle qui habite en Angleterre ?

– Oui. Je l'ai appelée. Elle n'était pas au courant de la mort de Claudia. Personne, ici, n'a pensé à l'en informer.

– Comment a-t-elle réagi ?

– Très mal. Elle m'a dit que Claudia avait passé toutes ses vacances d'été avec elle depuis qu'elle était petite.

– Est-elle la sœur de sa mère ou de son père ?

– Ni l'une ni l'autre, dit-elle avec un mouvement de tête incrédule à l'idée de cette situation, c'est comme son histoire de grand-mère. Notre Anglaise n'est pas vraiment sa tante, même si Claudia la désignait toujours comme ça. Elle était la meilleure amie de sa mère.

– Elle était ? La mère de Claudia est morte ?

– Non, elle a disparu – mais pas dans le sens habituel, ajouta-t-elle aussitôt. Il ne lui est rien arrivé de grave. D'après l'Anglaise, elle était de ces esprits libres qui vont et viennent dans la vie *comme bon leur plaît*, selon son expression. »

Elle s'arrêta un instant, avant d'ajouter son commentaire personnel :

« En laissant les autres faire le ménage derrière eux. »

Comme Brunetti ne disait rien, elle continua.

« La dernière fois que la tante anglaise a eu des nouvelles de son amie Petra, c'était peu de temps après la mort de Benito Guzzardi ; elle a reçu une carte postale du Bhoutan, et Petra lui demandait de garder un œil sur Claudia. »

Éprouvant un soudain besoin de protéger la jeune

morte et scandalisé que sa mère l'ait abandonnée avec autant de désinvolture, Brunetti s'exclama :

« Garder un œil ? Quel âge avait-elle, alors ? Quinze ans, seize ans ? Qu'est-ce que cette gamine était supposée faire pendant que sa mère se consacrait à la recherche de l'harmonie intérieure ou de je ne sais quoi ? »

Comme il est plus prudent de le faire devant des questions rhétoriques ne réclamant aucune réponse, Elettra attendit que le commissaire se calme un peu avant de poursuivre :

« La tante m'a dit que Claudia avait vécu avec ses parents jusqu'à la mort du père, puis avait décidé de retourner en Italie, où elle était inscrite dans une école privée de Rome. Je pense que c'est à cette époque qu'elle est entrée en contact avec la signora Jacobs. L'été, elle retournait en Angleterre, chez cette tante. »

Ces explications le calmèrent un peu, et il réfléchit quelques instants.

« Claudia m'avait dit que ses parents n'étaient pas mariés mais que son père l'avait reconnue. »

La signorina Elettra acquiesça.

« C'est aussi ce que m'a dit l'Anglaise.

– Si bien que Claudia était l'héritière de Guzzardi.

– Héritière de pas grand-chose, apparemment, observa la secrétaire, qui, penchant la tête de côté pour le regarder, ajouta : à moins que…

– Je ne sais pas très bien ce que prévoit la loi lorsqu'une personne meurt en détenant des objets dont la propriété n'est pas clairement attestée, dit Brunetti, qui avait suivi le fil de la pensée d'Elettra. Par ailleurs, en matière de biens mobiliers, un vieil adage affirme que *possession vaut titre* ; normalement, on n'a pas à remettre en question ce que l'on trouve au domicile d'une personne qui vient de mourir.

– Normalement, non. Mais dans ce cas, monsieur… »

244

Elle laissa sa phrase inachevée sur les possibilités qu'elle offrait.

« Il n'y avait rien dans ses papiers, aucune facture relative à l'un des objets. »

Ils suivaient depuis un moment la même piste de réflexion, et elle prolongea donc la pensée de Brunetti.

« Ces documents sont peut-être chez son notaire ou son avocat. »

Mais Brunetti secoua la tête : il n'avait rien trouvé concernant un homme de loi dans les papiers de la signora Jacobs, et la fouille de la bibliothèque s'était révélée totalement infructueuse. C'est finalement la secrétaire qui tira la conclusion :

« S'il n'y a pas de testament, l'héritage revient à sa famille.

– À condition qu'elle en ait une. »

Dans le cas contraire, comme ils en avaient tous les deux conscience, tout reviendrait à l'État. En bons Italiens, ils estimaient que rien de pire ne pouvait arriver à quelqu'un : tous ses biens condamnés à tomber aux mains de bureaucrates anonymes et pillés avant même d'être entreposés, rangés, catalogués et triés, jusqu'à ce que le peu qui aurait survécu à ce passage au crible soit finalement vendu ou abandonné au fond des réserves d'un musée quelconque.

« Autant tout mettre directement dans la rue », dit la signorina Elettra.

Brunetti était entièrement d'accord, mais il trouva plus judicieux de ne pas manifester son assentiment et changea de sujet.

« Et les appels téléphoniques de Claudia à Filipetto ?

– Je ne les ai pas encore imprimés, monsieur, mais si vous voulez, on peut les regarder à l'écran. »

Elle effleura quelques touches, des fenêtres s'ouvrirent, l'écran devint noir pendant un instant, puis s'éclaira à nouveau, affichant des colonnes de chiffres.

La signorina Elettra tapota du bout du doigt un en-tête et expliqua :

« Numéro appelé, date, heure et durée de l'appel. Ça, ce sont les coups de téléphone qu'elle a donnés à Filipetto. Et ça, reprit-elle après avoir fait venir à l'écran une nouvelle colonne, ce sont les appels de Filipetto à Claudia, chez elle. »

Elle lui laissa quelques instants pour étudier les chiffres, puis ajouta :

« Bizarre, non, sept appels entre deux personnes qui ne se connaissaient pas ? »

Elle pianota encore sur quelques touches et de nouveaux chiffres vinrent remplacer les anciens. « C'est quoi, ça ? demanda Brunetti.

– Les appels entre son numéro et la bibliothèque. Je n'ai pas encore eu le temps de les trier, et pour le moment ils sont dans l'ordre chronologique. »

Le commissaire étudia les colonnes de chiffres. Les trois premiers appels étaient adressés du domicile de Claudia Leonardo à la bibliothèque. Puis il y en avait un en provenance de la bibliothèque. Un autre d'elle. Ensuite, au bout d'un intervalle de trois semaines, commençait une série d'appels provenant de la bibliothèque. Ils se répétaient à intervalles de quatre ou cinq jours et se prolongeaient sur six semaines. Brunetti pensa tout d'abord que c'était des appels de Claudia à sa colocataire, mais il se rendit alors compte que certains avaient été passés après vingt et une heures, ce qui ne correspond pas vraiment à un horaire de bibliothèque. Étudiant la dernière colonne, celle qui indiquait la durée des appels, il constata que si les derniers de la série avaient duré entre cinq et dix minutes, le tout dernier avait été très court : moins d'une minute.

La jeune secrétaire avait étudié la liste en même temps que lui.

« La même chose m'est arrivée, dit-elle alors, c'est pourquoi j'ai compris de quoi il s'agissait.

– Harcèlement ? » L'italien n'ayant pas de terme pour désigner la chose, il avait été obligé d'en emprunter un à l'anglais, et il se demanda si ce n'était pas jusqu'au concept qui manquait en italien.

« C'est ce que je dirais.

– Pouvez-vous m'imprimer la première liste ? demanda-t-il, ajoutant, après qu'elle eut acquiescé, je crois que je vais aller m'entretenir à nouveau avec le dottor Filipetto, et voir si ces coups de fil ne lui rafraîchissent pas la mémoire. »

La femme que Filipetto appelait Eleonora introduisit une fois de plus Brunetti et, sans s'enquérir de la raison de sa visite, le conduisit jusqu'au bureau du notaire à la retraite. Le policier aurait juré que l'homme n'en avait pas bougé depuis sa dernière visite : il était dans la même position, habillé de la même manière, avec devant lui le même fouillis de papiers et de revues.

« Ah, commissaire, dit Filipetto, apparemment content de le voir, vous voilà revenu. »

Il lui fit signe d'avancer, puis, toujours par geste, demanda à la femme de ne pas quitter la pièce. Brunetti avait vaguement conscience de la présence d'Eleonora dans son dos, entre lui et la porte.

« Oui, monsieur. Je suis venu vous poser deux ou trois autres questions à propos de cette jeune fille, répondit-il en s'installant sur la chaise que lui indiquait le vieil homme.

– La jeune fille ? » Filipetto paraissait perplexe ; Brunetti ne s'y laissa pas prendre.

« Oui, monsieur. Claudia Leonardo. »

Filipetto regarda Brunetti et cilla à plusieurs reprises.

«Leonardo ? Est-ce quelqu'un que je suis supposé connaître ?

– C'est justement la question que je suis venu vous poser, monsieur. La première fois, il y a quelques jours, vous m'avez dit que vous n'en aviez jamais entendu parler.

– C'est exact, dit Filipetto avec une légère irritation dans la voix. C'est un nom que je n'ai jamais entendu.

– Vous en êtes tout à fait sûr ? demanda Brunetti d'un ton neutre.

– Bien évidemment, j'en suis sûr. Qu'est-ce qui vous fait douter de ma parole ?

– Je ne mets pas en doute votre parole, monsieur, simplement l'acuité de votre mémoire.

– Qu'entendez-vous par là ? exigea de savoir le vieil homme.

– Rien de spécial, monsieur, sinon qu'il nous arrive à tous, parfois, d'oublier certaines choses.

– Je suis un vieil homme… » commença Filipetto. Puis il s'interrompit.

Une transformation se produisit sous les yeux de Brunetti. Le notaire se tassa dans son fauteuil, sa mâchoire inférieure se mit à pendre, et sa main droite rampa sur le bureau pour venir se poser sur la gauche.

«Je ne me souviens pas de tout, vous comprenez», reprit-il d'une voix devenue nasillarde, la voix haut perchée d'un vieillard récriminateur.

Brunetti se sentit comme le chien d'Ulysse, le seul à avoir reconnu son maître sous son déguisement. S'il n'avait pas assisté lui-même à cette mascarade, la compassion l'aurait empêché de poser davantage de questions à un vieillard aussi affaibli. Même ainsi, cependant, la supercherie le laissa sans voix et il ne put se résoudre à mentionner la liste des appels téléphoniques entre lui et Claudia Leonardo.

Avec un sourire dans lequel il eut bien de la peine à

mettre autant de chaleur que de crédulité, Brunetti demanda :

« Dans ce cas, vous avez pu la connaître et l'avoir oubliée, monsieur ? »

Filipetto leva la main droite et l'agita faiblement en l'air.

« Oh, c'est possible, c'est possible. Je n'ai plus la même mémoire qu'avant. »

D'un geste, il fit signe à la femme d'approcher.

« Dis-moi, Eleonora, est-ce que je connais quelqu'un du nom de… » Il se tourna vers Brunetti et lui demanda, comme s'il avait du mal à se souvenir du nom de Claudia :

« Comment dites-vous qu'elle s'appelle, déjà ?

– Claudia Leonardo », dit obligeamment le policier d'un ton neutre.

La réaction d'Eleonora mit longtemps à venir.

« Oui, dit-elle finalement, ce nom me dit quelque chose, mais je ne me rappelle pas où je l'ai entendu. »

Elle n'en dit pas davantage, ne demanda même pas à Brunetti de lui expliquer qui était cette Claudia.

Bien que dépité de s'être fait manœuvrer, Brunetti ne put s'empêcher d'admirer, malgré lui, le numéro de Filipetto et la manière dont il avait capitalisé sur son âge et sa prétendue infirmité. La liste des coups de fil se résumerait à lui faire se souvenir qu'en effet, maintenant que Brunetti lui en parlait, il s'était entretenu par téléphone avec une jeune femme, mais sans qu'il puisse se rappeler à quel sujet.

Sa défaite n'en serait que plus décisive, jugea Brunetti, s'il posait d'autres questions. Il se leva en s'appuyant sur ses genoux, se pencha sur le bureau et serra la main de Filipetto.

« Merci de votre aide, *notaio*. Je suis désolé de vous avoir ennuyé avec mes questions. »

La poignée de main du vieil homme était soudain

devenue plus faible ; ses doigts paraissaient aussi fragiles qu'une poignée de spaghettis secs. L'air stupéfait, Filipetto se contenta de saluer Brunetti d'un simple hochement de tête.

Le commissaire prit la direction de la porte et Eleonora fit un pas de côté pour le laisser passer. Il s'arrêta au bout du couloir, dans l'entrée de l'appartement. De but en blanc, il se tourna vers la femme et demanda :

« Puis-je savoir quelles sont vos relations avec le dottor Filipetto ? »

Elle lui adressa un long regard, sans ciller, avant de répondre.

« Je suis sa fille, monsieur. »

Brunetti la remercia, ne lui tendit pas la main et partit.

21

Bien conscient de ne pouvoir prendre de décision sur ce qu'il fallait penser de la mort de la signora Jacobs avant d'avoir eu le rapport du médecin légiste, Brunetti se retrouva désœuvré et peu désireux de s'attaquer à une autre tâche. Il n'avait envie ni de retourner à la questure, ni de commencer à interroger les voisins de la vieille dame, ni, encore moins, de penser à Claudia Leonardo et à la manière dont elle était morte. Il marcha.

En sortant de chez les Filipetto, il prit la direction de San Lorenzo mais, une fois à hauteur du pont situé en face de l'église orthodoxe, son courage lui manqua et il bifurqua vers le passage couvert au lieu de continuer jusqu'à la questure. Traversant le Campo Santa Maria Formosa, il vit ce qui lui parut être une tribu de Kurdes bivouaquant devant le *palazzo* abandonné, assis ou accroupis sur des tapis aux couleurs éclatantes, leurs maigres biens étalés autour d'eux. Les hommes portaient des costumes ternes et des calottes noires, mais les robes longues et les foulards des femmes étaient un festival de rouge, jaune et orangé flamboyant. Ils paraissaient se désintéresser totalement des passants et auraient pu aussi bien se trouver au milieu d'une plaine désertique ; il ne leur manquait qu'un feu de camp et des ânes.

Il traversa le rio dei Santi Apostoli, celui de San

Felice, puis celui della Misericordia, avec son bas-relief en pierre d'un marchand enturbanné conduisant un dromadaire, tourna à droite et, par le Campo di Mori, arriva sur la lagune, à hauteur de la Madonna dell'Orto ; un vaporetto venait juste de larguer ses amarres, à l'embarcadère voisin, mais lorsque le pilote vit Brunetti, il fit machine arrière et regagna le ponton, les martèlements autoritaires du moteur étant comme un ordre de monter à bord. Le marin fit coulisser le portillon métallique et Brunetti sauta sur le pont – alors qu'il n'avait nullement eu l'intention de prendre le bateau.

Arrivé à l'arrêt de Fondamente Nuove, il décida sans réfléchir de prendre le 12 qui partait pour le cimetière San Michèle. Il descendit sur l'île, seul homme au milieu d'une foule de femmes, âgées pour la plupart et tenant toutes un bouquet de fleurs. Comme il l'avait fait depuis qu'il avait quitté le domicile des Filipetto, il marchait à l'aveugle, à croire que ses pieds avaient pris le commandement du reste de son corps.

Il prit à droite par le cloître puis, après avoir franchi quelques marches basses, il se retrouva en face de la plaque de marbre derrière laquelle reposaient les restes de son père. Il lut le nom, les dates. Il avait pratiquement l'âge de son père au moment de sa mort ; comme lui, il avait deux enfants. Autrefois, sa mère venait ici régulièrement pour discuter de choses et d'autres avec feu son mari, bien que celui-ci se soit montré aussi avare de conseils une fois mort qu'il l'avait été de son vivant. Aux questions de Guido, elle avait seulement répondu que cette habitude l'aidait à se sentir à nouveau proche de quelqu'un. Il lui avait fallu des années pour accepter le triste reproche que sous-entendait cette remarque ; mais, à ce moment-là, sa mère avait échappé aux joies et aux soucis de l'amour pour dériver dans les eaux de la sénilité et de la folie, si bien qu'il n'avait jamais pu lui demander de lui pardonner ni compenser ce vide.

Les fleurs disposées dans un petit vase argenté étaient fraîches, mais Brunetti n'avait aucune idée de qui avait pu les apporter : peut-être son frère, ou sa belle-sœur. Une chose était sûre, cependant : ce n'était ni ses neveux, ni ses enfants. Les jeunes paraissaient ne rien vouloir savoir du culte des morts, et les tombes de sa génération ne recevraient probablement aucune visite et ne seraient jamais fleuries. Et une fois Paola partie, qui viendrait parler sur la sienne ? Lui aurait-on posé la question (ou se la serait-il posée de lui-même), il aurait attribué sa conviction qu'il mourrait le premier à toute une série de statistiques : les hommes meurent plus jeunes que les femmes, qui continuent à vivre seules. Mais la véritable réponse se trouvait plus probablement dans une différence fondamentale de caractère : Paola choisissait en général la lumière, se jetait dans la vie, alors qu'il se sentait plus à l'aise en retrait, dans les coulisses, d'où on voyait les choses sous un jour moins éclatant, où on pouvait les étudier et ajuster sa vision avant de décider de ce qu'il fallait faire.

Il posa la main droite sur les lettres formant le nom de son père. Il resta ainsi quelques instants, puis jeta un coup d'œil à sa gauche, à la longue rangée de tombes soigneusement alignées, chacune occupant une même quantité d'espace. Claudia Leonardo et la signora Jacobs n'allaient pas tarder à prendre place ici. Derrière lui, sur un terrain parfaitement entretenu, s'élevaient les tombeaux en marbre des riches, des monuments énormes de toutes les formes et de tous les styles. Il pensa à Ivan Illitch, conseillant à sa famille de renoncer à tout, au roi des rois, Ozymandias, mais surtout au peu d'émotion authentique qu'il ressentait en se tenant ici, devant la tombe de son père. Il sortit du cimetière et alla reprendre le vaporetto pour Fondamente Nuove.

Il partit à la recherche d'un téléphone public en état de marche, voulant avertir Vianello qu'il ne reviendrait pas au bureau cet après-midi. Mais les temps sont à la dictature du portable, et il ne put trouver de cabine ; il dut se résoudre à entrer dans un bar, où il commanda un café dont il n'avait pas envie pour justifier l'usage de leur téléphone. Il appela ensuite chez lui, mais il n'y avait encore personne – seulement sa propre voix sur le répondeur, lui demandant de laisser un message.

C'est dans un état quasi somnambulique qu'il retraversa une bonne partie de la ville pour rentrer chez lui, le désir de regagner son appartement lui donnant presque le tournis. Il fut tellement heureux une fois arrivé qu'il s'adossa à la porte, après l'avoir refermée, même si ce geste le fit se sentir comme l'héroïne d'un mélodrame de quatre sous, soulagée d'avoir échappé à la menace de quelque poursuivant indésirable qu'elle sent rôder derrière le battant.

Les yeux fermés, il dit à voix haute :

« Seigneur ! La prochaine fois, je vais me cacher sous le lit ! »

C'est alors qu'il entendit la voix de Paola.

« Si c'est un signe avant-coureur de folie, je ne suis pas sûre de pouvoir affronter ça. »

Il se tourna et la vit devant la porte de son bureau qui souriait, un livre à la main.

« Ce n'est certainement pas le premier que tu vois, dit-il en se redressant. Comment se fait-il que tu sois à la maison cet après-midi ? On est pourtant mardi, non ?

– J'ai mis un mot sur la porte de mon bureau, à la fac, disant que j'étais souffrante. »

Il étudia le visage de sa femme ; la bonne humeur faisait briller ses yeux, la bonne santé, sa peau.

« Souffrante ?

– Oui. À force de rester assise.

– Mais pas à force d'avoir trop lu ?

– Oh ça, non, jamais ! Mais toi, comment se fait-il... ?

– Tu m'as entendu le dire. Je vais aller me cacher sous le lit. »

Elle fit demi-tour et entra dans son bureau. « Viens me raconter ça. »

Vingt minutes plus tard, Guido lui avait appris tout ce qu'il y avait à savoir sur la mort de la signora Jacobs et sur sa conviction qu'elle n'était ni naturelle, ni accidentelle.

« Mais qui aurait pu vouloir les tuer toutes les deux ? demanda Paola, qui partageait sa conclusion que les deux décès avaient un rapport.

– Si je connaissais le mobile, ce serait facile de trouver le coupable.

– Le mobile a quelque chose à voir avec les peintures », observa Paola d'un ton catégorique. Guido ne vit aucune raison de remettre cette idée en question.

« Dans ce cas, il ne nous reste qu'une chose à faire : attendre qu'on trouve un testament ou qu'un notaire nous en présente un pour le faire exécuter ? supposa-t-il, sceptique.

– Ça me paraît un peu simpliste. »

Elle resta un bon moment à contempler le mur couvert de livres, en face d'elle.

« Tout ça me rappelle beaucoup *The Spoils of Poynton*.

– Raconte-moi ça, demanda-t-il – tout en sachant très bien que, de toute façon, il n'y échapperait pas.

– C'est l'une des nouvelles de James. Il y est question de la possession d'une maison remplie d'objets d'art et le récit révèle ce que sont vraiment les protagonistes par la manière dont ils réagissent à ces objets.

– Par exemple ? demanda Guido, qui trouvait plus reposant de se faire expliquer les livres de Henry James par Paola que de s'y plonger lui-même.

– Je crois que tu comprendrais mieux si tu la lisais toi-même.

– Mais si. Donne-moi un exemple.

– Le fils de la femme – celle qui possède toutes ces belles choses – ne sait pas les apprécier. Il est tout à fait aveugle à leur beauté, tout comme il est aveugle à la jeune dame de compagnie de sa mère, qui ferait une épouse idéale pour lui, au lieu de la femme avec laquelle il est fiancé. Il est incapable de reconnaître la beauté évidente des objets, et de même ne peut reconnaître la beauté cachée de la jeune dame de compagnie. »

Elle réfléchit à ce qu'elle venait de dire avant d'ajouter, en manière d'excuse pour le Maître :

« Il raconte ça beaucoup mieux que moi, mais c'est le cœur de l'histoire.

– Très bien, dit Guido quand il vit qu'elle avait fini. Quel est le rapport avec la signora Jacobs ? »

Il attendit, pendant qu'elle cherchait comment formuler sa réponse de manière qu'il comprenne.

« En fin de compte, dit-elle au bout d'un moment, les choses sont-elles plus importantes que les gens ? Qui iras-tu arracher au bâtiment en feu ? Le Rembrandt, ou le bébé ? Et comment, en ces temps où l'argent est roi, sépares-tu la beauté de la valeur ?

– Et si tu t'y prenais autrement qu'avec des questions rhétoriques ? »

Elle se mit à rire devant cette réaction mais, nullement offensée, reprit tout de suite ses explications.

« Je pense que réagir avec émotion à la beauté est un signe d'illumination spirituelle », commença-t-elle, lui signalant ainsi qu'il était bon pour une analyse alambiquée ; cependant, il ne doutait pas que la conclusion serait intéressante.

« Néanmoins, notre époque a tellement transformé l'art en une forme d'investissement ou de spéculation que beaucoup de gens sont devenus incapables de voir la beauté d'un objet, et de s'y arrêter vraiment s'ils la remarquent : ils n'en voient que la valeur, sa convertibilité en une certaine somme d'argent.

– Et tu trouves ça critiquable ?

– Oui, je trouve ça critiquable, dit-elle en lui adressant un sourire. Mais tu sais à quel point je suis snob. »

Comme il ne profita pas de la pause qu'elle marqua pour protester du contraire, elle reprit :

« Je pense qu'une fois que nous avons converti la beauté en valeur financière, nous sommes prêts à aller plus ou moins loin pour l'acquérir. Autrement dit, je ne trouve nullement extraordinaire qu'on soit capable de tuer pour se procurer une peinture, si elle n'est envisagée qu'en termes de valeur monétaire ; en revanche, je n'arrive pas à imaginer qu'on puisse tuer pour mettre la main sur un tableau de son artiste préféré simplement parce qu'on l'admire. »

Elle appuya la tête au dossier du canapé, ferma un instant les yeux et reprit son exposé.

« Selon ses objectifs, on est capable d'aller plus ou moins loin. Ou bien, peut-être, les gens étant différents, ils sont poussés à agir en fonction d'objectifs différents. De toute façon, mon idée est que l'argent est un moteur bien plus puissant que la valeur esthétique des choses.

– Et dans ce cas ?

– Le meurtre est hautement improbable, dit-elle en manière de réponse.

– Et l'histoire du collectionneur fou qui veut tout posséder ?

– Il en existe probablement, mais quelque chose me dit que très peu sont prêts à poignarder des jeunes filles ou à tuer des vieilles femmes pour obtenir l'objet de leur convoitise. Sans compter que nous ne savons toujours pas où ces tableaux vont atterrir, n'est-ce pas ? »

Guido secoua la tête. C'était pour le moment une question sans réponse.

Elle rompit la méditation de son mari par une remarque.

« Je n'ai pas oublié ce que tu dis toujours, Guido.

– Quoi donc ?

– Qu'à l'origine de tout crime, il y a ou l'argent, ou le sexe, ou le pouvoir. »

Effectivement, il avait souvent répété cette formule, pour la simple raison qu'il avait eu rarement affaire à d'autres motivations.

« En tout cas, reprit-elle, Claudia étant vierge et la signora Jacobs âgée de plus de quatre-vingts ans, on peut exclure le sexe, *a priori*. Et je ne vois pas ce que viendrait faire le pouvoir là-dedans, n'est-ce pas ? »

Il secoua la tête, et elle conclut : « Eh bien ? »

Il ruminait encore ces réflexions de Paola en arrivant à la questure, le lendemain matin. Il se rendit directement dans son bureau sans avertir personne qu'il était là. La première chose qu'il fit fut de téléphoner à Lucia Mazzotti, à Milan, et eut la bonne surprise de l'entendre répondre elle-même. Mais elle avait changé du tout au tout et perdu toute timidité dans la voix ; Brunetti s'émerveilla de cette aptitude qu'ont les jeunes à se remettre de n'importe quoi. Il commença par les platitudes convenues, conscient que sa mère n'était peut-être pas loin, puis passa rapidement aux raisons de son appel et lui demanda si Claudia n'aurait pas parlé, par hasard, de quelqu'un qui lui aurait fait une cour un peu trop pressante ou dont les attentions l'auraient ennuyée. La jeune fille garda longtemps le silence avant de répondre.

« Elle recevait des coups de téléphone. C'est arrivé une ou deux fois pendant que j'étais là.

– Quel genre de coups de téléphone ?

– Oh, vous savez, un type qui veut sortir avec vous, ou qui veut juste vous parler. Et à qui vous, vous n'avez pas envie de parler, ou que vous refusez de voir. » Elle s'exprimait avec autorité, sa jeunesse et sa beauté lui

258

garantissant que ce genre d'appels faisait partie d'une existence normale.

« C'est ce que je me suis dit, à la manière dont elle lui répondait.

– Qui était cet homme, à ton avis ? »

Il y eut un long silence et Brunetti se demanda pourquoi la jeune fille aurait des scrupules à lui répondre, mais finalement elle dit :

« Il m'a semblé que ce n'était pas toujours un homme.

– Excuse-moi, Lucia. Mais peux-tu m'expliquer ça ?

– Je vous l'ai dit, répliqua-t-elle avec un début d'impatience dans la voix. Ce n'était pas toujours un homme. Une fois, il y a environ quinze jours, Claudia a reçu un appel, et celle qui l'appelait était une femme. Mais c'était le même genre de coups de téléphone, quelqu'un à qui elle n'avait pas envie de parler.

– Comment le sais-tu ?

– C'est moi qui ai décroché, et la femme a dit qu'elle voulait parler à Claudia. »

Brunetti se demanda pourquoi Lucia ne lui avait pas raconté ça la première fois, puis se rappela alors que son amie était allongée, morte, dans l'appartement au-dessus quand il l'avait interrogée. Ce fut donc d'une voix calme qu'il lui demanda ce que cette femme lui avait dit.

« Simplement qu'elle voulait parler à Claudia », répéta-t-elle, d'un ton qui suggérait qu'il fallait être un demeuré pour ne pas se souvenir de ce qu'elle venait de lui dire.

« Est-ce que tu te souviens si elle a demandé Claudia ou la signorina Leonardo ? »

Après un nouveau long silence, Lucia répondit qu'elle ne s'en souvenait pas vraiment, mais qu'elle pensait que c'était plutôt signorina Leonardo. Elle réfléchit quelques instants avant de reprendre, d'un ton d'où avait disparu toute impatience :

« Je suis désolée, mais je ne m'en souviens pas. Je n'y ai pas fait beaucoup attention, comme c'était une femme. Je pensais que c'était à propos de son travail, quelque chose comme ça.

– Te souviens-tu de l'heure qu'il était ?

– Un peu avant le dîner.

– Aurait-il pu s'agir de la vieille dame autrichienne ?

– Non, elle avait un accent. Pas cette femme.

– Était-elle italienne ?

– Oui.

– Vénitienne ?

– Je n'ai pas parlé avec elle assez longtemps pour m'en rendre compte. Mais je suis sûre qu'elle était italienne. C'est pour ça que j'ai pensé que c'était à propos de son travail.

– Tu m'as dit que c'était une personne à qui Claudia n'avait pas envie de parler. Qu'est-ce qui te le fait penser ?

– Oh, la manière dont Claudia lui répondait. Enfin… elle écoutait, plutôt. J'étais dans la cuisine pour préparer le repas, mais je l'entendais, et elle paraissait plus ou moins en colère.

– Qu'est-ce qu'elle a dit ?

– Je ne sais pas exactement. C'est simplement à son ton que je comprenais qu'elle trouvait déplaisant de parler à cette femme. Je faisais frire des oignons et je ne distinguais pas ses paroles. Seulement que cet appel lui déplaisait. Finalement, elle a raccroché.

– T'en a-t-elle parlé ?

– Non, pas vraiment. Elle est venue dans la cuisine et m'a dit quelque chose sur des gens d'une bêtise incroyable, mais elle ne voulait pas revenir là-dessus, alors on a parlé des cours.

– Et après ?

– Après, nous avons mangé. Ensuite, on avait beaucoup de lectures à faire, toutes les deux.

– En a-t-elle reparlé ?

– Non, pas que je me souvienne.

– Y a-t-il eu d'autres coups de téléphone ?

– Pour autant que je sache, non.

– Et l'homme ?

– Ce n'était jamais moi qui décrochais quand il l'appelait, et je ne peux donc rien vous dire sur lui. De toute façon, c'est plutôt une impression que j'ai eue, rien de vraiment précis. Quelqu'un l'appelait, elle écoutait un moment et répondait par "oui" ou "non", puis elle disait un ou deux mots et raccrochait.

– Tu ne l'as jamais interrogée là-dessus ?

– Non. Vous comprenez, nous n'étions pas réellement amies, Claudia et moi. Enfin, si, mais pas le genre amies intimes qui se racontent tout.

– Je vois, dit Brunetti, sûr que si lui ne comprenait pas très bien cette distinction, elle n'échapperait certainement pas à sa fille. Elle n'a vraiment jamais rien dit à propos de ces appels ?

– Non, pas grand-chose. D'autant plus que je n'étais pas là tout le temps, quand elle en recevait.

– Recevait-elle d'autres coups de téléphone, de gens que vous connaissiez ?

– De temps en temps. Je connaissais la voix de la dame autrichienne et celle de sa tante.

– Sa tante qui est en Angleterre ?

– Oui. »

Brunetti, ne voyant plus rien à demander à la jeune fille, la remercia pour son aide et ajouta qu'il aurait peut-être besoin de la rappeler, mais qu'il espérait qu'il n'aurait plus de raison de la déranger à propos de cette affaire.

« Ce n'est pas un problème, commissaire. Je serais contente que vous trouviez le coupable. »

22

Le lendemain, lorsque Brunetti arriva à la questure, le policier de faction lui tendit une enveloppe.

« Un homme est venu apporter cette lettre pour qu'on vous la remette dès que vous seriez là, monsieur.

– Quel genre d'homme ? » demanda Brunetti en examinant l'enveloppe de papier bulle que le policier lui tendait. Des images de lettres piégées, de terroristes et de mort soudaine lui vinrent à l'esprit.

« Pas de problème, monsieur, il parlait vénitien. »

Brunetti prit donc l'enveloppe et monta l'escalier. La lettre était d'un format supérieur à la normale et son épaisseur laissait à penser qu'elle contenait quelque chose comme une liasse de documents. Il la palpa et la secoua, mais attendit d'être à son bureau pour l'ouvrir. Côté face, son nom s'étalait en lettres capitales violettes.

Il ne connaissait qu'une personne qui utilisait cette couleur : Marco Erizzo, le premier de leur groupe d'amis à avoir acheté un stylo Mont-Blanc et qui en portait deux en permanence dans la poche de son veston.

Brunetti sentit son cœur se serrer quand il pensa à ce qui devait se trouver dans l'enveloppe : des papiers ne pouvaient signifier qu'une chose, et de la part d'un ami, en plus ! Il décida de ne rien dire, de donner l'argent à une œuvre de bienfaisance et de ne plus jamais parler à

Marco. C'est alors le terme de *disonorato* qui lui vint à l'esprit, et il sentit sa gorge se contracter à l'idée de la mort de cette vieille amitié.

Se servant de l'ongle, il déchira grossièrement l'enveloppe et en retira une élégante et épaisse feuille de papier à lettres, couleur crème, et une enveloppe plus petite et scellée. Il déplia la feuille et retrouva la même écriture penchée, la même encre violette. *Dans l'autre enveloppe, tu trouveras du romarin, celui que le fils de Maria lui envoie de Sardaigne. Elle dit qu'il faut en mettre une demi-cuillère à thé pour un kilo de moules et un demi-kilo de tomates, et de ne pas utiliser d'autres épices.*

Brunetti porta la petite enveloppe à son nez et y respira le parfum de l'amitié.

La matinée s'étira, et Brunetti n'arriva pas à se débarrasser de l'apathie qu'il éprouvait dès qu'il pensait à la mort de la signora Jacobs. Le rapport de Rizzardi arriva par fax vers onze heures. Il apprit que les bleus sur les bras de la femme pouvaient s'expliquer sans peine par la chute qu'elle avait faite. La cause de la mort était une crise cardiaque, si massive que les pilules qu'elle prenait n'auraient probablement pas suffi.

Vianello arriva juste avant le déjeuner pour lui faire son rapport ; il avait parlé avec les voisins et ressenti la même désagréable impression que lorsqu'il avait interrogé ceux de Claudia Leonardo : aucun d'eux n'avait entendu ou vu la moindre chose anormale la veille. L'inspecteur n'avait pas poussé jusque chez le buraliste et n'avait donc pas interrogé l'homme qui, pourtant, aurait pu savoir quelque chose. Dans son apathie, Brunetti ne comprit pas qu'il n'avait pas parlé de la clef ni du marchand de tabac à Vianello et que celui-ci ne devait pas connaître l'existence de cet homme.

Les choses en étaient donc là. Patta l'appela dans l'après-midi pour savoir où il en était dans l'enquête sur l'assassinat « de cette fille » et Brunetti dut prendre sur lui pour lui répondre avec le plus grand sérieux qu'ils « n'écartaient aucune possibilité ». Une centaine de grosses pointures de la Mafia avaient été libérées de prison la semaine précédente, parce que le ministère de la Justice n'était pas parvenu à les présenter au tribunal dans les délais prescrits, si bien que la presse s'en prenait avec une telle sauvagerie au ministre que ce n'était pas le meurtre d'une inconnue à Venise qui pouvait la distraire : il s'ensuivait que Patta paraissait moins énervé que d'habitude par l'absence de progrès dans l'enquête. Il ne vint pas un seul instant à l'esprit de Brunetti de confier à son supérieur qu'il soupçonnait l'existence d'un lien entre la mort de Claudia Leonardo et celle de la signora Jacobs.

Une journée passa, puis une autre. La tante d'Angleterre assaillit la questure de coups de téléphone, puis exigea qu'on lui rende le corps de Claudia pour pouvoir l'enterrer, mais il fut impossible d'obtenir le consentement de la bureaucratie ; la dépouille de Claudia resta donc à Venise. Au troisième jour, Brunetti se rendit compte qu'il y pensait comme au « corps » et non plus comme à la « jeune fille » ; du coup, il arrêta de lire les fax dont le bombardait la tante anglaise. La signorina Elettra partit à Milan faire un stage pour se familiariser avec quelques nouveaux tours de magie des ordinateurs, et son absence ne fit qu'ajouter à l'ambiance léthargique qui avait envahi la questure. On enterra la signora Jacobs dans la partie protestante du cimetière, mais Brunetti n'assista pas à la cérémonie. En revanche, il envoya une équipe technique dans l'appartement, munie des clefs de la porte blindée qui avaient été déposées au greffe de la questure par Vianello, pour photographier les œuvres d'art qui s'y trouvaient et en dresser un catalogue complet.

L'affaire traîna ainsi, jusqu'à ce qu'un matin, Brunetti, endossant un costume qu'il n'avait pas mis depuis une semaine, trouve dans la poche du veston la clef de l'immeuble de la signora Jacobs. Elle ne comportait ni étiquette ni porte-clefs, mais il la reconnut aussitôt. Il faisait un temps splendide et il se souvint de l'existence d'une très bonne pâtisserie du côté de San Boldo ; il décida donc de se rendre là-bas à pied, d'y déguster une brioche à la confiture (leur spécialité) accompagnée d'un café, de rendre la clef et de s'entretenir avec le buraliste ; après quoi, il prendrait le vaporetto pour rejoindre la questure.

La brioche, à elle seule, justifiait le déplacement : fraîche, moelleuse, elle débordait de confiture – sans doute trop pour la moyenne des gens, mais nullement pour Brunetti. Avec le sentiment d'avoir été stoïque (il avait résisté à son envie d'en prendre une seconde), il poursuivit son chemin, passa devant l'immeuble de la signora Jacobs et entra chez le marchand de tabac.

L'homme prit une mine inquiète en le voyant entrer.

« Je sais, je sais, j'aurais dû vous appeler, dit-il avant même que Brunetti ait eu le temps de le saluer. Mais je ne voulais pas qu'elle ait des ennuis. C'est une femme respectable. »

Bien qu'aussi étonné que l'homme, Brunetti eut la présence d'esprit de répondre d'un ton calme :

« Je n'en doute pas. Mais vous auriez tout de même dû nous avertir. Ça aurait pu être important, en effet. »

Le ton de voix de Brunetti suggérait qu'il était déjà au courant mais qu'il souhaitait entendre l'explication du buraliste. Le policier sortit la clef de sa poche et la brandit, comme si c'était l'indice manquant qu'il lui avait ramené pour connaître le fin mot de l'histoire.

L'homme, loin de tendre la main, resta les bras

allongés le long du corps et serra les poings, comme s'il n'était pas question qu'il prenne la clef.

« Non, non, je ne la veux pas. » Il secoua la tête pour souligner son refus. « Vous la gardez. Après tout, c'est un peu la raison de tous ces ennuis, non ? »

Brunetti acquiesça et glissa la clef dans sa poche. Il ne savait trop comment s'y prendre, même si l'homme ne lui donnait pas l'impression de ressentir autre chose qu'un certain embarras à l'idée de ne pas avoir fait ce qu'il aurait dû à propos de cette femme mystérieuse.

« Pourquoi n'avez-vous pas appelé ? Après tout, quels ennuis pouvait-elle avoir ? demanda-t-il, avec l'espoir que le buraliste trouverait la question suffisamment anodine pour ne pas hésiter à donner davantage d'explications.

– C'est une clandestine, et bien entendu elle travaille au noir. Elle était terrifiée. Elle se disait que si vous la découvriez, vous la renverriez dans son pays. »

Brunetti s'autorisa un sourire.

« Oh, il y a peu de chances. À moins, bien sûr, qu'elle ait fait quelque chose… »

Il était sur le point de terminer sa phrase en ajoutant « de criminel » mais préféra ne pas suggérer cette possibilité à son interlocuteur et dit donc à la place :

« Quelque chose de stupide.

– Je sais, je sais », dit l'homme en levant les mains. Il avait tendance à faire beaucoup de gestes en parlant.

« Quand on pense à tous ces Albanais qui traînent ici, qui font tout ce qu'ils veulent, qui volent et qui tuent comme ça leur plaît, et personne ne pense à les mettre dehors, ces salopards. »

Brunetti prit l'air détendu et acquiesça, comme s'il était d'accord avec cette opinion.

« Dieu sait que ces pauvres diables vivent en enfer, c'est vrai, mais ils n'ont qu'à venir ici pour travailler, comme Salima. Elle n'est même pas chrétienne, mais elle travaille comme si elle en était une. Et la signora, paix à son âme, m'a dit qu'on pouvait lui faire entièrement confiance, qu'on pouvait lui confier une grosse somme à garder pendant une semaine et que ce ne serait pas la peine de la recompter quand elle vous la rendrait. »

L'homme réfléchit quelques secondes et ajouta :

« J'aimerais bien l'employer ici, mais elle a peur des autorités – Dieu seul sait ce qui lui est arrivé en Afrique – et elle ne veut rien faire pour se procurer des papiers. Rien de ce que j'ai pu lui dire n'a pu la convaincre d'au moins essayer.

– J'imagine qu'elle a peur d'être arrêtée, dit Brunetti d'un ton qui donnait l'impression que la police était quelque chose d'étranger pour lui, qu'il n'avait rien à voir avec elle.

– Exactement. C'est ce qui me fait dire qu'elle a déjà dû avoir des ennuis, soit dans le pays d'où elle vient, soit ici. »

Brunetti eut un mouvement de tête pour exprimer sa sympathie, mais il n'avait aucune idée de ce qui allait sortir de ce flot d'informations.

« Je suppose que vous devez lui parler, hein ? C'est à cause des clefs de l'appartement, n'est-ce pas ? demanda le buraliste.

– J'en ai bien peur, admit Brunetti, comme à regret.

– C'est pour ça que j'aurais dû vous appeler. Parce que je savais bien qu'un jour ou l'autre, vous auriez à l'interroger. Mais ne je pouvais pas lui faire ça, vous comprenez. Ça lui aurait fait trop peur, que je lui dise que j'allais vous appeler, ou qu'elle apprenne que je l'avais fait.

– Je comprends », dit Brunetti, ne mentant que partiellement. Lui-même n'avait que rarement eu à s'occuper du problème des immigrés clandestins, mais ses collègues lui avaient raconté ce que nombre d'entre eux avaient vécu entre les mains de la police, non seulement dans leur pays d'origine mais dans le pays où ils s'étaient réfugiés dans l'espoir d'avoir une vie meilleure. Extorsion, violences, viols – rien de tout cela ne s'évanouissait une fois la frontière franchie ; et si cette femme avait peur de la police, autrement dit de Brunetti, en l'occurrence, c'est qu'elle avait de bonnes raisons de la craindre. Il devait cependant lui parler. À propos des clefs, mais surtout à propos de la signora Jacobs.

« Ce serait peut-être plus facile pour elle si vous m'accompagniez, suggéra-t-il. Habite-t-elle loin d'ici ?

– Je dois avoir l'adresse quelque part », répondit l'homme en se penchant pour ouvrir le tiroir du bas de son comptoir. Il en tira un mince carnet qu'il se mit à feuilleter lentement après avoir mouillé son doigt. Il trouva ce qu'il cherchait à la septième page.

« Voilà. San Polo, 2365. C'est quelque part du côté du Campo San Stin. »

Il leva les yeux vers Brunetti, inclinant la tête d'un air interrogateur.

Ignorant en fait si l'homme voulait savoir s'il connaissait l'endroit, ou s'il devait toujours accompagner Brunetti, ou s'ils devaient y aller tout de suite, le commissaire acquiesça à tout hasard. Sans opposer la moindre résistance, ou peut-être curieux, à présent, de voir comment l'affaire allait tourner, le buraliste prit un trousseau de clefs et fit le tour de son comptoir. Brunetti l'attendit dans la ruelle, tandis qu'il fermait sa boutique.

Pendant les quelques minutes qu'il leur fallut pour rejoindre San Polo, l'homme, qui s'appelait Mario Mingardo, expliqua que c'était son épouse qui avait découvert Salima, le jour où la femme qui faisait le ménage pour sa mère et pour la signora Jacobs avait dû partir pour Trévise, et qu'il leur avait fallu lui trouver une remplaçante. Ce qui s'était révélé difficile, jusqu'au moment où une voisine leur avait parlé de sa femme de ménage, une Noire venue d'Afrique mais « très propre et très travailleuse ». Cela remontait à deux ans et depuis, Salima était entrée dans leur vie.

« En fait, je sais peu de choses sur elle, dit Mingardo. Juste ce que m'en ont dit ma belle-mère et la signora.

– Et sa famille ?

– Je crois qu'elle est restée là-bas, mais elle n'en parle jamais. »

Ils franchirent le pont sur le rio di Sant'Agostin et se retrouvèrent tout de suite sur la place.

« Ça doit être quelque part par là, sur la gauche, dit Mingardo en tournant dans la première ruelle. Je suppose qu'elle est chez elle. Elle n'est pas revenue depuis la mort de la signora Jacobs et je ne sais pas si elle a eu le courage de chercher une autre place. »

Mingardo monta sur l'unique marche du seuil, consulta les noms sous les sonnettes et appuya sur la dernière d'entre elles. Brunetti déchiffra le nom : *Luisotti*. Il ne lui parut pas particulièrement africain.

« Si ? dit une voix de femme.

– Salima, c'est moi, Mario. C'est au sujet de la signora Jacobs. »

Ils durent attendre longtemps avant d'entendre des pas derrière la porte de l'immeuble, et encore plus longtemps avant que le battant ne commence à s'entrouvrir. Mingardo posa la main dessus et poussa afin de l'ouvrir en grand, franchit le seuil et tint la porte ouverte pour Brunetti.

Lorsque la femme, à l'intérieur du hall, vit apparaître un deuxième visiteur, elle fit volte-face si rapidement, se précipitant vers la porte ouverte de son appartement, un peu plus loin au milieu du couloir, que Brunetti n'eut même pas le temps de la voir.

« C'est un ami, Salima, lui cria Mingardo. N'aie pas peur ! »

Elle se pétrifia sur place, un bras encore tendu en avant comme pour fuir avec plus d'énergie vers la sécurité de son logis. Lentement, elle se tourna. Quand il la vit, Brunetti en resta bouche bée, autant parce qu'elle était d'une beauté extraordinaire que parce que le buraliste ne lui en avait rien dit.

Elle devait avoir moins de trente ans, peut-être tout juste la vingtaine. Elle avait un visage et un crâne étroits, un nez à l'arc délicatement ciselé et des yeux en amande d'une telle perfection que Brunetti pensa immédiatement au buste de Nefertiti qu'il avait vu à Berlin, bien des années auparavant. Sa peau, sous les yeux, était d'une nuance plus foncée que sur le reste de son visage couleur d'acajou, ce qui faisait ressortir le blanc de ses yeux et de ses dents. Mon Dieu, se surprit-il à penser, de quoi devons-nous avoir l'air pour elle ? Sans doute de grosses patates avec des yeux de grenouille, ou de tas de viandes mal conservées... Comment pouvait-elle supporter de vivre au milieu de nos pesantes silhouettes blafardes, et quel effet cela faisait-il, quand on était d'une telle beauté, de contempler un tel étalage de laideur ?

Mario donna le nom de Brunetti et avança d'un pas, tendant devant lui une main paume ouverte, doigts écartés – avec l'espoir que cette main ne serait pas celle d'un traître, mais celle d'un ami.

« Je voudrais vous parler, signora », dit Brunetti, préférant la vouvoyer.

Mingardo consulta sa montre, puis releva les yeux.

« Tu peux lui faire confiance, Salima. Je dois retourner au magasin, mais ne t'inquiète pas. C'est un ami. »

Il sourit à la femme, puis à Brunetti, et repartit rapidement sans leur avoir serré la main.

La femme n'avait toujours pas prononcé une seule parole ; figée sur le pas de sa porte, elle étudiait Brunetti, essayant sans doute d'évaluer le danger que représentait pour elle cet inconnu, même si Mario lui avait dit que c'était un ami.

Puis ses épaules retombèrent et elle se tourna, entra dans son appartement en laissant Brunetti la suivre. Elle s'arrêta cependant au bout de deux pas et eut une petite inclinaison de la tête, comme si elle accomplissait un rite trop sacré pour l'oublier, alors même qu'elle était en compagnie d'un homme porteur d'elle ne savait quelle catastrophe.

Brunetti n'oublia pas de dire, de son côté, le *permesso* traditionnel avant d'entrer. Il posa la main sur la poignée de la porte et regarda la femme. D'un signe de tête, elle lui indiqua qu'il pouvait la refermer. Il repoussa le battant et regarda la pièce. Une simple natte en fibres était posée sur le sol ; au-delà, il y avait un canapé recouvert d'un tissu vert foncé brodé et de plusieurs coussins également brodés. Une petite table de bois, deux chaises et une commode à cinq tiroirs complétaient l'ameublement de la pièce. Un grand bol ovale, au centre de la table, contenait des pommes ; des plaques chauffantes et un petit évier étaient installés contre le mur du fond avec, au-dessus, un placard à deux portes. La porte, sur la gauche, devait donner sur la salle de bains. Il se dégageait de la pièce des senteurs exotiques d'épices et il crut reconnaître le clou de girofle et la cannelle, mais l'odeur était beaucoup plus opulente. La superficie totale du studio, calcula Brunetti, devait être inférieure à celle de la chambre de Chiara.

Il s'avança jusqu'à la table, tira une chaise et, restant lui-même debout, sourit à la femme et lui fit signe de prendre place. Il attendit qu'elle se soit assise pour s'installer, se mettant aussi loin d'elle que possible.

« Je voudrais vous parler, signora, répéta-t-il, ajoutant, quand il vit qu'elle ne réagissait pas, c'est à propos de la signora Jacobs. »

Elle acquiesça pour montrer qu'elle avait compris, mais toujours sans rien dire.

« Pendant combien de temps avez-vous travaillé pour elle, signora ?

– Pendant deux ans. »

La phrase était trop simple pour qu'il puisse juger de la qualité de son italien.

« Est-ce que vous aimiez travailler pour la signora ?

– C'était une gentille dame, dit Salima. Il n'y avait pas beaucoup de travail, mais elle était aussi généreuse qu'il était possible avec moi. »

Son italien, jusqu'ici, était irréprochable.

« Pourquoi ? Vous pensez qu'elle était pauvre ? »

Elle haussa les épaules, comme si l'idée que quelqu'un puisse être pauvre en Occident était une absurdité pour elle, sinon une insulte.

« Et en quoi était-elle généreuse ?

– Elle me donnait de la nourriture et parfois un peu plus d'argent.

– J'ai tendance à imaginer que bien des employeurs ne sont pas aussi généreux », observa Brunetti, avec l'espoir de briser un peu la glace.

Mais sa tentative manquait de subtilité et elle l'ignora, restant assise en silence pour attendre sa prochaine question.

« Aviez-vous les clefs de son appartement ? »

Elle le regarda et il comprit qu'elle évaluait les risques qu'elle prenait en lui disant la vérité. La première impulsion de Brunetti était de lui dire qu'elle ne risquait rien, mais il n'avait pas envie de proférer ce qu'il savait être un mensonge et préféra se taire.

« Oui.

– Combien de fois par semaine alliez-vous faire le ménage chez elle ?

– Une fois. Mais de temps en temps, je lui apportais

son repas. Elle ne mangeait pas assez. Elle fumait tout le temps. »

Son italien était vraiment excellent, et il soupçonna qu'elle devait être originaire de Somalie, pays où son père avait combattu avec une mitrailleuse contre des indigènes armés de lances.

« Est-ce qu'il lui arrivait de parler de toutes les choses qui sont dans son appartement ?

– Elles sont *harram*, et elle savait que je n'aimais pas en parler ou même les regarder.

– Je suis désolé, signora, mais je ne comprends pas ce que cela veut dire.

– *Harram*, sale. Le Prophète a dit que les représentations de l'homme ou de l'animal sont interdites. C'est un péché. C'est mal, et elles sont sales.

– Merci, je comprends, à présent, dit-il, content qu'elle ait pris la peine de le lui expliquer, tout en étant stupéfait à l'idée que l'on puisse trouver quoi que ce soit de sale à ces délicates petites danseuses, par exemple.

– Mais elle ne vous en parlait jamais ?

– Elle m'a dit une fois que beaucoup de gens auraient aimé les avoir, mais je ne voulais pas les regarder. J'avais peur de ce qu'elles me feraient.

– Est-ce que vous avez rencontré la jeune fille qui appelait la signora Jacobs *grand-mère* ? »

Salima sourit.

« Oui, je l'ai rencontrée. Deux ou trois fois. Elle m'appelait toujours signora et me parlait avec respect. Une fois, pendant que je faisais le ménage dans la chambre, elle m'a apporté une tasse de thé. Elle avait pensé à mettre beaucoup de sucre. Elle s'était souvenue que j'avais dit que chez moi, on aimait le boire comme ça, très sucré. C'était une gentille fille.

– Savez-vous qu'elle a été tuée ? » demanda doucement Brunetti.

Salima ferma les yeux, songeant à la disparition d'une jeune fille aussi gentille, puis les rouvrit.

« Oui.

– Avez-vous une idée de la personne qui aurait pu vouloir lui faire du mal ?

– Si je l'avais su, j'aurais été voir la police, dit-elle avec un ton d'indignation sincère, première manifestation d'émotion à laquelle elle se livrait depuis le début de leur entretien.

– Le signor Mario m'a dit que vous aviez peur de la police.

– C'est vrai. Mais ça ne fait rien. Pas si je sais quelque chose. Si je savais quelque chose, je l'aurais dis.

– Alors, vous ne savez rien ?

– Non, rien. Mais je crois que c'est la mort de Claudia qui a tué la signora.

– Qu'est-ce que vous voulez dire ?

– Elle savait qu'elle allait mourir. Quelques jours après la mort de la jeune fille, elle m'a dit qu'elle était en danger. »

Sa voix avait retrouvé un ton calme et neutre.

« En danger ? s'étonna Brunetti.

– C'est comme ça qu'elle l'a dit. Je savais, pour son cœur. Elle prenait beaucoup plus de pilules, beaucoup plus tous les jours.

– A-t-elle dit qu'elle était en danger à cause de son problème cardiaque ? »

Salima réfléchit longuement à la question, comme si elle l'examinait sous plusieurs angles différents.

« Non. Elle a juste dit : je suis en danger. Elle n'a pas dit à cause de quoi.

– Mais vous, vous avez pensé que c'était à cause de son cœur ?

– Oui.

– Est-ce que ça aurait pu être un autre danger ? »

Une fois de plus, la réponse mit longtemps à venir.
« Oui.

– Vous a-t-elle dit autre chose ? »

Elle fit la moue, puis se passa la langue sur les lèvres et baissa les yeux sur ses mains, qu'elle tenait modestement croisées sur le bord de la table. Elle inclina alors la tête et parla si doucement que Brunetti n'entendit pas.

« Je vous demande pardon, signora. Je n'ai pas compris.

– Elle m'a donné quelque chose.

– Et quoi donc, signora ?

– Je crois que ce sont des papiers.

– Vous n'en êtes pas sûre ?

– C'est dans une enveloppe. Elle m'a donné une enveloppe et elle m'a dit de la garder.

– Jusqu'à quand ?

– Elle ne me l'a pas dit. Juste de la garder.

– Quand vous l'a-t-elle donnée ? »

Il la vit qui comptait dans sa tête.

« C'était deux jours après la mort de Claudia.

– A-t-elle dit autre chose, à ce moment-là ?

– Non, mais je crois qu'elle avait peur.

– Qu'est-ce qui vous le fait penser, signora ? »

Elle leva vers lui ses yeux parfaits.

« Je connais bien la peur, vous savez. »

Brunetti détourna les yeux.

« Vous les avez toujours ?

– Oui.

– Puis-je les voir ?

– Vous êtes de la police, pas vrai ? » demanda-t-elle, la tête toujours inclinée, l'empêchant d'admirer sa beauté dans toute sa splendeur, comme si elle craignait ce que cela risquait de provoquer chez un homme qui détenait un tel pouvoir sur elle.

« Oui, je suis de la police. Mais vous n'avez rien fait de mal, signora, et il ne vous arrivera rien. »

Son soupir fut aussi profond que le gouffre qui séparait leurs deux cultures.

« Que dois-je faire pour vous ? demanda-t-elle alors, d'une voix fatiguée, résignée.

– Rien, signora. Donnez-moi seulement ces papiers et votre double des clefs de l'appartement, et je m'en irai. Plus personne de la police ne viendra vous ennuyer. »

Elle hésitait encore et il se douta qu'elle devait chercher quelque chose sur quoi jurer, quelque chose qui serait sacré pour tous les deux. Sans doute ne trouvat-elle rien pendant que se prolongeait le silence, en fin de compte. Sans le regarder, elle se leva et alla jusqu'à la commode.

Elle ouvrit le tiroir du haut et en retira un jeu de clefs et une grande enveloppe de papier bulle gonflée par son contenu. La tenant soigneusement, à deux mains, elle la lui tendit et posa les clefs à côté, sur la table.

Brunetti la remercia et prit l'enveloppe. Sans hésiter, il souleva les deux petites agrafes métalliques repliables qui faisaient office de sceau. Le rabat n'était ni collé ni scotché, et il ne lui fit pas l'insulte de lui demander si elle l'avait ouverte.

Il glissa la main droite à l'intérieur, sentit le doux contact du papier de soie dépassant de deux rectangles de carton rigide. Dans le fond, il y avait une autre enveloppe, épaisse celle-là. Du bout des doigts, il retira ce qui se trouvait protégé par les cartons, toujours dans son emballage en papier de soie. Après l'avoir déposé sur la table, il vit un rectangle un peu plus grand qu'un livre normal, ou de la taille d'un modeste magazine. Un bout de papier était scotché sur le papier de soie et on y lisait, d'une écriture penchée plus habituée à tracer des lettres angulaires que de l'italien : *Ceci est un cadeau pour Salima Maffeki, un objet qui fait depuis longtemps par-*

tie de mes biens personnels. Et c'était signé *Hedwig Jacobs.* La date précédait sa mort de trois jours.

Brunetti déplia le papier de soie avec autant de délicatesse qu'il aurait ouvert la première fenêtre du calendrier de l'Avent. « *Oddio !* » s'exclama-t-il lorsqu'il vit l'esquisse d'un petit enfant dans les bras de sa mère. Il ne pouvait s'agir que d'un Titien, mais il n'avait pas la science d'un expert et n'aurait pu en dire davantage.

Salima s'était tournée vers lui, non pas à cause du dessin, mais de l'exclamation de Brunetti ; il leva les yeux et la vit qui évitait de regarder l'image, une image qui devait être on ne peut plus *harram*, puisqu'elle représentait un faux dieu, un dieu si faux, même, qu'il avait pu mourir. Elle s'en écartait comme d'une obscénité.

Brunetti replia soigneusement le papier de soie sur le dessin et remit le tout entre les protections de carton, sans rien dire. Puis il retira la seconde enveloppe de la grande en papier bulle. Celle-ci aussi n'était pas scellée ; elle contenait un paquet de feuilles qui auraient pu être des lettres, toutes soigneusement rangées en trois piles différentes, retenues chacune par un élastique.

Il défit l'élastique du premier paquet et ouvrit une des feuilles au hasard : *Moi, Alberto Foa, vends les peintures dont la liste suit à Luca Guzzardi pour la somme de cent mille lires.* Le document était daté du 11 janvier 1943 et contenait effectivement une liste de neuf toiles, des œuvres d'artistes célèbres. Il ouvrit les deux autres paquets et découvrit qu'il s'agissait également d'actes de vente d'œuvres d'art à Luca Guzzardi, datant tous d'avant la chute de Mussolini. L'un d'eux décrivait des dessins, les autres, des peintures et des sculptures.

Brunetti compta les documents qui restaient : il y en avait vingt-neuf. Cela faisait donc trente-deux avec les trois qu'il venait d'ouvrir, sans aucun doute tous signés, datés et parfaitement légaux, et, plus important, preuves irréfutables que les objets en la possession de la signora

277

Jacobs avaient été la propriété légitime de Luca Guzzardi, son amant devenu fou et mort un demi-siècle auparavant.

Le plus intéressant dans tout cela, songea Brunetti, était que cet ensemble constituait l'héritage de Claudia Leonardo, mortellement frappée à coups de couteau et morte sans laisser de testament.

Il replia les trois premiers actes de vente et les replaça dans chacune des piles, sous l'élastique, glissant le paquet dans l'enveloppe. Puis il mit la petite enveloppe et le dessin dans la grande, et empocha le trousseau de clefs.

« Signora, dit-il en levant les yeux vers Salima, je dois emporter ces documents. »

Elle acquiesça.

« Vous devez me croire quand je vous dis que vous ne risquez rien. »

Ne sachant trop comment la convaincre de sa bonne foi, il ajouta :

« Si vous le souhaitez, je peux revenir ici avec ma femme et ma fille, et vous pourrez leur demander si je suis un homme honnête. Je pense qu'elles vous répondront que j'en suis un, mais je suis prêt à faire cela, si vous me le demandez.

– Non, je vous crois, dit-elle, toujours sans le regarder.

– Alors je vais vous dire autre chose que vous devez croire, signora, parce que c'est important. La signora Jacobs vous a fait un cadeau qui représente beaucoup d'argent. Je ne sais pas combien, et je ne le saurai pas tant que je n'aurai pas été parler à un homme qui pourra me le dire. Mais c'est une grosse somme.

– Est-ce que c'est vingt-cinq mille euros ? »

Il y avait tellement d'espoir dans sa voix qu'on aurait pu croire que, pour cette somme, elle pensait acheter la joie et la paix éternelles ou une place au paradis.

« Pourquoi ce montant précisément, signora ?

– Pour mon mari. Et pour ma fille. Si j'arrive à leur envoyer vingt-cinq mille euros, ils pourront partir et venir ici. C'est pourquoi j'y suis, moi, pour travailler et gagner de quoi les faire venir.

– Ce sera plus que ça», dit-il, bien que n'ayant aucune idée précise de la valeur du dessin; en fait c'était sans doute infiniment plus.

Il reprit l'enveloppe et en redéplia les pattes métalliques pour la sceller, si bien qu'il ne la vit pas se lever. Elle prit l'une des mains de Brunetti dans les siennes, s'inclina et posa la paume masculine contre son front, sur lequel elle la pressa pendant de longues secondes. Il sentit les mains de la femme qui tremblaient.

Puis elle lui lâcha la main et se releva.

Brunetti se leva à son tour et alla à la porte, tenant l'enveloppe. Il lui tendit la main, mais elle garda les bras le long du corps; après son geste aussi intime, elle avait retrouvé toute sa pudeur naturelle et il n'était pas question pour elle de serrer la main d'un étranger.

23

En s'éloignant, Brunetti eut la surprenante sensation de ne pas être très assuré sur ses jambes. Il ignorait si c'était l'effet du geste étrange qu'avait eu Salima, geste qui avait rendu solennelle, pour lui, l'obligation de veiller à ce qu'elle reçoive l'argent qui lui permettrait de faire venir sa famille ; ou si c'était sa réaction à l'importance des documents comptables qu'elle lui avait remis.

Il appela Lele Bortoluzzi depuis un bar et lui fixa rendez-vous, le temps d'arriver à sa galerie, s'il prenait le 82 depuis le Rialto – vingt minutes. À son arrivée, l'artiste était en grande conversation avec un client américain qui tenait à voir toutes ses toiles et multipliait les questions techniques sur la peinture employée, la lumière et même l'humeur de l'artiste quand il avait peint le tableau. Tout cela ne l'empêcha pas de quitter la galerie au bout d'un quart d'heure sans avoir rien acheté.

Lele s'approcha de Brunetti, qui était en contemplation devant une marine, et l'embrassa sur les deux joues. Ami le plus proche du défunt père de Guido, Lele lui avait toujours manifesté une affection et une attention toutes paternelles, comme pour compenser l'incapacité dans laquelle était Brunetti père de laisser paraître les émotions qu'il pouvait ressentir pour ses fils.

Avec un mouvement de la tête vers le tableau, Guido dit :

« C'est magnifique.

– Oui, n'est-ce pas ? répondit Lele sans la moindre gêne. En particulier ce nuage, là, sur la gauche, juste au-dessus de l'horizon. »

Approchant l'index de la toile, il tapota le nuage légèrement, par deux fois, avec l'ongle.

« C'est le plus beau nuage que j'aie jamais peint. Il est vraiment merveilleux. »

Il était rare d'entendre Lele commenter ses propres œuvres, et Brunetti étudia donc le nuage de plus près, mais il ne vit rien de plus qu'un nuage.

Il posa alors l'enveloppe de papier bulle sur la table, l'ouvrit et en retira le dessin, en prenant bien soin de ne pas plier les protections en carton. Il étala le tout sur la table et dit au peintre de regarder.

Lele retira le dessin de ses protections et déplia le papier de soie. Quand il découvrit ce qu'il y avait dessous, un « *Mamma mia* » involontaire s'échappa de ses lèvres. Il jeta un bref coup d'œil à Brunetti, puis revint sur le dessin, fasciné par sa beauté. Ses yeux le parcouraient, examinaient chaque trait de la Madone et de l'enfant.

« Où l'as-tu trouvé ?

– Je ne peux pas le dire.

– Volé ?

– Je ne crois pas, répondit Guido, qui se reprit, au bout de quelques secondes de réflexion : Non, certainement pas.

– Et qu'est-ce que tu veux que j'en fasse ?

– Que tu le vendes.

– Tu es bien sûr qu'il n'a pas été volé ? insista le peintre.

– Non, Lele, il n'a pas été volé. Mais il faut que tu me rendes le service de le vendre.

– Je ne vais pas le vendre, répondit le peintre, ajoutant tout de suite, avant que Brunetti n'ait pu protester : Mais l'acheter. »

Lele prit le dessin et alla l'examiner à la lumière qui tombait des fenêtres. Il l'approcha de ses yeux, puis le tint quelques instants à bout de bras avant de venir le reposer sur la table. Il effleura alors le coin en bas à gauche du dessin avec le petit doigt de la main droite.

« Le papier est authentique. Vénitien, xvie siècle. »

Il le reprit et l'étudia pendant ce qui parut durer une éternité à Brunetti. Finalement, il le posa de nouveau sur la table et dit qu'à première vue, il valait environ cent mille euros.

« Je dois cependant consulter les prix atteints ces temps derniers pour les dessins, en salle des ventes. Je sais que Piero en a vendu un il y a environ trois ans, et je peux donc lui demander combien il en a obtenu.

– Piero Palma ? » demanda Guido. Ce Palma était l'un des principaux marchands d'art de la ville.

« Oui. Il me mentira, l'animal. Il ment toujours, mais je pourrai tout de même avoir une idée du prix qu'il en a réellement tiré. De toute façon, ce sera entre soixante-quinze mille et cent mille euros. »

Prenant un ton dégagé, sans doute même un peu trop dégagé, Lele demanda :

« Il est à toi ?

– Non, mais on me l'a confié pour que je le vende. »

Ce qui, en un certain sens, était vrai. Personne ne le lui avait demandé, mais il lui revenait néanmoins de le faire. Du coup, il se mit à s'inquiéter sur la façon dont il fallait s'y prendre pour que Salima touche son argent, se demandant où il serait le plus en sécurité jusqu'à ce qu'elle puisse trouver le moyen de l'utiliser.

« C'est possible d'avoir la somme en liquide ?

– On paie toujours ce genre de chose en liquide, Guido. Ça ne laisse pas d'empreintes dans la neige. »

Brunetti n'aurait su dire combien de fois il avait entendu Lele répéter cet aphorisme, mais jusqu'à aujourd'hui, il ne s'était pas rendu compte à quel point il était vrai, et à quel point la méthode était pratique. Ce qui l'inquiétait, maintenant, c'était ce qu'il allait faire de tant d'argent. Le déposer à la banque risquait de lui valoir des ennuis de la part du fisc : la Finanza aimerait peut-être savoir par quel miracle un haut gradé de la police disposait tout à coup d'une telle somme en liquide. Ils n'avaient pas de coffre-fort chez eux, il ne se voyait pas cachant des billets dans ses chaussettes.

« Comment veux-tu être payé et quand ? demanda le peintre.

– Je te le dirai plus tard. Ce n'est pas pour moi, mais la personne n'a aucun moyen de garder cet argent en lieu sûr. »

Envisageant rapidement plusieurs solutions, Guido ajouta :

« Tu n'as qu'à le garder jusqu'à ce que j'aie trouvé le moyen de le remettre entre ses mains. »

Manifestement, Lele ne s'intéressait guère à ce mystérieux vendeur, surtout maintenant qu'il se considérait comme le propriétaire légitime du dessin.

« Veux-tu une avance ? » demanda-t-il. Brunetti comprit que le peintre désirait vivement avoir quelque preuve formelle qu'il avait acheté le dessin.

« Il est bien à toi, Lele. Je te dirai comment nous allons faire la semaine prochaine.

– Parfait, parfait », marmonna Lele, qui avait du mal à regarder autre chose que la Madone à l'enfant.

Brunetti décida alors de profiter du fait qu'il avait un expert sous la main pour tirer parti de ses connaissances. Il prit la deuxième enveloppe, en retira plusieurs factures et en tendit une au hasard à Lele.

« Dis-moi ce que tu en penses. »

Lele la prit, la parcourut rapidement une première

fois, puis une deuxième, mais beaucoup plus lentement, étudiant en particulier la liste des peintures et des dessins qui accompagnait la facture. « *Caspita* ! » dit-il en la posant sur la table et en en prenant une deuxième. Il en lut ainsi deux ou trois autres, les posant à plat sur la table au fur et à mesure. À la quatrième, il leva les yeux vers Guido.

« C'est donc là que c'était passé…

– Tu reconnais des choses ?

– Certaines, oui. C'est en tout cas mon impression, d'après les descriptions. Des trucs comme *Carreaux d'Iznik aux œillets* sont trop généraux, sans compter que je n'y connais pas grand-chose en céramiques turques. Mais quand je lis *Vue de l'Arsenal par Guardi*, et que je vois que la toile vient de la famille Orvieto, je sais de quoi il s'agit. »

Montrant le reste des factures qui dépassaient de l'enveloppe, il demanda :

« Tout ça vient de l'appartement de la vieille femme ?

– Oui. »

Brunetti n'en avait pas la preuve formelle, mais il ne voyait pas d'autre explication.

« J'espère que c'est bien gardé », reprit le peintre. Brunetti se souvint aussitôt que la porte de l'appartement de la signora Jacobs était blindée. Heureusement qu'il avait pensé à demander à Salima de lui rendre les clefs.

« J'ai fait faire un inventaire.

– Ne nous soumettez pas à la tentation, dit Lele.

– Je sais, je sais, mais à présent que nous avons les actes de vente, nous savons ce qu'il y a là-dedans.

– Ou ce qu'il y avait », le corrigea ironiquement Lele.

C'était une manière peu glorieuse de défendre l'image de la police, mais Brunetti l'employa tout de même :

« Les types que j'ai envoyés faire cet inventaire, Riverre et Alvise, sont deux parfaits crétins. Je suis prêt à parier qu'ils ne feraient pas la différence entre une toile de Manet et la première page de *Gente*… et même qu'ils préféreraient probablement la seconde. »

Ces considérations sur la sensibilité esthétique des représentants des forces de l'ordre n'ayant aucun intérêt pour Lele, celui-ci voulut alors savoir ce qu'allait devenir ce trésor.

Brunetti haussa les épaules, geste qui traduisait à la fois son incertitude et son peu de désir de spéculer sur cette question en compagnie d'une personne qui ne participait pas à l'enquête, même s'il s'agissait d'un ami aussi proche que Lele.

« Pour l'instant, tout va rester sur place, dans l'appartement.

– Jusqu'à quand ?

– Jusqu'à ce qu'une décision soit prise », fut tout ce que Guido put trouver à répondre.

Au déjeuner, ce jour-là, c'est un Guido plus silencieux que d'ordinaire qui écouta la conversation familiale se déroulant autour de lui. Raffi réclama un portable, prétendant que c'était indispensable, et Chiara dit aussitôt qu'elle aussi en voulait un. Quand Paola exigea de savoir pour quelle raison, au juste, ils en avaient besoin, ils répondirent en chœur que c'était pour rester en contact avec leurs amis et au cas où ils seraient en danger.

Sur quoi Paola mit les mains en coupe devant sa bouche et lança à sa fille, avec ce mégaphone improvisé :

« Chiara, ici la Terre ! Chiara, ici la Terre ! Tu m'entends ? Réponds, tu me reçois ?

– Qu'est-ce qui te prend, maman, qu'est-ce que ça veut dire ? demanda l'adolescente sans chercher à dissimuler son agacement.

– C'est juste pour te rappeler que nous habitons à

Venise, qui est probablement la ville la plus sûre de la planète. »

Chiara voulut protester, mais sa mère lui coupa la parole :

« Il est peu probable que tu sois jamais en danger ici, le plus grand risque que tu cours étant celui de l'*acqua alta*, et un portable ne pourrait pas y faire grand-chose. »

Et comme Chiara ouvrait une fois de plus la bouche :

« Ce qui veut dire *non*. »

Raffi fit son possible pour se rendre invisible, en consacrant toute son attention à une deuxième portion de gâteau aux poires qu'il avait enfouie sous une montagne de crème fouettée. Ses yeux ne quittaient pas son assiette et il faisait des gestes mesurés, telle une gazelle venue boire dans un marigot infesté de crocodiles.

Paola n'attaqua pas, mais elle resta en quelque sorte immobile à la surface, le foudroyant d'un regard reptilien.

« Quant à toi, Raffi, si tu veux t'en offrir un, aucun problème. Mais c'est toi qui régales. »

Il répondit d'un petit hochement de tête.

Le silence se fit. Brunetti était resté un peu ailleurs pendant tout cet échange, ou du moins, n'y avait pas prêté beaucoup d'attention, mais la désapprobation avec laquelle Paola avait accueilli l'humeur dépensière de leurs enfants l'avait ramené un peu sur terre. Et c'est de but en blanc qu'il demanda, sans s'adresser à l'un d'eux en particulier :

« Est-ce que vous n'avez pas honte de consacrer toute votre énergie à acquérir davantage de richesses, sans penser un seul instant à la vérité et à la compréhension des choses, ainsi qu'à la perfection de vos âmes ? »

Surprise, Paola demanda :

« Et d'où sortent toutes ces considérations élevées ?

– De Platon », répondit Brunetti en retournant à son assiette.

La fin du repas se déroula en silence, Chiara et Raffi échangeant des regards interrogateurs et des haussements d'épaules, Paola essayant de son côté de percer les raisons de la remarque de Guido ou, plus précisément, de comprendre quelles circonstances particulières, ou quels actes, l'avaient conduit à évoquer cette citation, qui lui semblait tirée de l'*Apologie de Socrate*.

Après le déjeuner, il se retira dans sa chambre, enleva ses chaussures et s'allongea sur le lit, contemplant par la fenêtre le défilé des nuages auxquels on ne pouvait en vouloir, comprit-il, d'avoir l'air aussi heureux de flotter dans le ciel. Au bout d'un moment, Paola le rejoignit et s'assit sur le bord du lit.

« Tu as parlé de prendre ta retraite, il y a quelque temps. C'est une rechute ? »

Il se tourna vers elle et lui prit les mains.

« Non. J'imagine que ce n'est rien d'autre qu'un coup de blues passager.

– Ce qui est compréhensible, vu le métier que tu exerces.

– C'est peut-être parce que nous possédons tant de choses, ou parce que je deviens allergique à la richesse, mais je n'arrive pas à comprendre que des gens recourent à de telles extrémités pour se procurer de l'argent.

– De telles extrémités… Tuer, par exemple ?

– Non, pas seulement. Des actes moins graves, comme mentir, voler, passer leur vie à faire des choses qui leur déplaisent. Ou encore, si tu me permets de le dire, comment des femmes peuvent passer leur vie mariées à des hommes horribles simplement parce qu'ils ont de l'argent. »

À son ton, elle voyait qu'il était terriblement sérieux

287

et elle résista à l'envie de tourner la chose à la plaisanterie en lui demandant s'il faisait allusion à elle.

«Est-ce que ton travail te plaît?» préféra-t-elle demander.

Il tira un peu plus les mains de Paola à lui et commença à jouer avec l'alliance qu'elle avait à l'annulaire.

«Probablement, j'imagine. Je sais que je m'en plains souvent, mais en fin de compte, il permet de faire un peu de bien.

– Et c'est pour ça que tu l'as choisi?

– Non, pas seulement. Je pense que c'est aussi parce que je suis de nature fouineuse, et que j'aime toujours savoir le fin mot de l'histoire et comment elle a commencé. J'aime bien comprendre pourquoi les gens agissent comme ils agissent.

– Je n'arriverai jamais à comprendre, moi, pourquoi tu n'aimes pas Henry James», répondit-elle sérieusement.

24

Ce ne fut qu'une semaine plus tard qu'intervint un fait nouveau – l'habituelle circulation de paperasses diverses n'entrant pas en ligne de compte – dans l'enquête sur la mort de Claudia Leonardo et de la signora Jacobs, et cela de la plus vénitienne des méthodes : un échange d'informations, fruit de l'amitié et de ce qui était perçu comme des obligations mutuelles. Un fonctionnaire au Bureau d'enregistrement des documents publics, s'étant rappelé que la signorina Elettra (sœur du médecin de son épouse) avait manifesté peu de temps auparavant de l'intérêt pour l'une et l'autre femme, l'appela un matin pour lui dire que le testament de la signora Jacobs avait été enregistré dans son service deux jours avant.

La secrétaire lui demanda s'il serait possible d'avoir une copie de ce testament par fax et, lorsqu'il lui eut répondu que ce serait « tout à fait irrégulier mais parfaitement possible », elle se mit à rire et le remercia, lui faisant ainsi implicitement savoir que si jamais la police, pour une raison ou une autre, en venait à s'intéresser à lui, elle pourrait sans doute faire preuve d'une certaine mansuétude. Elle raccrocha et appela aussitôt Brunetti, lui proposant, sans plus d'explication, de descendre la rejoindre.

C'est donc sans savoir pour quelle raison elle l'avait dérangé qu'il arriva dans son bureau, où il entendit crépiter le fax. Sans rien dire, la signorina Elettra se leva, s'approcha de la machine et s'inclina devant elle en une parodie de salut profond, puis, d'un geste de la main, invita son supérieur à prendre connaissance du document qui émergeait comme si l'appareil tirait la langue. Sa curiosité piquée, il s'inclina sur le papier qui continuait d'être régurgité. *Moi, Hedwig Jacobs*, lut-il, *citoyenne autrichienne résidant à Venise, Santa Croce 3456, déclare n'avoir aucun parent vivant pouvant prétendre à ma succession.* Ayant lu cette première phrase, Brunetti jeta un coup d'œil à la jeune femme, qui se contenta d'esquisser un sourire faussement modeste pour manifester sa satisfaction. Le papier continuait sa progression saccadée et il se pencha de nouveau dessus. *Je désire que tous mes biens, à ma mort, aillent à Claudia Leonardo, également résidente de Venise, petite-fille de Luca Guzzardi. Si par hasard elle ne pouvait recevoir ce legs, il devra être irrévocablement transmis à ses héritiers. De plus, les six dessins de Tiepolo de ma collection, identifiables par une étiquette au dos des cadres, doivent être donnés au directeur de la Biblioteca della Patria en mémoire de Luca Guzzardi et utilisés comme bon lui semblera pour répondre aux objectifs de la bibliothèque.* C'était signé et daté d'environ dix jours avant la mort de Claudia Leonardo. Il n'y avait que du blanc sous la signature, et Brunetti leva les yeux sur la signorina Elettra. Puis la machine, dans un dernier sursaut, poussa encore quelques centimètres de papier, et il vit apparaître le nom et la signature du notaire chez qui le testament avait été déposé. *Massimo Sanpaolo.* La signature des deux témoins était illisible.

Brunetti prit la feuille et la tendit à la secrétaire. Elle la lut intégralement et, comme lui, parut surprise en lisant le nom du notaire.

« Eh bien, vous parlez d'une coïncidence !

« – Ça, pour une coïncidence… On dirait que la famille Filipetto pointe son nez partout.

– On jette un coup d'œil ? » proposa-t-elle avant même qu'il puisse le lui suggérer.

Bien peu de familles auraient pu être aussi faciles à « loger » dans les archives des différents services et institutions de la ville. Gianpaolo, que Brunetti considérait à présent comme « son » Filipetto, était le fils unique d'un notaire et n'avait eu lui-même qu'un fils, mort prématurément d'un cancer. Mais il avait aussi eu des filles, et l'aînée avait épousé un Sanpaolo – autre célèbre dynastie de notaires à Venise ; c'était leur fils, Massimo, qui avait repris l'étude Filipetto, après la mort de son oncle. Massimo était marié et père de deux fils de six et sept ans qui, Brunetti n'en doutait pas, avaient déjà entamé leur initiation aux arcanes de la tradition notariale, afin de recueillir et transmettre à leur tour le patrimoine familial. La plus jeune fille du beau-père de Massimo avait épousé un étranger, mais alors qu'elle avait quarante ans passés, et n'avait donc pas d'enfants.

L'étude de maître Sanpaolo se trouvait dans une étroite ruelle proche du théâtre Goldoni. Brunetti préféra se présenter sans s'annoncer, ce qu'il fit moins d'une demi-heure plus tard. Il donna son nom à celle des deux secrétaires qui l'accueillit, mais elle lui dit que le notaire venait juste de commencer la lecture d'un acte de vente pour une maison. Brunetti n'ignorait pas qu'il y aurait dans très peu de temps une petite interruption, pour laisser au vendeur et à l'acheteur le temps de procéder à un discret échange de liquidités. Le notaire prendrait un prétexte pour s'éclipser ; la moitié du prix réel serait ainsi réglée en son absence, ce qui permettait aux taxes de n'être calculées que sur l'autre moitié de ce prix. Mais étant donné la nature de ce paiement, il fallait en général recompter plusieurs centaines de milliers d'euros, et le notaire disposait d'un certain temps avant de retourner achever la lecture de l'acte et de procéder à la signature. L'important pour lui, qui était le représentant et le témoin officiel de l'État dans la transaction, était de pouvoir dire sans mentir qu'il n'y avait pas eu d'échange d'argent liquide effectué sous ses yeux.

Comme Brunetti l'avait prévu, Sanpaolo sortit de son bureau une dizaine de minutes plus tard, reconnut Brunetti mais fit semblant du contraire et alla parler à l'une des secrétaires. Celle-ci eut un geste en direction du policier, lui disant que « ce monsieur » voulait lui parler.

Grand, solidement charpenté, arborant une barbe buissonnante et ayant manifestement quelque chose contre les coiffeurs, Sanpaolo avait dû être fort bel homme dans sa jeunesse, mais trop de bonne chère lui avait épaissi la taille et noyé les traits du visage : il avait l'air d'un ancien sportif ayant pris du poids. Brunetti songea que l'homme, qui était plus jeune que lui, serait sans doute un menteur maladroit ; il avait constaté que c'était souvent le cas des pères de famille, sans savoir au juste pour quelle raison. Le fait de donner des otages à la fortune rendait peut-être les hommes nerveux.

« Oui ? dit l'homme en se dirigeant vers Brunetti, sans lui tendre la main ni faire la moindre politesse.

– Je suis venu pour une affaire concernant le testament de la signora Hedwig Jacobs, répondit Brunetti sans hausser la voix ni prendre la peine de s'identifier.

– Et quel est le problème ? voulut savoir Sanpaolo qui ne fit pas répéter son nom à son interlocuteur.

– Il n'y en a pas. Je voulais simplement savoir par quel biais il s'était retrouvé en votre possession.

– En ma possession ? s'étonna le notaire avec un singulier manque de grâce.

– Comment se fait-il que vous ayez eu à le préparer pour elle et à procéder aux démarches d'enregistrement, si vous préférez.

– La signora Jacobs était ma cliente. C'est donc moi qui ai préparé son testament, assisté à sa signature, à la signature des deux témoins.

– Et qui étaient ces témoins ?

– De quel droit me posez-vous ces questions ? »

La nervosité de Sanpaolo devenait de la colère et il commençait à prendre les choses de haut. C'était plus que suffisant pour que Brunetti continue à afficher de plus belle une sérénité de moine zen.

« Je mène actuellement une enquête pour meurtre, signor Sanpaolo, et le testament de la signora Jacobs est un élément important de cette enquête.

– Mais comment est-ce possible ?

– Je n'ai pas la liberté de vous le dire, monsieur, mais je vous assure que j'ai tout à fait le droit de vous poser des questions sur ce document.

– C'est ce que nous allons voir. »

Le notaire fit demi-tour et s'avança jusqu'au comptoir. Il dit quelque chose à l'une des secrétaires et disparut par une porte qui se trouvait à gauche de celle donnant sur son bureau. La femme ouvrit un gros carnet d'adresses noir, le consulta et composa un numéro de téléphone. Elle écouta quelques instants, dit deux mots et reposa le combiné après avoir appuyé sur un bouton. À aucun moment, pendant tout ce temps, les secrétaires ne jetèrent un seul coup d'œil en direction de Brunetti. D'un geste parfaitement naturel, et prenant l'air aussi ennuyé et impatient que possible, Brunetti regarda sa montre et prit note de l'heure : voilà qui faciliterait la tâche de la signorina Elettra lorsqu'elle vérifierait quel numéro avait appelé le notaire.

Quelques minutes s'écoulèrent. Un homme passa le nez par la porte du bureau de Sanpaolo et dit que le notaire pouvait revenir. La secrétaire qui venait de passer la communication à Sanpaolo lui répondit que ce dernier venait de recevoir un appel d'Amérique du Sud et qu'il allait arriver d'une minute à l'autre. La tête de l'homme disparut et la porte se referma.

Une minute passa, effectivement, suivie de quelques autres. Le même homme remit le nez à la porte et demanda ce qui se passait ; la secrétaire lui proposa de leur apporter quelque chose à boire. Sans répondre, l'homme referma la porte – bruyamment, cette fois.

Finalement, au bout de dix bonnes minutes, Sanpaolo sortit du second bureau, paraissant tout d'un coup un peu moins grand que quand il y était entré. La secrétaire lui dit quelque chose, mais, comme s'il chassait un insecte importun, il la réduisit d'un geste au silence.

Il s'approcha de Brunetti.

« Je suis allé à son domicile le jour de la signature du testament. Mes deux secrétaires sont venues avec moi, et elles ont assisté à la signature. »

Il avait parlé suffisamment fort pour être entendu des deux femmes et elles hochèrent la tête – une fois en direction de Sanpaolo, une autre dans celle de Brunetti.

« Et comment se fait-il qu'on vous ait demandé d'aller chez elle ? voulut savoir le policier.

– Elle nous a appelés et nous l'a demandé, répondit Sanpaolo, dont le visage s'empourpra.

– Aviez-vous déjà travaillé pour le compte de la signora Jacobs ? »

À cet instant, la porte du bureau du notaire s'ouvrit pour la troisième fois, mais la tête était nouvelle.

« Eh bien ? fit l'homme d'un ton irrité.

– Encore deux minutes, Carlo », dit Sanpaolo avec un grand sourire qui n'atteignit pas ses yeux.

Cette fois-ci, la porte claqua violemment.

Sanpaolo revint à Brunetti, qui répéta calmement sa question, à croire qu'il n'y avait pas eu d'interruption.

« Aviez-vous déjà travaillé pour le compte de la signora Jacobs ? »

La réponse mit un certain temps à venir. Brunetti vit

l'homme envisager de falsifier des notes ou d'ajouter des rendez-vous fictifs dans un agenda, puis abandonner cette idée.

« Non.

– Dans ce cas, savez-vous pourquoi elle vous a choisi, parmi tous les notaires de la ville, dottor Sanpaolo ?

– Non, je l'ignore.

– Quelqu'un ne vous aurait-il pas recommandé ?

– Peut-être.

– Votre grand-père ? »

Le notaire ferma les yeux.

« Peut-être.

– Peut-être, ou oui, dottore ?

– Oui. »

Brunetti dut lutter contre le mépris qu'il éprouvait pour un homme qui se déballonnait aussi facilement, même si, dut-il s'avouer, rien n'était plus pervers que de se souhaiter des adversaires plus coriaces. Ce n'était pas un jeu, une compétition entre mâles pour quelque gain territorial, mais une tentative pour trouver qui avait pu enfoncer un poignard dans la poitrine de Claudia Leonardo et la laisser se vider de son sang.

« Vous aviez pris le testament avec vous, n'est-ce pas ? »

Sanpaolo acquiesça.

« En quels termes était-il rédigé ?

– Je ne comprends pas où vous voulez en venir. »

Brunetti le crut, soupçonnant qu'il était tellement terrifié par les conséquences des faux-fuyants qu'il avait commencé par employer qu'il ne parvenait même plus à comprendre ce qu'on lui disait.

« Qui vous a dicté les termes dans lesquels devait être rédigé le testament ? »

Il vit une fois de plus le notaire se perdre dans le labyrinthe des mensonges qu'il aurait pu proférer et de leurs conséquences éventuelles. L'homme jeta un regard en coulisse à ses deux secrétaires, l'une et l'autre se concentrant sur leur écran d'ordinateur avec une exceptionnelle ardeur. Brunetti comprit que Sanpaolo se demandait si elles le couvriraient au cas où il mentirait et de quelle manière, dans ce cas, il pourrait les dédommager. Le commissaire le vit aussi qui abandonnait cette idée.

« Mon grand-père.

– Comme s'y est-il pris ?

– Il m'a téléphoné la veille et m'a dit quand elle m'attendait. Ensuite, il a dicté le texte à Cinzia et elle en a préparé un exemplaire. C'est celui-là que j'ai pris avec moi quand je suis allé voir la signora Jacobs.

– Étiez-vous au courant de cette affaire, d'une manière ou d'une autre, avant que votre grand-père vous appelle ?

– Non.

– A-t-elle signé en toute liberté ? »

Sanpaolo se sentit indigné que son comportement initial ait pu suggérer à Brunetti qu'il serait capable de violer les règles fondamentales de sa profession.

« Bien entendu ! »

Il se tourna et montra les deux femmes qui, l'une comme l'autre, n'avaient jamais eu le nez aussi près de leur écran.

« Vous pouvez le leur demander. »

Ce que fit Brunetti, les surprenant toutes les deux et surprenant Sanpaolo, peut-être parce qu'on n'avait jamais mis sa parole en doute de manière aussi flagrante.

« C'est exact, mesdames ? » lança Brunetti à travers la pièce.

Les deux secrétaires levèrent le nez et l'une d'elles fit semblant d'être scandalisée.

« Oui, monsieur », dirent-elles en chœur.

Brunetti revint sur Sanpaolo.

« Votre grand-père vous a-t-il donné l'explication de tout ça ? »

Le notaire secoua négativement la tête.

« Non. Il a simplement appelé pour dicter le testament et me dire d'aller le faire signer le lendemain. Et de l'enregistrer, bien sûr.

– Pas la moindre explication ? »

Sanpaolo secoua de nouveau la tête.

« En avez-vous demandé une ? »

Cette fois-ci, l'homme ne put dissimuler sa stupéfaction.

« Personne ne pose de questions à mon grand-père », répondit-il comme s'il était en classe de catéchisme et qu'on lui eût demandé de réciter l'un des dix commandements. La simplicité enfantine de sa remarque suivante transforma tout le mépris que Brunetti pouvait encore éprouver pour lui en pitié.

« Il n'est pas permis de poser des questions à Nonno. »

Brunetti le quitta là-dessus et reprit le chemin de la questure, laissant ses pieds assurer la navigation pendant qu'il réfléchissait à la fourberie et à la rapacité légendaires de Filipetto. Certes, il ne prendrait pas le risque de désigner son petit-fils comme héritier dans un testament préparé par ses soins, mais pourquoi la Biblioteca della Patria ? Alors qu'il approchait de San Marco, il se rendit compte que ses réflexions avaient du mal à saisir où, exactement, convergeaient toutes les pistes. Trop d'entre elles se recoupaient : Claudia Leonardo et la signora Jacobs ; Filipetto et la signora Jacobs ; les politiciens que Claudia méprisait et que son grand-père adorait. Et il y avait la ligne violemment interrompue par un couteau.

S'arrêtant non loin des hommes de faction devant les bureaux du juge de paix, il sortit le portable que, pour une fois, il avait pensé à prendre, et composa le numéro direct de la signorina Elettra. Quand il l'eut en ligne, il lui demanda de trouver tout ce qu'elle pourrait sur les Filipetto, sur les plans professionnel et personnel, et sur la Biblioteca della Patria.

« Officiellement ? demanda-t-elle.

– Oui, mais aussi les bruits qui courent.

– Dans combien de temps serez-vous ici, monsieur ?

– Vingt minutes au plus.

– Je vais passer quelques coups de fil tout de suite », dit-elle en raccrochant aussitôt.

Loin de hâter le pas, il flâna le long du *bacino*, profitant de la lumière argentée du jour pour admirer l'église de San Giorgio, de l'autre côté, puis, se retournant complètement, les coupoles que la perspective accumulait en un beau désordre, sur la rive où il se tenait. La Madone avait un jour sauvé la ville de la peste, et il y avait à présent une église ; les Américains avaient sauvé le pays des Allemands, et à présent il y avait des McDonald's partout.

Arrivé à la questure, Brunetti se rendit directement au bureau de la signorina Elettra.

« Bonne pêche ? demanda-t-il en entrant.

– Pas si mal, dit-elle, éveillant sa curiosité.

– Alors ?

– J'ai donné mes quelques coups de téléphone et j'ai appris qu'il y a un ou deux ans, sa fille cadette avait épousé un étranger qui travaille ici, à Venise, répondit-elle, parcourant ses notes. Elle avait hérité une fortune considérable de sa mère dont elle s'est servie pour lui créer un emploi, un emploi extrêmement bien payé. Il est beaucoup plus jeune qu'elle et il passe pour peu respectueux du vœu de fidélité qu'il a prononcé en se mariant. Il paraîtrait même qu'on leur aurait demandé de quitter un restaurant, il y a quelques mois. »

L'anecdote ne passionnait pas particulièrement Brunetti, mais il demanda tout de même pourquoi.

«Celui qui m'a raconté ça m'a dit que la Filipetto n'avait pas beaucoup apprécié la manière dont son mari lorgnait une jeune femme installée à une table voisine. Apparemment, elle s'est mise à faire une scène.

– À son mari ? demanda Brunetti, étonné qu'une personne comme Eleonora Filipetto soit capable de manifester une émotion quelconque.

– Non, à la fille.

– Et comment ça s'est soldé ?

– Le propriétaire les a sommés de quitter les lieux.

– Mais quel est le rapport entre Filipetto et la Biblioteca della Patria ? » demanda-t-il, soudain irrité par le goût très vénitien d'Elettra pour les commérages.

Elle poussa un soupir.

« Ce serait plus utile si vous me laissiez terminer, monsieur.

– Terminer quoi ?

– La question de son mari. »

Soudain irrité par ce petit jeu de devinette, il lança :

« Je me fiche pas mal de ces commérages. Ce sont les Filipetto qui m'intéressent. »

Elle ne fit rien pour cacher à quel point elle était offensée par sa réaction. Au lieu de répondre, elle commença par lui tendre la feuille de papier. « Cela pourrait vous intéresser, monsieur », dit-elle avec une courtoisie étudiée avant de se tourner vers son ordinateur.

Il avança d'un pas, prit le document mais s'excusa avant de commencer à le lire.

« Je suis désolé. Je n'aurais pas dû vous parler de cette façon, Elettra. »

Elle eut un sourire qui mêlait soulagement et excitation enfantine.

« Regardez son nom, dit-elle avec un geste vers le papier.

– *Gesu Bambino !* s'exclama-t-il, même si ce n'était

pas le nom inscrit sur le papier. C'est la femme de Maxwell Ford... »

Il avait parlé à voix haute, peut-être pour couvrir le vacarme que faisaient sous son crâne les pièces du puzzle, tandis qu'elles se bousculaient et se mettaient bruyamment en place.

« Qu'est-ce qu'il fabriquait, à l'époque où ils se sont mariés ?

– Correspondant local pour un journal anglais. La Biblioteca della Patria a été créée peu après leur mariage.

– Avec l'approbation du père Filipetto ?

– Le dottor Filipetto n'est pas du genre conciliant, et cette union le privait de la maîtresse de maison qui s'occupait de son foyer depuis la mort de son épouse, vingt-cinq ans auparavant.

– Mais je l'ai vue chez lui.

– Elle vient deux après-midi par semaine, quand la femme de ménage qu'il a engagée n'est pas là.

– Et pourquoi ne pas en prendre une deuxième ?

– Aucune idée, monsieur, sinon que les Filipetto n'ont jamais eu la réputation de jeter l'argent par les fenêtres. Sans compter que, de cette façon, il peut continuer à la surveiller et faire en sorte qu'elle ne tombe pas entièrement sous la coupe de son mari.

– Et le reste du temps, qu'est-ce qu'elle fait ?

– Elle travaille à la bibliothèque. »

Se rendant soudain compte de tout ce qu'elle avait appris, Brunetti voulut savoir comment elle s'y était pris.

« Oh, j'ai posé des questions autour de moi, commença-t-elle par répondre évasivement.

– À qui ?

– À ma tante Ippolita, en premier lieu. La femme de ménage qui travaille pour les Filipetto vient faire le repassage chez elle deux fois par semaine.

– Et à qui, encore ? demanda Brunetti, en habitué de la tactique dilatoire de la signorina Elettra.

– À votre beau-père. »

Brunetti ouvrit un œil rond.

« Vous avez appelé mon beau-père ?

– Il se trouve que c'est l'un des patients de ma sœur, et je sais qu'il est au courant que je travaille ici ; et mon propre père m'a dit qu'ils avaient combattu ensemble dans la résistance. C'est pourquoi j'ai pris la liberté de l'appeler et de lui expliquer que vous m'aviez demandé certains renseignements. »

Elle s'interrompit, peut-être pour lui permettre de lancer quelque réplique bien sentie, mais le commissaire s'abstint de tout commentaire.

« Ça paraissait lui faire très plaisir de me dire tout ce qu'il savait. Je n'ai pas l'impression qu'il porte beaucoup les Filipetto dans son cœur.

– Et quel genre de choses vous a-t-il dit ?

– Que la fille Filipetto avait été fiancée, il y a environ vingt ans, mais que le monsieur avait changé d'avis et quitté Venise. Le comte n'en était pas sûr, mais il soupçonnait le père Filipetto d'y être pour quelque chose – peut-être d'avoir payé le type pour qu'il s'en aille et renonce à elle.

– Je croyais qu'ils ne jetaient pas l'argent par les fenêtres.

– C'était sans doute un cas spécial, parce que ce projet de mariage interférait avec son pouvoir et son mode de vie. Sans compter que si elle s'était mariée, il aurait été obligé d'engager une domestique, des gens qui passent pour répondre parfois à leurs employeurs et qui exigent d'être payés.

– Mais pourquoi lui a-t-elle finalement désobéi ? s'étonna-t-il, pensant à l'abjecte soumission dont Sanpaolo avait fait preuve vis-à-vis de son grand-père.

– Par amour, commissaire, par amour. »

Au ton de sa voix, on aurait dit que ses paroles débordaient le cadre de la seule Eleonora Filipetto.

Brunetti préféra ne pas insister.

« Ford m'a dit que sa femme était codirectrice de la bibliothèque.

– Bibliothèque où travaillait Claudia. »

Elle n'en dit pas davantage, mais la remarque ouvrait la voie à toutes sortes de spéculations.

« J'aimerais bien revoir la liste de ces coups de téléphone », dit-il.

Elle se tourna vers son ordinateur, et moins d'une minute plus tard, la liste de tous les appels de Claudia s'affichait à l'écran. Sans même que Brunetti ait besoin de le lui demander, elle fit disparaître en quelques manipulations tous les appels autres que ceux qui s'étaient échangés entre Claudia Leonardo et la Biblioteca della Patria. Ils les étudièrent ensemble ; les premiers, courts, les suivants, plus longs, puis le coup de tonnerre du dernier, qui n'avait duré que vingt-deux secondes.

« Vous pensez qu'elle a pu en être capable ? demanda la signorina Elettra.

– Je crois que je vais aller poser la question à son mari », répondit Brunetti.

25

La signorina Elettra imprima une copie de la liste des coups de téléphone qu'elle remit à Brunetti. Celui-ci la prit et descendit retrouver Vianello pour lui demander de l'accompagner. En chemin, le commissaire le mit au courant du mariage d'Eleonora Filipetto et des échanges téléphoniques entre Claudia Leonardo et la Biblioteca della Patria, puis des conclusions qu'il en avait tirées.

« Je suppose qu'il pourrait y avoir une autre explication, observa Vianello.

– Bien entendu, concéda Brunetti, qui n'y croyait cependant pas davantage que l'inspecteur.

– Et vous dites que la fille de Filipetto est codirectrice de cette bibliothèque ?

– C'est en tout cas ce que m'a déclaré son mari. Pourquoi ? »

Vianello ralentit et se tourna vers Brunetti, attendant de voir s'il avait tiré les mêmes conclusions que lui, mais le commissaire ne dit rien.

« Vous ne voyez pas ?

– Non. Quoi ?

– Un nom comme ça, Biblioteca della Patria... Ça veut dire qu'ils touchent de l'argent des deux côtés. Peu importe de quels bords tous ces vieux ont été pendant la guerre, ils donneront leur contribution à la bibliothèque, certains qu'elle représente leur idéal. »

L'inspecteur se tut, et Brunetti comprit qu'il analysait les diverses conséquences qu'on pouvait tirer de son idée.

« Et je suis prêt à parier qu'ils sont classés parmi les associations caritatives, si bien que personne ne demande où va l'argent.

– Tu ne peux pas en être aussi sûr, tout de même.

– Oh, que si ! C'est une Filipetto. »

Ils retombèrent tous les deux dans le silence après cet échange, et Vianello régla son pas sur celui de Brunetti, tandis qu'ils longeaient les canaux étroits en direction de San Pietro di Castello et de la Biblioteca della Patria. Une fois sur place, Brunetti releva la présence d'une plaque qu'il n'avait pas remarquée, la première fois, à côté de la porte, et qui donnait les heures d'ouverture. Il sonna et le grand portail s'ouvrit au bout de quelques secondes.

La porte n'était pas verrouillée, au premier étage, et les deux policiers n'eurent qu'à la pousser pour entrer dans la salle de lecture. Pas de traces de Ford, la porte donnant sur son bureau était fermée. Un vieil homme, tout courbé et l'air quelque peu cadavérique, était assis devant l'une des longues tables, un livre ouvert devant lui dans le rond de lumière projeté par une lampe. Un autre, d'âge tout aussi canonique, se tenait devant un présentoir et consultait un index. Même à cette distance de plusieurs mètres, Brunetti sentait l'odeur caractéristique des vieillards : un remugle sec de vêtements et de peau pas assez souvent lavés. Impossible de dire duquel provenaient ces effluves peu engageants – des deux, peut-être.

Ni l'un ni l'autre ne leva le nez de son livre à leur entrée. Brunetti se dirigea vers celui qui se tenait devant le présentoir des nouvelles acquisitions. L'homme leva la tête lorsque Brunetti s'adressa à lui – prenant bien soin de parler en vénitien. Sans autre préambule, il déclara, avec un geste de la main vers ce qui paraissait être un drapeau de régiment pendant du plafond :

« Ça fait plaisir de voir qu'il y a encore des personnes qui respectent les vieilles valeurs. »

Le vieil homme sourit, hocha la tête, mais ne répondit rien.

« Mon père a fait la campagne d'Afrique et celle de Russie, proposa alors Brunetti.

– Et il en est revenu ? »

L'homme s'exprimait dans un dialecte du plus pur Castello, et la phrase avait beau être simple, elle aurait été incompréhensible pour tout autre qu'un Vénitien.

– Oui.

– Bien. Pas mon frère. Trahi par les Alliés. Comme nous tous. Ils ont forcé le roi à se rendre. Sinon, on aurait continué à se battre, et on aurait gagné. »

Il regarda autour de lui.

« Au moins, on sait cela, ici.

– Absolument, répondit Brunetti sans se démonter – et pensant aux convictions de Vianello sur l'usage qui était fait de la bibliothèque. Et on vivrait dans un monde meilleur. »

Il mit tout ce qu'il pouvait de conviction dans son ton.

« On aurait de la discipline, dit le vieillard.

– Et de l'ordre. » Cette réponse provenait du vieux monsieur installé à la table qui, lui aussi, s'exprimait en dialecte.

« Cette idiote de fille ne comprenait pas ces choses, reprit Brunetti avec un mépris évident dans la voix. Toujours à dire du mal du passé et du Duce et comment nous devrions mieux accueillir tous ces immigrants qui affluent de partout pour nous voler nos emplois. Si ça continue, nous n'en aurons même plus un seul pour nous. »

Il ne fit aucun effort pour tenir un discours cohérent : il lui suffisait d'aligner les clichés et les préjugés.

L'homme debout près de lui eut un reniflement approbateur.

« Je ne comprends pas pourquoi on l'a laissée travailler ici, reprit Brunetti avec un mouvement de tête en direction de la porte du bureau de Ford. Elle n'était vraiment pas… »

Mais le vieillard assis ne lui laissa pas le temps de terminer sa phrase.

« Vous savez bien comment il est, dit-il avec un petit ricanement graveleux. Il a suffi qu'il voie ses nénés pour perdre la tête. Il n'arrêtait pas de la reluquer, comme la précédente. On peut dire qu'il en a passé, du temps, à reluquer ses nénés – jusqu'à ce que sa femme la fasse déguerpir.

– Dieu sait ce qu'ils pouvaient faire dans son bureau, enchaîna le premier, le ton riche d'espoirs secrets.

– C'est une bonne chose que sa femme s'en soit aperçue pour celle-là aussi », intervint Brunetti.

Il avait mis une note de soulagement dans sa voix, comme si la sainteté de la famille avait ainsi été préservée de la tentation que représentait cette jeune femme immorale.

« Ah, elle s'en est rendu compte ? demanda le second, curieux.

– Bien sûr. Tu aurais dû voir comment elle la regardait de travers, avec ses jeans moulants et ses fesses qui traînaient partout, expliqua le premier.

– Je sais bien ce que j'aurais fait de ces fesses. »

En disant cela, le ricaneur eut des mouvements sinueux des mains qui se voulaient comiques, mais que Brunetti trouva obscènes. Il évoqua le fantôme de Claudia en espérant qu'elle lui pardonnerait, à lui et à ces deux pitoyables vieillards, de cracher ainsi sur sa tombe.

« Il est là, le directeur ? » demanda Brunetti comme

306

s'il s'arrachait à cette fascinante conversation pour remplir l'obligation qui l'avait fait venir ici.

Les deux vieux acquiescèrent. Voyant qu'il perdait son auditoire, celui qui était assis mit les coudes sur la table pour se tenir la tête et reporta son attention sur l'ouvrage qu'il compulsait.

Brunetti, d'un geste bref, fit signe à Vianello de rester dans la salle de lecture et s'avança jusqu'à la porte fermée, sur laquelle il frappa deux coups. Une voix répondit aussitôt : « *Avanti.* »

Brunetti entra dans la pièce, agréablement meublée et donnant une impression de confort qui avait quelque chose d'anglais – mais peut-être était-il influencé par la nationalité de son occupant.

« Ah, commissaire, dit Ford en se levant. Quel plaisir de vous revoir. »

Il s'approcha et lui tendit la main. Brunetti la lui serra et lui rendit son sourire.

« Êtes-vous enfin sur la piste de celui qui est responsable de la mort de Claudia ?

– Je pense avoir une assez bonne idée de la personne qui est responsable de sa mort, en effet, mais ce n'est pas la même chose que de savoir qui l'a tuée », répondit Brunetti avec un calme olympien qui le surprit lui-même.

Ford lâcha la main de son visiteur.

« Qu'est-ce que vous voulez dire par là ?

– Exactement ce que j'ai dit, signore : il n'y a pas à chercher loin les raisons de sa mort ni même le coupable, selon moi. C'est simplement que je ne suis pas encore parvenu à établir le lien causal entre les deux ; pas tout à fait.

– Je n'ai aucune idée de ce que vous voulez dire. »

Ford recula de quelques pas pour aller se placer à côté de son bureau, un meuble en bois massif, comme si sa solidité donnait plus de poids à ses paroles.

« Votre femme en aurait peut-être une, elle. Est-elle ici, signore ?

– Et de quoi voulez-vous parler à ma femme ?

– De la même chose, signore : de la mort de Claudia Leonardo.

– C'est ridicule. Comment ma femme pourrait-elle savoir quelque chose là-dessus ?

– Comment, en effet ? Votre épouse est l'autre responsable de la bibliothèque, n'est-ce pas ?

– Oui, bien sûr.

– Vous n'en avez pas fait mention, la dernière fois que je suis venu ici, signor Ford.

– Bien sûr que si. Je vous ai dit qu'elle était codirectrice.

– Oui, mais pas qu'elle était votre épouse, signor Ford.

– C'est ma femme. Qu'avez-vous besoin de savoir d'autre ? » répliqua Ford.

Brunetti se demanda un instant ce qu'aurait été la réaction de Paola si elle l'avait entendu tenir les même propos à son sujet. Il garda ces spéculations pour lui et reprit :

« Elle est ici ?

– Ça ne vous regarde pas.

– Tout ce qui peut se rapporter à la mort de Claudia Leonardo me regarde, signore.

– Il n'est pas question que vous lui parliez. » Ford avait presque crié.

Brunetti fit demi-tour sans rien dire et se dirigea vers la porte.

« Où allez-vous ?

– Je retourne à la questure faire signer un mandat par un magistrat pour que votre épouse y soit conduite afin d'être interrogée.

– Vous ne pouvez pas faire ça ! » s'exclama Ford, encore plus fort.

Brunetti fit volte-face et s'avança d'un pas. Sa colère était si manifeste que l'homme recula.

« Ce que je peux faire et ce que je ne peux pas faire, c'est la loi qui en décide, signor Ford, et pas vous. Et j'aurai donc un entretien avec votre épouse. »

Il exécuta un demi-tour rapide, faisant ainsi clairement savoir à l'Anglais qu'il n'avait plus rien à lui dire. Il pensait que Ford allait le rappeler et céder, mais l'homme n'en fit rien, et Brunetti retourna donc dans la salle de lecture où Vianello, appuyé à une table, tenait un livre ouvert dans ses mains. Aucun des deux ne manifesta quoi que ce soit, et l'inspecteur reprit aussitôt sa lecture.

Le commissaire était en train de franchir le seuil de la bibliothèque, lorsque Ford sortit de son bureau.

« Attendez ! » lança-t-il dans le dos de Brunetti, rompant le silence qui régnait dans la salle ; ce que fit Brunetti, restant à demi tourné, mais sans pour autant revenir sur ses pas.

« Commissaire, reprit Ford d'une voix calme, mais les traits de son visage encore contractés par la colère. Nous pouvons peut-être parler de cela. »

L'Anglais jeta un coup d'œil en direction des deux vieillards, lesquels plongèrent immédiatement le nez dans leur livre. Vianello n'avait pas bronché.

Ford tendit une main conciliante.

« Venez dans mon bureau, commissaire, nous pourrons parler. »

Brunetti prit grand soin de montrer qu'il cédait à contrecœur et s'avança avec une lenteur délibérée. Il eut un geste discret en direction des deux vieillards quand il passa à côté de Vianello, et celui-ci hocha imperceptiblement la tête. Puis il entra de nouveau dans la petite pièce, attendit que l'Anglais eût fermé la porte derrière eux et alla s'asseoir dans le même siège qu'il avait occupé la fois précédente. Ford, lui, battit en retraite derrière son bureau.

Brunetti n'eut aucun mal à rester silencieux : sa longue expérience lui avait appris à quel point cette technique était efficace pour pousser les gens à parler.

« Je crois que je peux tout vous expliquer », finit par dire Ford.

Comme Brunetti gardait le silence, il reprit :

« Cette fille était une terrible allumeuse. »

Il s'arrêta une deuxième fois pour voir comment Brunetti réagissait et, constatant que le policier paraissait intéressé, continua d'un ton plus assuré :

« Bien entendu, je l'ignorais le jour où elle est venue ici pour la première fois et a demandé à fréquenter la bibliothèque. Elle donnait l'impression d'une fille sérieuse. Elle l'est d'ailleurs restée jusqu'à ce qu'elle ait obtenu le poste. C'est là qu'elle a commencé.

– Commencé quoi ? demanda Brunetti, d'un ton qui laissait entendre qu'il était intrigué et ne demandait qu'à croire son interlocuteur.

– Oh, à prendre des prétextes pour venir ici me poser des questions sur des documents, ou l'aider à dénicher un livre. »

Il adressa à Brunetti un petit sourire qui cherchait sans doute à exprimer de la candeur et de l'embarras, mais que le policier jugea simplement hypocrite.

« Je suppose que j'ai dû trouver ses attentions flatteuses, au début ; vous comprenez, elle me demandait mon avis et mon aide. Mais je n'ai pas tardé à me rendre compte qu'elle me posait souvent des questions élémentaires et à quel point, euh… ses remerciements étaient disproportionnés. »

Il s'arrêta là-dessus, comme s'il ne savait trop comment poursuivre – un gentleman pris dans un terrible dilemme : dire la vérité ou salir la réputation d'une morte.

Sous les yeux de Brunetti, le prétendu combat entre

l'esprit de chevalerie et le devoir d'honnêteté se termina par la victoire de ce dernier.

« Son comportement est devenu indécent et, finalement, je n'ai pas eu d'autre choix que de la faire partir.

– C'est-à-dire ?

– J'ai dû lui demander de ne plus revenir à la bibliothèque.

– Vous voulez dire que vous l'avez congédiée ? » Ford sourit.

« Non, pas exactement. Elle ne travaillait pas officiellement ici. En tout cas, pas comme une employée normale. Elle était bénévole, ce qui m'a rendu la tâche plus facile. »

Il inclina la tête mais continua de parler.

« C'était tout de même très délicat et très gênant de lui demander de partir. Je ne voulais pas la blesser », ajouta-t-il lorsqu'il vit la mine étonnée de Brunetti.

Le policier ne doutait pas que le départ de Claudia ait été embarrassant, mais il était loin d'être sûr, en revanche, que les explications de Ford soient une description exacte des raisons qui l'avaient motivé. Il se prit la lèvre inférieure entre le pouce et l'index, faisant de son mieux pour avoir l'air plongé dans de profondes réflexions.

« Votre femme était-elle au courant ? »

Ford hésita un instant avant de répondre, mais pour Brunetti, l'important était qu'il ait hésité, longtemps ou pas.

« Je ne lui en ai jamais parlé, si c'est ce que vous voulez dire », répondit l'Anglais, l'air de trouver que Brunetti était bien indiscret de poser la question.

Plutôt que de lui faire remarquer qu'il n'y avait pas répondu, Brunetti se contenta d'attendre et l'homme finit par ajouter :

« Je crains bien qu'elle n'ait remarqué quelque chose, à vrai dire. Eleonora est très observatrice. »

Avec un tel époux, se dit Brunetti, elle avait de bonnes raisons de l'être.

« Avez-vous jamais parlé de la jeune fille avec votre femme ?

– Non, bien sûr que non », protesta Ford en gentleman offensé. « Au début, j'ai pu évidemment lui parler d'elle, lui dire qu'elle était consciencieuse, mais comme cette personne ne m'intéressait pas plus que ça, mes propos ont dû se résumer à une ou deux remarques dans ce genre.

– Claudia Leonardo travaillait-elle pour votre femme, ou quand votre femme était à la bibliothèque ?

– Ah, répondit Ford avec un sourire charmant, j'ai bien peur de m'être mal expliqué. Le poste de ma femme est purement administratif. Autrement dit, elle s'occupe des tâches bureaucratiques et des paperasses dont nous bombardent les bureaux de la ville et de la région qui s'intéressent à notre travail. »

Il esquissa un autre sourire.

« Comme elle est italienne, et plus précisément vénitienne, elle sait comment s'y prendre. Je crois qu'en tant qu'étranger, je serais tout à fait incapable de m'en sortir, j'en ai peur. »

Brunetti lui rendit son sourire, songeant que, s'il devait qualifier Maxwell Ford, il n'utiliserait certainement pas l'adjectif « incapable ».

« Dans ce cas, que faites-vous vous-même ?

– Je m'occupe du fonctionnement au quotidien de la bibliothèque.

– Je vois », répondit Brunetti, acceptant finalement les conclusions de Vianello sur les véritables objectifs de la Biblioteca della Patria.

Ford garda le silence, son esquisse de sourire flottant encore sur ses lèvres. Quand il fut évident qu'il n'avait rien à ajouter, Brunetti se leva.

« Je crains d'avoir tout de même besoin de parler à votre épouse.

– Cela risque de beaucoup la bouleverser.

– Et pourquoi ? »

La réponse mit un certain temps à venir.

« Elle appréciait beaucoup Claudia et je pense qu'il sera très dur pour elle d'évoquer sa mort. »

Brunetti ne lui demanda pas comment elle pouvait autant apprécier une personne avec laquelle, d'après ce que Ford lui-même venait de dire, elle n'avait eu pratiquement aucun contact.

« Je crains bien (Brunetti se faisait un plaisir de lui emprunter cette formule) de ne rien pouvoir y faire, signore, et de devoir tout de même avoir un entretien avec elle. »

Brunetti vit l'homme peser le pour et le contre, s'il s'opposait à cette demande. Ford répondit qu'il ne connaissait pas bien la bureaucratie italienne, mais quiconque avait vécu en Italie, ne serait-ce que quelques années, aurait dû savoir que, de toute façon, il devrait un jour ou l'autre répondre aux questions de la police. Brunetti attendit patiemment, laissant à Ford tout le temps qu'il voulait pour se décider.

« Très bien. Mais j'aimerais lui parler d'abord.

– Je crains que ce soit impossible, dit Brunetti, d'un ton toujours aussi calme.

– Seulement pour lui assurer qu'elle n'a pas à avoir peur de quoi que ce soit.

– Croyez bien que j'y veillerai scrupuleusement, répliqua Brunetti avec une fermeté de ton contredisant la courtoisie de sa formule.

– Très bien », répondit Ford, qui se leva et partit en direction de la porte.

Brunetti franchit une fois de plus le parquet de la salle de lecture. Les deux vieillards lubriques étaient partis et Vianello était assis à l'une des tables, un livre ouvert devant lui et apparemment plongé dans sa lecture, au point qu'il n'avait pas relevé la tête lorsque les deux hommes étaient sortis du bureau. Cependant, il tapotait de la pointe de son crayon une feuille de papier posée près du livre, une feuille sur laquelle étaient inscrits, semblait-il, deux noms accompagnés d'adresses.

Ford attendit Brunetti sur le palier, puis le précéda dans l'escalier conduisant au deuxième étage. Il n'eut pas besoin de clef pour ouvrir l'unique porte. On se serait cru au fin fond de la campagne, là où des voisins attentifs se protègent les uns les autres, et non pas au milieu d'une ville où voleurs et cambrioleurs pullulent.

Il n'y avait rien, à l'intérieur, de l'austérité qui prévalait à l'étage inférieur. Le tapis (un Sarouk richement coloré) qui ornait le parquet de l'entrée était tellement épais que Brunetti se sentit mal à l'aise à l'idée de marcher dessus avec des chaussures. Ford le conduisit jusque dans un grand salon qui donnait sur la place, de l'autre côté du canal. Un bol en céladon – de ce gris vert céleste qui n'avait jamais beaucoup plu à Brunetti – était posé sur une table basse, devant un canapé recouvert de satin beige.

Des peintures, des portraits pour la plupart, ornaient trois des murs ; des étagères remplies de livres occupaient le dernier. Un Naïn énorme, dont les arabesques pastel s'accordaient à la perfection avec le canapé, s'étalait au centre de la pièce.

« Je vais la chercher », dit Ford, se dirigeant déjà vers le fond de l'appartement.

Brunetti leva une main d'un geste destiné à l'arrêter.

« Je crois qu'il vaudrait mieux l'appeler, signor Ford. »

S'arrangeant pour avoir l'air à la fois perplexe et offusqué, l'homme voulut savoir pourquoi.

« Parce que je souhaite lui parler sans que vous lui ayez dit quoi que ce soit auparavant.

–Je ne vois pas ce que cela change, protesta Ford, cette fois sans avoir l'air perplexe, seulement offensé.

–Moi, si ! répliqua laconiquement Brunetti, se postant de manière à n'être qu'à un pas de la porte, pour pouvoir au besoin lui bloquer le passage. Appelez-la, s'il vous plaît. »

Ford fit un peu de cinéma en venant se placer dans l'embrasure.

« Eleonora ! » lança-t-il. Il n'y eut pas de réponse, et il appela à nouveau.

Brunetti entendit une voix répondre quelque chose, vers le fond de l'appartement, sans pouvoir distinguer les paroles.

« Peux-tu venir ici une minute, Eleonora ? »

Brunetti craignit que l'homme ajoute quelque chose, mais il n'en fit rien. Une minute passa, puis une autre, puis ils entendirent une porte qui se fermait à l'arrière de l'appartement. Pendant qu'il attendait, Brunetti étudia l'un des portraits. Il représentait une femme à l'air malheureux, portant une fraise empesée, les cheveux tirés en arrière en un chignon strict, et promenant sur le monde un regard de profonde désapprobation. Il se demanda comment on pouvait être assez aveugle, ou assez cruel, pour suspendre un tel tableau dans une maison où habitait Eleonora Filipetto.

Elle reconnut Brunetti, vit son mari et choisit de s'adresser au premier.

« Oui ? Qu'est-ce que c'est ? »

Elle avait cherché à prendre un ton cassant, mais réussit simplement à le rendre nerveux.

« Je suis venu vous poser quelques questions au sujet de Claudia Leonardo, signora. »

Elle attendit, le regardant, mais sans lui demander pourquoi.

« La dernière fois que nous nous sommes rencontrés,

315

signora, quand je vous ai parlé de cette jeune fille, vous ne m'avez pas dit que vous la connaissiez.

– Vous ne me l'avez pas demandé, répliqua-t-elle d'une voix aussi plate que sa poitrine.

– Étant donné les circonstances, vous auriez dû être plus précise et ne pas vous contenter d'admettre que ce nom vous disait quelque chose.

– Vous ne me l'avez pas demandé, répéta-t-elle, comme s'il ne venait pas, justement, de commenter cette réponse.

– Que pensiez-vous de Claudia Leonardo?» demanda Brunetti.

Il remarqua que Ford ne cherchait pas à attirer l'attention de sa femme. En fait, l'Anglais avait dérivé progressivement vers le devant de la pièce pour aller se poster devant une fenêtre. Lorsque le policier prit le temps de jeter un coup d'œil dans sa direction, il le vit qui leur tournait le dos et contemplait la façade de l'église, de l'autre côté du canal.

Eleonora Ford se tourna aussi vers son mari, comme si la réponse était inscrite sur son dos.

«Je ne pensais rien d'elle, répondit-elle finalement.

– Et pourquoi donc, signora? demanda poliment Brunetti.

– C'était une jeune fille qui travaillait à la bibliothèque. Je l'ai vue une ou deux fois. Pourquoi aurais-je dû penser quelque chose d'elle?»

S'il y avait du défi dans ses paroles, son ton était moins assuré, plus hésitant, et sa question, en réalité, n'avait rien de sarcastique.

Le policier décida cependant qu'il en avait assez de jouer à ce petit jeu.

«Parce que c'était une jeune femme, signora, et parce que votre mari a une propension bien connue à trouver les jeunes femmes séduisantes.

– De quoi voulez-vous parler? protesta-t-elle, un peu

trop rapidement, avec un bref coup d'œil vers Maxwell Ford.

– Cela me semble pourtant bien simple, signora. Je vous parle d'une chose qui paraît être de notoriété publique et que tout le monde sait : la tendance qu'a votre mari à vous tromper avec des femmes plus jeunes et plus séduisantes. »

Elle fit une grimace, qui n'exprimait ni la souffrance, ni aucune des émotions qu'aurait pu provoquer une remarque aussi désinvolte et insultante. Si son visage exprimait quelque chose, c'était la stupéfaction, sinon le choc.

« Qu'est-ce que vous voulez dire, que tout le monde sait ? Comment les gens peuvent-ils le savoir ? »

Il garda le ton lisse d'une conversation courtoise pour répondre.

« Même les deux vieux messieurs qui se trouvaient dans la salle de lecture, pendant que j'attendais, parlaient de la manière dont votre mari essayait de la peloter et dont il louchait sur ses nichons. »

En regardant ostensiblement la poitrine plate de la femme, il passa de l'italien académique dans lequel il s'était exprimé jusqu'alors au vénitien le plus accentué, le plus vulgaire.

« Je comprends pourquoi il m'a dit qu'il aimait poser les mains sur une véritable paire de nibards. »

Elle eut un hoquet de suffocation tellement fort que Ford, qui n'avait rien compris à la phrase en dialecte du commissaire, se retourna. Il vit sa femme, les mains serrées contre sa poitrine, regardant avec des yeux exorbités un Brunetti tout à fait calme et maître de lui qui s'inclina vers elle et dit, de nouveau en italien :

« Excusez-moi, signora, quelque chose ne va pas ? »

Elle restait plantée sur place, bouche bée, prenant de grandes bouffées d'air saccadées.

« Il a dit ça ? Il vous a dit ça ? » réussit-elle à articuler entre deux hoquets.

Ford se précipita vers sa femme, bras tendus dans un geste de protection, mais sans avoir la moindre idée de ce qui lui arrivait.

« Ne t'approche pas de moi ! siffla-t-elle d'une voix tendue, proche de l'étranglement. Tu as osé lui dire ça ? Après tout ce que j'ai fait pour toi ? Tu commences par me tromper avec cette petite pute et après tu vas dire ça sur moi ? »

Sa voix s'élevait d'un ton à chaque question, son visage devenait de plus en plus congestionné et empourpré.

« Calme-toi, Eleonora », dit Ford en se rapprochant encore. Elle leva une main pour le repousser et il voulut lui prendre le bras. À cause du mouvement latéral qu'elle fit, la main ouverte de l'Anglais retomba non pas sur le poignet ou l'avant-bras de sa femme, mais contre sa poitrine.

Elle se pétrifia, et l'instinct, ou le désir, la poussa en avant pour s'appuyer sur cette main – puis elle recula vivement et brandit un poing.

« Ne me touche pas ! Ne me touche pas là, comme tu as touché cette petite pute ! »

Sa voix grimpa d'une octave.

« Mais tu ne la toucheras plus, pas vrai ? Pas avec un couteau planté dans la poitrine, là où tu posais tes mains, pas vrai ? »

Ford resta pétrifié d'horreur.

« Pas vrai ? hurla-t-elle, pas vrai ? »

Soudain, elle abattit le poing qu'elle tenait levé, une fois, deux fois, trois fois contre sa propre poitrine, sous les yeux des deux hommes – qui restaient abasourdis devant ce débordement de rage. Au troisième, elle s'éloigna de Ford. Aussi soudainement qu'elle avait éclaté, sa colère retomba et elle se mit à pleurer, secouée de grands sanglots déchirants.

« J'ai fait tout ça pour toi, et tu te permets de dire encore ça de moi…

– La ferme ! lui cria Ford. La ferme, pauvre folle ! »

Elle leva vers lui des yeux qui débordaient de larmes et lui demanda, d'une voix à moitié étouffée par les sanglots :

« Pourquoi te faut-il toujours de jolies choses ? Tous les deux, papa et toi, il vous a toujours fallu de jolies choses. Aucun de vous n'a jamais voulu de… »

Mais les sanglots eurent le dessus, et ils étouffèrent ses derniers mots. Brunetti ne douta pas qu'ils auraient été « de moi ».

26

Bien que Ford ait essayé d'empêcher Brunetti d'arrêter sa femme, protestant bruyamment que celui-ci n'en avait pas le droit, Eleonora Ford n'offrit aucune résistance et déclara qu'elle suivrait le commissaire. Avec Ford dans son dos, qui fulminait des menaces et énumérait les noms de personnages importants qu'il connaissait, Brunetti regagna la porte palière. Vianello se tenait derrière, adossé au mur, son veston déboutonné, et l'œil exercé de Brunetti vit l'étui du pistolet dont le rabat était détaché.

Il ne savait pas exactement ce qu'il fallait dire à l'inspecteur, n'étant pas lui-même convaincu que ce qu'il venait d'entendre dire de la bouche de la signora Ford pouvait être interprété comme un aveu de meurtre. Sa déclaration n'avait eu aucun témoin, en dehors de Maxwell Ford, et on pouvait compter sur lui pour nier qu'elle ait avoué quoi que ce soit, ou pour affirmer qu'elle avait voulu dire quelque chose de tout à fait différent. Tout dépendait donc de la manière dont il allait s'y prendre pour lui faire répéter sa confession en présence de Vianello ou, encore mieux, pour l'amener à la questure où ses déclarations seraient alors enregistrées. Il savait qu'un dossier présenté sur son seul témoignage serait la risée de tous les procureurs du tribunal ;

la risée, même, de tous ceux ayant quelque expérience de la justice.

« J'ai commandé une vedette, monsieur, dit Vianello d'un ton calme, quand il les vit. Elle ne devrait pas tarder. »

Brunetti acquiesça, comme si l'initiative de l'inspecteur était la chose la plus naturelle du monde.

« Où ?

– Au bout de la *calle*.

– Vous ne pouvez pas faire une chose pareille ! clama une fois de plus Ford en allant se placer en haut des marches pour interdire le passage à Brunetti et à sa femme. Mon beau-père connaît le préfet. Vous serez viré ! »

Brunetti n'eut même pas besoin d'ouvrir la bouche. Vianello s'avança jusqu'à Ford, lui dit : « *Permesso* » et le déplaça en le prenant à bras-le-corps, dégageant l'escalier. Brunetti ne regarda pas derrière lui, mais il entendit l'Anglais qui continuait à protester, puis qui hurlait, puis qui ahanait – bruit qui devait résulter de ses efforts futiles pour échapper à la poigne de Vianello afin de suivre sa femme.

On était en novembre et une vague de froid était imminente, mais le soleil brillait. Lorsqu'ils sortirent du bâtiment, Brunetti entendit un moteur de bateau, sur leur droite, et il entraîna la femme silencieuse dans cette direction. Une vedette de police se présenta devant les marches, au bout de la ruelle, et s'immobilisa ; à leur approche, un policier en uniforme jeta une large planche entre le plat-bord de l'embarcation et le quai, puis aida la femme et le commissaire à monter à bord.

Brunetti conduisit sa prisonnière dans la cabine, se demandant s'il devait lui parler ou au contraire attendre qu'elle se décide d'elle-même. Il avait d'autant plus de mal à garder le silence qu'il était dévoré de curiosité, mais il resta néanmoins bouche cousue. Et c'est assis face à face, sans échanger un seul mot, qu'ils rejoignirent la questure.

Une fois sur place, Brunetti alla directement dans l'une des petites pièces réservées aux interrogatoires et avertit la signora Ford que tout ce qu'elle dirait serait enregistré. Il la fit asseoir d'un côté de la table, s'installa de l'autre, donna leurs noms et la date, et lui demanda si elle voulait avoir un avocat à ses côtés pendant l'interrogatoire.

« Non, dit-elle. Pas d'avocat. »

Elle retomba ensuite dans son silence, contemplant la surface de la table sur laquelle des prévenus, au cours des années, avaient gravé des initiales, des mots, des dessins. Des plaques rouges marbraient son visage et elle avait encore les yeux gonflés d'avoir tant pleuré. Elle suivit quelques-unes des lettres gravées du bout de l'index, puis leva finalement les yeux sur Brunetti.

« Est-il vrai que Claudia Leonardo a travaillé dans la bibliothèque dont vous êtes la codirectrice ? »

Il trouvait plus judicieux d'éviter toute référence à son mari tant que l'entretien n'aurait pas été vraiment mis sur orbite.

Elle acquiesça d'un simple hochement de tête.

« Je suis désolé, signora, dit-il avec une expression qui adoucissait ses traits mais n'était pas tout à fait un sourire, mais vous devez répondre quelque chose. À cause de l'enregistrement. »

Elle regarda autour d'elle, cherchant les micros, mais sans y parvenir ; ils étaient pris dans les murs et ressemblaient à des prises électriques.

« Claudia Leonardo travaillait-elle à la Biblioteca della Patria ? répéta-t-il.

– Oui.

– Combien de temps après son arrivée l'avez-vous rencontrée pour la première fois ?

– Peu de temps après.

« – Pouvez-vous me dire comment vous l'avez rencontrée ? Dans quelles circonstances, si vous préférez ? »

Les doigts repliés dans la paume, elle se mit à suivre, d'un geste machinal, le sillon de l'une des lettres gravées dans la table avec l'ongle du pouce, en faisant sortir les débris graisseux qui s'y étaient accumulés avec le temps. Sous les yeux de Brunetti, elle dégagea ainsi un minuscule fragment de quelque chose qui ressemblait à de la cire noire, qu'elle jeta par terre. Puis elle leva les yeux sur lui.

« Je suis descendue à la bibliothèque pour prendre un livre et, quand je suis entrée, elle m'a demandé si elle pouvait m'aider. Elle ne savait pas qui j'étais.

– Quelle a été votre première impression, signora ? »

Elle réagit par un haussement d'épaules, mais Brunetti n'eut pas besoin de lui rappeler la présence des micros, cette fois.

« Elle ne m'a pas fait tellement d'imp… », commença-t-elle.

Puis, se souvenant peut-être où elle était et pourquoi elle y était, elle se reprit, s'assit bien droite sur sa chaise, regarda Brunetti droit dans les yeux et dit :

« Elle avait l'air sympathique. »

Elle avait cependant souligné *elle avait l'air*.

« Elle était très polie, et quand je lui ai dit qui j'étais, elle s'est montrée très respectueuse.

– Pensez-vous qu'il s'agisse là d'une évaluation correcte du caractère de Claudia Leonardo ? »

Elle réfléchit quelques instants à la question avant de répondre.

« Ce n'est pas possible, pas après ce qu'elle a fait à mon mari.

– Mais que pensiez-vous d'elle au début ? »

Il était évident qu'elle devait surmonter sa répugnance à répondre à cette question, mais lorsqu'elle le fit, ce fut pour dire :

« Je m'étais trompée. J'ai vu la vérité, mais ça m'a pris du temps. »

Renonçant à lui faire davantage préciser ce qu'avait été sa première impression de la jeune fille, Brunetti lui demanda alors ce qu'elle en était venue à croire.

« J'ai vu qu'elle était, qu'elle était, qu'elle était… »

Incapable d'achever, elle se tut. Elle se mit à regarder la table, retira encore des débris de la rainure, puis dit finalement :

« Qu'elle était intéressée par mon mari.

– Intéressée d'une manière qui n'était pas convenable ?

– Oui.

– Est-ce qu'il était déjà arrivé qu'une femme s'intéresse ainsi à votre mari ? »

Il avait préféré reprendre cette formule qui faisait porter la culpabilité à la femme – au moins pour le moment, le temps qu'elle finisse par accepter une vérité pourtant trop évidente.

Elle acquiesça, puis ajouta rapidement, d'une voix trop forte et trop nerveuse :

« Oui.

– Et cela s'était-il produit souvent ?

– Je ne sais pas.

– Était-ce déjà arrivé avec des employées de la bibliothèque ?

– Oui. La précédente.

– Comme cela s'était-il passé ?

– J'ai tout découvert. Sur eux. Il m'a dit ce qui s'était passé, qu'elle était… eh bien, qu'elle était immorale. Je l'ai renvoyée, renvoyée à Genève, d'où elle venait.

– Et pour Claudia Leonardo, vous avez aussi tout découvert ?

– Oui.

– Pourriez-vous me dire comment ?

– J'ai entendu Maxwell lui parler au téléphone.

– Avez-vous entendu ce qu'il lui disait ? »

Elle acquiesça et il posa une nouvelle question sans attendre :

« Avez-vous écouté toute la conversation ou seulement ce que lui lui disait de son côté ?

– Seulement ce qu'il disait. Il était dans son bureau, mais la porte n'était pas fermée. C'est comme ça que j'ai pu l'entendre.

– Et que disait-il ?

– Que si elle voulait continuer de travailler à la bibliothèque, il ne se passerait plus rien. »

Il la vit qui faisait appel à ses souvenirs, comme si elle tendait encore l'oreille à cette conversation.

« Il lui a dit que si elle voulait bien tout oublier, et n'en parler à personne, il lui promettait de ne rien faire d'autre.

– Et vous en avez déduit que c'était Claudia Leonardo qui harcelait votre mari ? » demanda Brunetti sans lui faire part de son scepticisme, mais étonné qu'elle ait pu interpréter ainsi ce qu'il avait dit.

– Bien sûr.

– Le pensez-vous encore ? »

Sa voix se fit soudain mordante ; oubliées, les initiales gravées dans le bois.

« Il fallait bien que ce soit comme ça, affirma-t-elle avec une conviction sans faille. Elle était sa maîtresse.

– Qui vous a dit qu'elle était sa maîtresse ? »

Tandis qu'il attendait la réponse, il étudia cette femme, frappé par l'agitation de ses mains, qu'elle s'efforçait de réfréner, et se souvenant de la manière dont elle avait avidement tendu son sein, un instant, au contact accidentel de la main de son mari ; une possibilité entièrement nouvelle lui vint alors à l'esprit.

« Votre mari vous a-t-il avoué qu'ils étaient amants, signora ? » demanda-t-il d'une voix plus douce.

Les larmes vinrent en premier ; il en fut d'autant plus étonné que le visage d'Eleonora Ford ne manifestait aucune émotion.

« Oui », dit-elle, baissant les yeux vers la table.

Comme le policier le savait, les chiens de chasse sont divisés en deux classes : chiens d'arrêt et chiens courants. Comme ces derniers, il était sur une piste et courait dans l'herbe épaisse et mouillée d'un matin d'automne, bondissant par-dessus les obstacles qu'on avait placés sur son chemin, reprenant la traque de sa proie à l'odeur un instant masquée sous des effluves plus puissants. Après avoir décrit des cercles, sauté, zigzagué, son cerveau se retrouvait une fois de plus à son point de départ, et il demanda :

« De qui est venue l'idée de parler à la vieille dame, la signora Jacobs, et de lui offrir la possibilité de laver le nom de Guzzardi ? De votre mari ? »

Elle aurait dû être surprise. Elle aurait dû lever les yeux vers lui, interloquée, et lui demander de quoi il parlait. L'aurait-elle fait qu'il ne l'aurait pas crue, mais il aurait pris conscience que la traque était encore loin d'être terminée, et que sa proie n'était pas encore à terre.

Ce fut donc une surprise pour lui lorsqu'elle lui demanda :

« Comment le savez-vous ?

– C'est sans importance. Mais je suis au courant. Qui, de vous, a eu cette idée ?

– Maxwell. L'une des personnes qui avait écrit une lettre de recommandation pour Claudia était la signora Jacobs. Claudia fréquentait la bibliothèque depuis quelque temps, toujours à demander si nous avions des informations sur ce Guzzardi et s'il n'existait pas des papiers prouvant qu'il n'avait pas pris ces dessins. »

Elle se tut, et Brunetti résista à l'envie de l'encourager à poursuivre.

« Mon père, qui l'avait connu, m'a dit que nous ne

trouverions jamais ces preuves pour la bonne raison qu'il les avait effectivement volés. Ils doivent valoir une fortune, aujourd'hui, mais personne ne savait où ils se trouvaient.

– Personne ne savait que c'était la signora Jacobs qui les avait en sa possession ?

– Non, bien sûr que non ! Personne n'est jamais allé chez elle, et tout le monde savait à quel point elle était pauvre. » Elle se tut un instant, puis se corrigea : « Ou du moins, pensait qu'elle l'était.

– Comment l'avez-vous appris, alors ? demanda-t-il, prenant soin de ne pas faire d'allusion directe à Maxwell Ford.

– Par Claudia. Un jour qu'il était question de la signora Jacobs, elle a parlé de ce qui se trouvait dans la maison et a dit que c'était dommage que personne ne voie tous ces chefs-d'œuvre, à part elle et la vieille dame. Je crois qu'elle était la seule à y aller. »

Vous oubliez la femme de ménage, aurait aimé lui dire Brunetti. Une femme de ménage d'une telle honnêteté qu'on lui avait confié les clefs de l'appartement, alors que le reste de la ville était tenu à l'écart et dans l'ignorance, car la signora Jacobs ne lui faisait pas confiance.

« Comment êtes-vous au courant de tout cela, signora ?

– Je les ai entendus parler. Mon père et Maxwell. Ils font tellement peu attention à moi (Brunetti fut surpris du détachement avec lequel elle semblait accepter cela) qu'ils parlent de tout en ma présence.

– L'idée de laver le nom de Guzzardi était-il un moyen de récupérer ces dessins ?

– Je crois. Maxwell a raconté à Claudia qu'une personne était venue à la bibliothèque avec des documents qui prouvaient que Guzzardi était innocent. »

Elle faisait visiblement des efforts pour se souvenir de ce qui avait été dit devant elle.

« A-t-il suggéré que la signora Jacobs donne les dessins en échange ?

– Non. Il s'est contenté de dire à Claudia qu'il détenait des preuves de l'innocence de Guzzardi, et il lui a suggéré de demander à la signora Jacobs ce qu'elle voulait faire.

– Et ensuite ?

– Je ne sais pas ce qui s'est passé. Je crois que Claudia en a parlé à la vieille dame, et que mon père a envoyé quelqu'un la voir pour lui parler. »

La question ne semblait pas l'intéresser, mais soudain, elle lui adressa un regard aigu et reprit :

« C'est à ce moment-là que je l'ai entendu parler à Claudia au téléphone.

– Et c'est à cette occasion qu'il vous a annoncé qu'ils étaient amants ?

– Oui. Mais aussi que c'était terminé, qu'il y avait mis un terme. En fait, il a raccroché brutalement, après lui avoir conseillé de faire très attention à ce qu'elle dirait de lui aux gens. Et il paraissait tellement bouleversé que j'ai fait du bruit. »

Elle s'interrompit.

Brunetti attendit.

« Il est sorti de son bureau, m'a vue et m'a demandé ce que j'avais entendu. Je lui ai dit… je lui ai dit que je ne pouvais plus le supporter, lui et toutes ces filles, que j'avais peur de ce que je serais capable de faire s'il n'arrêtait pas. »

Elle hochait la tête tout en parlant, entendant sans doute une fois de plus les mots résonner dans sa tête, rejouant la scène de jalousie.

Au bout d'un moment, elle reprit le fil de son récit.

« C'est à ce moment-là qu'il m'a expliqué la manière dont elle l'avait tenté, et que lui n'avait rien voulu faire. Mais elle s'est jetée dans ses bras. Elle l'a touché. »

Elle avait prononcé le mot *tenté* avec dégoût, mais il

y avait quelque chose de proche de l'horreur lorsqu'elle avait dit *touché*.

« Et il m'a avoué alors qu'il avait peur de ce qui pourrait arriver si elle revenait, qu'il était un homme et qu'il était faible. Que c'était moi qu'il aimait, mais qu'il ne savait pas s'il pourrait résister si cette fille perverse le tentait encore. »

Voyant qu'elle devenait agitée, Brunetti décida qu'il était plus prudent de l'éloigner de ces souvenirs, pour le moment.

« Permettez-moi de revenir sur un détail, signora, dans cette conversation que vous avez surprise par hasard. Votre mari était bien en train de lui dire que si elle revenait à la bibliothèque et n'en parlait à personne, il ne ferait rien d'autre ? C'est bien cela ? »

Elle acquiesça.

« Je suis désolé de devoir vous le rappeler, signora, mais vous devez le dire à voix haute.

– Oui, c'est bien cela.

– Mot pour mot ?

– Oui.

– N'aurait-il pas voulu parler d'autre chose ? Avez-vous pensé à cette possibilité ? »

C'est avec une expression de candeur absolue qu'elle répondit.

« Mais c'est lui-même qui m'a dit que c'était ce qu'il avait voulu dire. Qu'il voulait bien l'autoriser à revenir, qu'il ne ferait rien si elle se comportait bien.

– Pourquoi aurait-il voulu qu'elle revienne ? »

Elle sourit à ce moment-là, comme quelqu'un qui aurait anticipé cette question.

« Il ne voulait pas qu'il y ait des rumeurs, que je puisse être blessée par ce que pourraient raconter les gens. »

Elle sourit devant cette indéniable preuve de considération, et par conséquent d'amour, de la part de son mari.

« Je vois, fit Brunetti. Mais alors, quand il vous a

déclaré qu'il avait peur de se montrer faible, qu'il risquait d'être à nouveau tenté, comment avez-vous réagi ?

– J'étais fière de lui, qu'il soit aussi honnête avec moi et qu'il tienne autant à moi. Qu'il m'ait tout avoué.

– Évidemment, marmonna le commissaire, comprenant alors quel avait été le véritable objectif de ces aveux et à quel point la stratégie de Ford avait été efficace. Et vous a-t-il demandé quelque chose ? »

Comme elle paraissait ne pas avoir envie de répondre, il reformula sa question.

« Ne vous a-t-il pas demandé votre aide ? »

Cette suggestion lui arracha un sourire.

« Oui. Il m'a demandé d'aller la voir et de lui parler. Pour qu'elle accepte de ne plus jamais l'approcher.

– Oui, cela semble plein de bon sens, admit Brunetti, ne voyant que trop bien à quel point Ford en avait fait preuve en présentant cette requête. Et vous y êtes allée ?

– Non, pas tout de suite. Je lui avais dit que j'avais confiance en lui et en sa détermination. Puis, quelques jours après, il est venu m'informer que ça avait recommencé, qu'elle l'avait… encore touché et qu'il ne savait pas combien de temps il pourrait tenir. »

De nouveau, sa voix se remplit d'horreur à l'idée du comportement de la jeune fille.

« Et vous a-t-il redemandé d'aller lui parler ?

– Non, il n'en a pas eu besoin. Je savais ce que j'avais à faire et ce qu'il fallait lui dire : qu'elle le laisse tranquille et qu'elle ne le tente plus.

– Et alors ?

– Alors j'y suis allée ce soir-là, dit-elle en croisant les mains sur la table, doigts entrelacés.

– Et ?

– Vous savez ce qui est arrivé, répondit-elle avec un mépris dédaigneux pour toute cette comédie.

– Sans doute, signora, mais vous devez le dire.

– Je l'ai tuée, avoua-t-elle d'une voix étranglée. Elle

m'a fait entrer, et j'ai commencé à lui parler. J'ai ma fierté, et je ne lui ai donc pas dit que c'était Maxwell qui m'avait demandé de venir. Je lui ai dit qu'elle ne devait pas s'approcher de lui.

– Et qu'est-ce qui s'est passé ?

– Elle a prétendu que je me trompais, qu'il ne l'intéressait pas du tout, que c'était tout le contraire, que c'était Maxwell qui lui courait après. » Elle eut un sourire confiant. « Mais il m'avait avertie qu'elle mentirait et me dirait ça, et je m'y attendais donc.

– Ensuite ?

– Ensuite, elle a dit des choses sur lui, des choses affreuses que je ne pouvais pas supporter d'entendre.

– Quelles choses ?

– Qu'elle savait que l'idée de ces papiers sur Guzzardi n'était qu'un moyen pour Maxwell et mon père de se faire de l'argent, qu'elle avait averti Maxwell qu'elle allait tout raconter à la signora Jacobs. »

Elle s'interrompit une fois de plus et c'est d'une voix qui s'était distinctement durcie qu'elle reprit :

« Et elle m'a sorti je ne sais combien de mensonges sur les autres filles et sur ce que les gens disaient de lui à la bibliothèque.

– Et ensuite ?

– Elle m'a dit que la seule idée d'avoir une relation sexuelle avec lui la rendait malade. »

Il comprit, au seul ton de sa voix, que c'était la remarque qui l'avait fait basculer dans la violence.

« L'arme, signora ?

– Elle pelait une pomme quand je suis arrivée. Le couteau était sur la table. »

Exactement comme dans *Tosca*, songea Brunetti avec un frisson.

« Elle n'a pas hurlé ?

– Non. Je crois qu'elle était trop surprise. Elle s'était

331

tournée un instant, je ne sais pas pourquoi, et lorsqu'elle m'a fait face, de nouveau, je l'ai fait.

– Je vois. »

Le commissaire décida de ne pas demander davantage de détails : il était plus important que la dactylo
tape très vite cette déclaration pour qu'il puisse la lui
faire signer. Mais sa curiosité eut finalement le dessus,
et il ne put s'empêcher de demander :

« Et la signora Jacobs ?

– Comment, la signora Jacobs ? » dit-elle, sincèrement intriguée.

Brunetti renonça aussitôt à la question qu'il était sur le
point de poser et abandonna l'idée que la signora Jacobs
ait pu être assassinée.

« Je crois que c'était trop pour elle », dit Eleonora
Ford, surprenant Brunetti lorsqu'elle ajouta : « Je suis
désolée qu'elle soit morte.

– N'êtes-vous pas désolée d'avoir tué Claudia Leonardo, signora ? »

Elle secoua la tête à plusieurs reprises, lentement,
avec calme.

« Non, pas du tout. Je suis contente de l'avoir fait. »

De toute évidence, elle avait oublié la trahison supposée de son mari, à peine quelques heures auparavant, ou
elle la lui avait pardonnée, même si c'était cette fausse
trahison qui l'avait poussée à faire des aveux qui, eux,
étaient authentiques.

Brunetti se sentit soudain submergé par le poids de
la folie et de la misère humaine et il se leva, mentionna
l'heure à voix haute, déclara que l'interrogatoire était
terminé et quitta la petite pièce pour aller faire trans-
crire cette confession.

27

Brunetti parvint à convaincre la signora Ford de signer ses aveux. Impatient, il resta à côté de la secrétaire chargée de la retranscription, puis il retourna aussitôt dans la salle d'interrogatoire où attendait Eleonora Ford, qui signa et data le document. Immédiatement après, son mari débarquait, en compagnie d'un avocat qui se mit aussitôt à protester parce qu'il n'avait pas assisté à l'interrogatoire de sa cliente. Ford avait de toute évidence pensé à tirer la sonnette de tous ceux qui pouvaient avoir leur mot à dire, car il avait aussi un médecin avec lui ; ce dernier exigea de voir sa patiente et, après lui avoir donné un vague coup d'œil, estima nécessaire de la faire hospitaliser sur-le-champ. L'homme de science et l'homme de loi firent penser à Brunetti à certains duos salière-poivrière ; les deux étaient grands et minces, le médecin avec le teint pâle et des cheveux blancs, l'avocat, Filippo Boscaro, avec le teint mat, des cheveux noirs et une moustache buissonnante, noire aussi.

Brunetti demanda pour quelle raison elle devait être hospitalisée, et le médecin, qui avait déjà posé une main protectrice sur l'épaule de la signora Ford, déclara que sa patiente, visiblement en état de choc, n'était guère en mesure de répondre à des questions.

Entendant cette réponse, la signora Ford leva les yeux vers le médecin, puis les posa sur son mari, qui s'agenouilla à côté d'elle, la prenant par les deux bras – très protecteur, lui aussi. «Ne t'inquiète pas, Eleonora, je vais prendre soin de toi. »

La femme se pencha sur lui et lui murmura à l'oreille quelque chose que Brunetti ne put entendre. Ford l'embrassa doucement sur la joue et elle tourna les yeux vers Brunetti, le regard triomphant après cette preuve d'amour. Le commissaire ne dit rien, attendant de voir ce qu'allait suggérer l'Anglais.

Celui-ci se releva maladroitement, ne pouvant se servir de ses mains, prisonnières de celles de sa femme tout autant qu'elles les emprisonnaient. Une fois debout, il aida sa femme à se lever à son tour et passa un bras autour de ses épaules.

«Tu pourras la prendre, Giulio ?» demanda-t-il alors au médecin.

Avant que celui-ci ait pu répondre, Brunetti lui fit remarquer qu'il ne pouvait la laisser partir sans qu'elle soit accompagnée par une femme policier. Le médecin, le bibliothécaire et l'avocat jouèrent à qui en prendrait le plus ombrage, mais le commissaire se contenta d'ouvrir la porte donnant sur le corridor et de demander au policier de faction de faire venir toute de suite une de ses collègues femmes.

L'avocat, que Brunetti connaissait de vue mais dont il ne savait rien sinon qu'il plaidait au pénal, prit la parole.

«J'espère que vous comprenez, commissaire, que tout ce qu'a pu déclarer ma cliente pendant tout le temps qu'elle a passé ici pourra difficilement servir de preuve.

– Preuve de quoi ? rétorqua Brunetti.

– Je vous demande pardon ?

– Preuve de quoi ?» répéta-t-il.

Pris au dépourvu, Boscaro répondit finalement :

«De quoi que ce soit.

– Cela pourra-t-il au moins prouver qu'elle est venue

ici, d'après vous, maître ? demanda poliment Brunetti.
Ou peut-être prouver qu'elle connaissait son nom ? »

Il avait beau savoir qu'il ne servait à rien de faire de
l'ironie avec un avocat, il ne put s'empêcher de l'offenser.

« J'ignore de quoi vous voulez parler, commissaire,
répondit Boscaro, mais je pense que vous essayez déli-
bérément de me provoquer. »

Brunetti, bien obligé d'être d'accord avec cette
observation, se tourna vers le médecin.

« Pouvez-vous me dire votre nom, dottore ?

– Giulio Rampazzo.

– Et vous êtes le médecin traitant habituel de la
signora Ford ?

– Je suis psychiatre.

– Je vois. Et puis-je savoir depuis combien de temps
la signora Ford est votre patiente ? »

Le mari perdit patience à cet instant-là. Serrant un
peu plus sa femme contre lui, il l'entraîna vers la porte.

« Je ne vois pas à quoi rime tout cela. J'emmène ma
femme avec moi. »

Brunetti savait qu'il valait mieux ne pas s'opposer à
lui, surtout avec les deux cerbères que l'homme avait en
remorque. Il fut cependant soulagé de voir une femme
en uniforme se présenter à la porte.

« Tu vas accompagner cette dame. »

La policière salua et répondit : « Oui, monsieur »
– sans même demander où elle devait aller ni ce qu'elle
aurait à faire, exactement.

« Dans quel hôpital allez-vous la faire admettre, dottore ? » demanda Brunetti.

Rampazzo fut pris de court et se creusa la tête pour
improviser une réponse, prenant bien soin de ne pas la
chercher du côté de Ford. Ce que voyant, Brunetti
déclara que la vedette la conduirait à l'Ospedale Civile.
Puis il adressa un signe de tête au policier de faction

qui était revenu et lui demanda d'aller chercher le bateau.

Tandis qu'il précédait le petit groupe en direction de l'entrée de la questure, Brunetti cherchait le meilleur moyen de traiter cette affaire. Avec un médecin affirmant que la femme était en état de choc, Ford pourrait de toute façon la libérer de sa garde à vue ; il savait qu'il était inutile de s'y opposer. Mais plus son départ se ferait normalement et paisiblement, plus ses aveux auraient de poids et de validité, d'autant qu'elle était sans conteste restée calme et cohérente tout au long de son interrogatoire.

La vedette attendait devant le bâtiment, le moteur tournant au ralenti. Brunetti ne les accompagna pas plus loin que la porte. Le policier en uniforme qui l'avait assisté jusqu'ici aida les deux femmes et les trois hommes à monter à bord, puis sauta sur le pont après eux. Une fois la vedette partie, Brunetti revint dans le bâtiment et passa quelques coups de fils de manière que la signora Ford ne puisse s'échapper du dédale bureaucratique dans lequel ses aveux l'avaient piégée.

C'est par intermittence, au cours des mois suivants, que l'attention de Venise se porta sur ce dédale. Les progrès étaient tortuesques – encore que cette image soit sans doute trop sauvagement énergique – aussi bien pour le meurtre de Claudia Leonardo que pour la succession de la signora Jacobs. Les deux affaires avaient fait une irruption soudaine et remarquée dans les faits-divers, *via* les manchettes de la presse locale et même nationale. Toutes les autres affaires du même genre se retrouvaient reléguées en bas de première page, tant les aveux sensationnels de la fille d'un des notaires les plus connus de la ville et la découverte d'un patrimoine inestimable d'œuvres d'art dans la modeste demeure d'une femme sans ressources excitaient les imaginations.

Les spéculations allaient bon train sur la première affaire : jalousie, passion, adultère, voilà qui était croustillant. Quant à la seconde, les émotions qu'elle était censée soulever étaient moins spectaculaires : loyauté, amour, dévotion. L'un et l'autre faits-divers évoluèrent avec le sort de leurs principales protagonistes : la signora Ford retourna chez elle, et les articles la concernant passèrent dans les pages intérieures ; et ceux touchant à la signora Jacobs furent enterrés encore plus loin, comme elle-même avait été enterrée dans le coin le plus reculé du cimetière protestant. Brunetti avait eu le temps de regretter son erreur de jugement : la signora Jacobs n'avait pas été assassinée. La mort de Claudia l'avait tuée, pas la meurtrière de Claudia.

Appelée parfois « l'affaire Leonardo », parfois « l'affaire Ford », la procédure d'instruction traîna. On remit les aveux en question, et on accusa même les autorités d'avoir agi à la hussarde ; finalement, au bout de six mois de bataille juridique, ces aveux furent cependant considérés comme valides. À ce moment-là, le docteur Rampazzo et ses collègues prirent comme ligne de défense que le geste avait été le produit d'une crise violente de jalousie qui avait mis leur patiente hors d'elle – et l'avait rendue irresponsable de ses actes. Boscaro se révéla à la hauteur de sa réputation (et sans aucun doute, de ses honoraires), en soutenant cette argumentation devant un panel de juges qui déclarèrent qu'effectivement, la signora Ford se trouvait en état de responsabilité diminuée lorsqu'elle avait rendu visite à Claudia Leonardo. Quant à ce qui était alors arrivé… Comme l'avait si bien dit le signor Ford à sa femme : la chair est faible et les gens font des choses qu'ils ne voulaient pas faire.

Brunetti, accaparé par une autre affaire – une histoire

de corruption au casino ayant dépassé tout ce qu'on avait vu jusqu'ici –, suivit les péripéties du procès *via* les journaux et les amis qu'il avait parmi les magistrats, sachant qu'il ne pouvait plus avoir la moindre influence sur son issue.

Les œuvres d'art de la collection Jacobs firent l'objet d'un deuxième inventaire, cette fois par des représentants du ministère des Finances et de la direction des Beaux-Arts. On déclara la mère de Claudia Leonardo légataire de sa fille, ce qui en faisait l'héritière de la collection de Hedwig Jacobs. Étant donné qu'on ne savait rien de cette femme, s'ouvrit alors une période de sept ans à la fin de laquelle elle serait déclarée légalement décédée ; ses biens reviendraient alors à l'État. Les peintures, les céramiques et les célèbres dessins qui avaient (ou non) appartenu jadis au consul de Suisse et qui appartenaient maintenant (ou pas) à la mère de Claudia furent transportés à Rome. C'est là qu'ils y furent remisés, tandis que commençait le compte à rebours.

Un soir, alors qu'ils étaient assis dans le salon, Paola leva les yeux de son livre et dit tout à coup à Guido, « Jarndyce contre Jarndyce[1].

– Quoi ? »

Elle le regarda, les yeux légèrement agrandis par ses lunettes de lecture. « Non, rien, dit-elle. C'est dans un roman. »

Six mois plus tard, Gianpaolo Filipetto mourut paisiblement dans son sommeil et, étant un paroissien de San Giovanni in Bragora, y eut ses funérailles avec toute la pompe et le cérémonial dus à son âge avancé et à sa situation sociale dans la ville.

1. Allusion au roman de Dickens, *Bleak House (N.d.T).*

Brunetti arriva en retard et manqua la messe de Requiem, mais assez tôt pour pouvoir se mêler à la foule qui sortait de l'église pour attendre, dans un silence respectueux, l'arrivée du cercueil et des proches du défunt. Six hommes portaient la bière en acajou, qui disparaissait jusqu'aux poignées sous un lit de roses blanches et rouges. Le premier à émerger de la pénombre de l'église fut le prêtre, un homme que le poids des ans écrasait presque autant qu'il avait écrasé Filipetto. Derrière lui venait la fille de Filipetto, autorisée à sortir pour assister aux funérailles et que son mari tenait solidement par le bras. Ford avait pris du poids au cours des derniers mois et paraissait éclater de santé et de bien-être, tandis que sa femme était devenue encore plus anguleuse et squelettique.

Ford ne quittait pas le visage d'Eleonora tout en marchant, tandis qu'elle gardait le sien baissé. La foule s'écarta devant le cortège qui s'avançait lentement sur la place. Un homme arriva d'un pas vif du *bacino*, là où était amarré le bateau qui transporterait le cercueil jusqu'au cimetière. L'homme s'approcha du prêtre et échangea quelques mots avec lui, puis le vieux curé se tourna et, d'un geste, lui montra Ford. L'homme fit signe à l'Anglais, qui quitta sa femme après lui avoir dit deux mots à voix basse et vint lui parler.

Brunetti profita de cette occasion pour s'approcher d'Eleonora Ford.

« Signora ? » dit-il quand il fut à sa hauteur.

Elle leva les yeux et le reconnut sur-le-champ, mais ne dit rien. Elle avait vieilli, se rendit compte Brunetti, comme si plusieurs années s'étaient écoulées, et non pas quelques mois ; de part et d'autre de sa bouche flétrie, ses joues creuses tiraient sur ses pommettes. À croire que le sommeil l'avait définitivement fuie.

Elle baissa à nouveau les yeux et parla si doucement qu'il dut se pencher vers elle.

« Dites-moi ce que vous avez à me dire avant qu'il revienne. »

Elle avait murmuré cela précipitamment en jetant un coup d'œil sur sa gauche, là où se tenaient Ford et l'homme qui l'avait interpellé.

« Avez-vous lu les journaux qui parlaient de votre affaire, signora ? »

Elle acquiesça.

« Et le rapport d'autopsie ? »

Ses yeux s'agrandirent, puis elle les ferma un instant. Il considéra qu'elle avait répondu affirmativement, mais il tenait à le lui entendre dire.

« L'avez-vous lu ?

– Oui.

– Alors vous savez qu'elle était vierge. »

Sa bouche s'ouvrit, et il s'aperçut qu'elle avait perdu deux incisives à la mâchoire inférieure, deux incisives qui n'avaient pas été remplacées.

« Il m'a dit… », commença-t-elle pour s'interrompre, regardant d'un air inquiet en direction de son mari.

– Je ne doute pas qu'il l'ait fait, signora », répondit Brunetti qui, faisant demi-tour, l'abandonna aux deux hommes de sa vie.

Mort à la Fenice
Calmann-Lévy, 1997
et « Points Policier », n° P514

Mort en terre étrangère
Calmann-Lévy, 1997
et « Points Policier », n° P572

Un Vénitien anonyme
Calmann-Lévy, 1998
et « Points Policier », n° P618

Le Prix de la chair
Calmann-Lévy, 1998
et « Points Policier », n° P686

Entre deux eaux
Calmann-Lévy, 1999
et « Points Policier », n° P734

Péchés mortels
Calmann-Lévy, 2000
et « Points Policier », n° P859

Noblesse oblige
Calmann-Lévy, 2001
et « Points Policier », n° P990

L'Affaire Paola
Calmann-Lévy, 2002
et « Points Policier », n° P1089

Des amis haut placés
Calmann-Lévy, 2003
et « Points Policier », n° P1225

Mortes-eaux
Calmann-Lévy, 2004
et « Points Policier », n° P1331

Le Meilleur de nos fils
Calmann-Lévy, 2006
et « Points Policier », n° P1661

Sans Brunetti
Essais, 1972-2006
Calmann-Lévy, 2007

Dissimulation de preuves
Calmann-Lévy, 2007

COMPOSITION : I.G.S. CHARENTE-PHOTOGRAVURE À L'ISLE-D'ESPAGNAC

GROUPE CPI

Achevé d'imprimer en août 2007
par **BUSSIÈRE**
à Saint-Amand-Montrond (Cher)
N° d'édition : 59344-4. - N° d'impression : 71470.
Dépôt légal : avril 2006.
Imprimé en France

Collection Points Policier